OKSA POLLOCK

DÉJÀ PARU

Oksa Pollock, tome 1, *L'Inespérée*, XO Éditions, 2010

ANNE PLICHOTA et CENDRINE WOLF

**

La Forêt des égarés

EDITIONS

Pour la patiente, adorable et précieuse Zoé

Précédemment…
dans Oksa Pollock, *tome 1,* L'Inespérée

Oksa Pollock, 13 ans, vient d'emménager à Londres. Dotée d'un caractère vif et d'un solide sens de l'humour, elle est aussi très sensible et attachée à ses proches : ses parents Marie et Pavel, son excentrique grand-mère Dragomira, son meilleur ami Gus. Bref, Oksa est une jeune fille comme tant d'autres. C'est du moins ce qu'elle croit jusqu'au soir où tout change…

L'incroyable événement survient le jour de la rentrée à St Proximus, son nouveau collège. Ses parents accaparés par leur travail, c'est vers sa grand-mère qu'Oksa se précipite pour raconter sa première journée : les collégiens sont très accueillants − parmi eux Merlin et Zelda deviennent vite des amis − et, bonheur, Gus est dans la même classe qu'elle ! Mais Oksa ne dit rien du profond malaise qui l'a envahie lorsque monsieur McGraw, le glacial professeur de maths et de sciences, s'est adressé à elle…

Le soir même, il arrive à Oksa un phénomène incompréhensible : dans l'intimité de sa chambre, elle parvient à faire bouger des objets par sa seule volonté ! Elle qui a toujours rêvé d'être une ninja, voilà qu'elle se découvre des dons surnaturels ! Perdue et terrifiée, elle se garde bien d'en parler à quiconque.

Et ce n'est pas fini. Soudain apparaît sur son ventre une mystérieuse empreinte. Cette fois, Oksa met sa grand-mère dans la confidence. C'est alors que Dragomira lui révèle le secret de ses origines : la famille Pollock vient d'Édéfia, un monde invisible caché quelque part sur Terre. Dragomira en était la Jeune Gracieuse, c'est-à-dire la jeune fille promise à le diriger. Mais à la suite d'un complot mené par un Félon, plusieurs dizaines d'entre eux ont été éjectés de ce monde il y a une cinquantaine d'années. Réunis sous le nom de Sauve-Qui-Peut, ils forment une communauté solidaire et secrète qui tente de localiser Édéfia pour y retourner.

Parce qu'elle a reçu l'empreinte sur le ventre, Oksa est la nouvelle Jeune Gracieuse. Elle est aussi pour tous ces exilés le seul espoir de retrouver Édéfia.

Ainsi Oksa découvre des choses incroyables sur sa famille : au dernier étage de leur maison, sa grand-mère abrite d'étranges créatures venues d'Édéfia ! Notamment les Foldingots, deux petits êtres à l'allure attendrissante et à la façon de parler insolite.

Au collège, les choses ne s'arrangent pas avec le professeur McGraw. Bientôt, Oksa se rend compte qu'il est au courant pour ses pouvoirs. Pourquoi s'intéresse-t-il à elle ?

Pour son anniversaire, Oksa reçoit ses premiers ustensiles de Jeune Gracieuse : un Curbita-peto, petit bracelet vivant qui l'aidera à contenir ses impulsions, et une Crache-Granoks, sorte de sarbacane à usage défensif et offensif.

D'ailleurs, Oksa va pouvoir s'entraîner sérieusement : pendant les vacances, elle part au pays de Galles avec Gus, chez son grand-oncle Léomido. C'est dans cet endroit magnifique que tout bascule : Léomido, Oksa et Gus sont attaqués, et l'agresseur n'est autre que McGraw ! Oksa, luttant contre la terreur, utilise pour la première fois sa Crache-Granoks et parvient à lui échapper.

Cette agression entraîne la tenue d'une réunion des Sauve-Qui-Peut. À cette occasion, Oksa fait vraiment la connaissance de Naftali et Brune Knut, deux exilés de la première génération, et de leur petit-fils Tugdual, un beau et énigmatique jeune homme, avec une émotion qui la surprend…

Mais l'heure est grave : le professeur McGraw n'est autre qu'Orthon, fils du grand Félon. Les Sauve-Qui-Peut sont sous le choc. Il est évident que McGraw veut lui aussi retourner à Édéfia, et qu'il veut utiliser Oksa pour cela.

Une nouvelle phase se met en place pour Oksa. En apparence, la jeune fille continue de vivre sa vie de collégienne ordinaire, mais en réalité, elle est l'objet d'une surveillance constante de ses parents alors que McGraw multiplie les provocations.

Bientôt le Félon remporte une victoire atroce : Marie Pollock, la douce mère d'Oksa, est paralysée par un mal inconnu qui ronge son système nerveux. Dragomira réussit à stabiliser son état mais une grande inquiétude subsiste. Or c'est d'un savon offert par Zoé, une camarade de classe, pour l'anniversaire d'Oksa que vient la paralysie de Marie : Zoé serait en fait la fille d'Orthon McGraw.

Le Félon ne laisse aucun répit à Oksa : un soir il la piège et l'isole dans le collège désert. L'attaque est terrible. Les coups magiques pleuvent. Oksa finit par avoir le dessus pendant un court instant qui lui permet de se sauver. Mais à quel prix… Elle a reçu un Putrefactio – la redoutable Granok qui fait pourrir les membres ! Gus, qui est présent, sauve Oksa *in extremis*. La pauvre mademoiselle Crèvecoeur, la professeur préférée des deux collégiens, tombée par hasard au milieu de la scène, sombre dans la folie.

La catastrophe ultime a lieu quelques jours plus tard : Dragomira se rend chez Orthon McGraw, seule. Apprenant cela, Oksa fonce avec Gus au domicile du Félon : ils se retrouvent face à deux Dragomira strictement identiques, si ce n'est que l'une des deux est une « copie » qui masque le dangereux Félon. Une nouvelle et terrible bataille s'ensuit pendant laquelle Oksa doit faire appel à tout son courage pour sauver sa grand-mère. Heureusement, elle n'est pas seule et Gus, une fois de plus, va l'aider avec ses simples pouvoirs d'humain. Par une intervention ultime, Abakoum, le sage parrain de Dragomira, clôt ce triste chapitre. Il lance sur McGraw la Granok que Dragomira n'a pas la force d'utiliser, la terrible Crucimaphila qui engloutit Orthon McGraw dans un trou noir sans fond.

Sans fond ? Vraiment ?

1

Un répit de courte durée

L'uniforme débraillé et la cravate dénouée, les collégiens s'en donnaient à cœur joie, courant et criant à tue-tête dans la cour de St Proximus. C'était le dernier jour de classe. Enfin ! Cette année scolaire avait été interminable aux yeux d'Oksa Pollock et de Gus Bellanger et les vacances arrivaient à point. Il s'était passé tellement de choses… Entre la révélation des origines mystérieuses d'Oksa et la pulvérisation d'Orthon McGraw, l'ennemi du clan des Sauve-Qui-Peut, les derniers mois avaient été aussi riches en découvertes qu'en épreuves. Oksa secoua la tête pour chasser ces pensées qui noircissaient son esprit et entraîna Gus vers la fontaine, au centre de la cour dallée. Le garçon tenta de résister en riant.

— Si tu crois que je n'ai pas compris ton petit jeu diabolique ! lança-t-il.

— Un bon bain pour fêter ce jour béni, tu ne peux pas refuser ça ! s'exclama Oksa en tirant de toutes ses forces le bras de son ami.

— Tu as tort de vouloir me forcer, ma vieille ! Tu oublies que je suis celui que rien ni personne ne peut soumettre !

À ces mots, il rejeta sa longue mèche brune en arrière dans un geste faussement hautain. Hilare, Oksa lâcha prise… et s'écroula de tout son long contre la margelle de la fontaine.

— AÏE ! gémit-elle. Mon coude !

Sa chemise, déchirée, commençait à se maculer d'une auréole rouge.

— Ah, c'est malin ! maugréa-t-elle. Regarde ! Je suis toute crado !

Gus lui tendit la main pour l'aider à se relever. Une fois debout, elle se contorsionna pour retirer la petite sacoche qu'elle portait en bandoulière.

— Tiens ! s'exclama-t-elle en la lui tendant. Tu peux garder ça pendant que je me nettoie ?

— Mmhh… Les accessoires magiques de la Jeune Gracieuse ? C'est un honneur !

Oksa lui adressa un sourire et fit volte-face en direction du cloître de pierre grise. Gus la suivit des yeux jusqu'à ce qu'elle disparaisse dans l'ombre de l'escalier qui s'enfonçait dans la somptueuse bâtisse.

Vingt minutes plus tard, Gus était toujours au même endroit, adossé contre un muret.

— Gus ! cria un collégien blond comme les blés. Viens ! On va faire un basket !

— Non merci, Merlin ! J'attends Oksa.

Patient mais désœuvré, il tapota la sacoche et sentit une masse ronde et molle. Le Culbu-gueulard… Pourvu qu'il reste calme ! Comme s'il lisait dans ses pensées, le Culbu précisa :

— Ne vous inquiétez pas, Jeune Maître. La maîtrise de soi est mon mot d'ordre car, savez-vous, frénésie et camouflage ne font pas bon ménage.

Amusé par cette devise excentrique, Gus sourit.

— Bon, Oksa… Qu'est-ce que tu fabriques ? grommela-t-il au bout de quelques secondes.

— Je peux indiquer que la Jeune Gracieuse se trouve actuellement aux lavabos du premier étage, à cinquante-six mètres de ce lieu, direction nord-nord-ouest, ne put s'empêcher d'indiquer la petite créature d'une voix étouffée.

Gus frémit, inquiet à l'idée que quelqu'un puisse être témoin de cette singulière discussion. Mais tout le monde était bien trop occupé à se défouler pour faire attention à lui. Il finit par se lever et se dirigea à son tour vers l'escalier.

En traversant le couloir désert, il ne percevait plus que la rumeur qui s'élevait de la cour et le bruit de ses pas sur le sol. Une drôle d'impression l'envahit, lui rappelant les terribles événements survenus quatre mois plus tôt… Oksa blessée, McGraw démoniaque, Mlle Crèvecœur… En passant devant le labo, il ne put s'empêcher de jeter un coup d'œil. Au même moment, il entendit un chant. Un chant triste et lent qui ressemblait à un pleur. Intrigué, il tourna la poignée de la porte : le labo était ouvert. Gus entra et regarda autour de lui. Il n'y avait personne et, pourtant, il entendait pleurer comme si quelqu'un gémissait tout près de lui. Il ouvrit le sac d'Oksa : le Culbu-gueulard se tenait tranquille, ce n'était pas lui.

— Qu'est-ce que ça veut dire ? Qu'est-ce que c'est ?

Il fit le tour de la salle en serrant la sacoche d'Oksa contre lui. Il inspecta sous chaque bureau, ouvrit la porte du cagibi, puis celle de la grande armoire. Rien… Et pourtant, la lamentation, douce et poignante à la fois, résonnait toujours dans ses oreilles. Il arrêta sa fouille et resta debout au milieu de la salle, attentif, les sens à l'affût du moindre indice. Au milieu des pleurs qui l'enveloppaient, il pouvait maintenant entendre formuler des mots qu'il avait du mal à identifier.

— Que dites-vous ? Où êtes-vous ? bredouilla-t-il en scrutant tout autour de lui malgré son appréhension.

Une voix lui parvint, lointaine et proche à la fois :

— Je suis là, devant vous, j'ai besoin d'aide, venez me libérer… *S'il vous plaît !*

Le chemisier encore humide, Oksa s'apprêtait à rejoindre la cour quand elle entendit l'écho d'une corne de brume.

— Tiens ! On dirait le portable de Gus !

Quand elle passa devant le labo du premier étage, la sonnerie s'amplifia, puis s'arrêta. Oksa stoppa net et attendit quelques secondes. Avec un sourire, elle entendit l'indication qu'elle attendait : la voix essoufflée de Dark Vador signalait que quelqu'un venait de laisser un message sur le répondeur de Gus. Oksa ne s'était pas trompée ! Sans hésiter, elle ouvrit la porte du labo et entra.

— Gus ! Tu es là ?

Aucune réponse. Oksa regarda autour d'elle et chercha sous les bureaux. Son ami n'était pas du genre à lui faire ce type de farce, mais savait-on jamais ce qui avait pu lui passer par la tête… Tout à coup, elle aperçut le téléphone sur le sol.

— Mais qu'est-ce que son portable fait là ? marmonna-t-elle en fronçant les sourcils.

Elle le ramassa, regarda encore autour d'elle d'un air intrigué et sortit de la salle pour rejoindre les autres.

— Tu n'aurais pas vu Gus ?

Zoé leva les yeux et Oksa vit une ombre soucieuse voiler son beau visage. Confuse d'avoir pu l'effrayer sans raison, Oksa se reprit aussitôt :

— C'est vraiment un Insuffisant… Regarde, il a perdu son portable !

Avec sa spontanéité habituelle, elle saisit la main de Zoé et l'entraîna avec elle.

— Viens, je suis sûre qu'il est planqué dans un coin ! On va le débusquer, tu vas voir ça !

Depuis que Zoé habitait chez les Pollock, Oksa avait découvert le bonheur d'avoir une amie. Une véritable amie. La pitié qu'elle avait d'abord éprouvée, née du vécu atroce de Zoé, avait fini par laisser la place à un attachement sincère et réciproque qui les avait surprises autant l'une que l'autre. Aujourd'hui, un lourd secret les unissait et leur amitié était solide comme un roc.

— Il ne perd rien pour attendre… pesta Oksa.

Les deux amies étaient revenues à leur point de départ après une demi-heure de vaines recherches et se sentaient plus inquiètes qu'elles ne voulaient se l'avouer. L'après-midi arrivait à sa fin et les collégiens commençaient à quitter le bâtiment.

— Tu devrais appeler à la maison, suggéra Zoé, le front barré d'un rictus qui renforça l'anxiété d'Oksa.

Quand Pierre Bellanger et Pavel Pollock apparurent dans la cour, l'angoisse des deux filles avait décuplé. Pendant près d'une heure, le collège fut une nouvelle fois fouillé de fond en comble avec une fébrilité croissante.

— Il n'est pas à Bigtoe Square, ni chez nous… annonça Pierre en repliant son téléphone portable.

Puis le concierge referma les lourdes portes de St Proximus et il fallut se rendre à l'évidence : GUS AVAIT DISPARU ! Oksa et Zoé s'entreregardèrent, les yeux noyés de larmes. Décidément, le calme des derniers mois n'avait été qu'un répit de courte durée…

Les Sauve-Qui-Peut étaient sous le choc. Par solidarité, Brune et Naftali Knut, les impressionnants Suédois, ainsi que Léomido, le frère de Dragomira, n'avaient pas tardé à rejoindre la maison des Pollock. La nuit était tombée depuis longtemps et alourdissait l'atmosphère déjà atrocement pesante. Pierre, le visage creusé par l'angoisse, soutenait Jeanne, sa femme, qui pleurait en silence sans pouvoir s'arrêter. Dragomira s'approcha pour les serrer dans ses bras tout en cherchant les mots qui pourraient les rassurer ou les consoler. Mais elle n'en trouvait aucun. Debout derrière le fauteuil roulant de Marie, les yeux fixés sur Oksa, Pavel sentait l'anxiété se répandre dans son esprit comme un poison sournois.

— Il faudrait peut-être prévenir la police… suggéra Oksa d'une voix éraillée.

— Non, Oksa, c'est impossible, lui répondit Abakoum, le protecteur des Sauve-Qui-Peut. De toute façon, nous savons tous qu'on nous parlerait de fugue…

— Gus n'est pas un fugueur ! Il a été enlevé ! s'écria Jeanne, éperdue d'angoisse.

« Mais par qui ? » se demandèrent-ils tous sans oser l'exprimer.

Seule Oksa s'enhardit :

— Vous croyez que ça pourrait être un Félon ? Orthon McGraw n'était sûrement pas le seul à être sorti d'Édéfia… Qu'est-ce qui nous dit qu'il n'y en a pas d'autres ?

Tous la regardèrent avec une certaine reconnaissance. De toutes les possibilités, c'était celle qu'ils souhaitaient le plus envisager. Car, si c'était le cas, Gus serait alors une monnaie d'échange et il ne lui serait fait aucun mal tant que les négociations n'auraient pas été engagées. Mais s'il ne s'agissait pas d'un Félon ? Mieux valait ne pas y penser.

Toute la nuit, les yeux rivés sur la porte d'entrée, portables à portée de main, ils veillèrent en échafaudant mille théories et mille probabilités. C'est vers cinq heures du matin, effondrée sur un canapé aux côtés de Zoé qui était restée prostrée depuis la veille, qu'Oksa découvrit ce qui allait s'avérer un début de piste. Elle avait gardé avec elle le téléphone de Gus et écoutait pour la centième fois le dernier message ayant déclenché le signal qui avait attiré son attention. C'était un message de Jeanne. « Gus, je n'arrive pas à te joindre. Ton père passe te chercher d'ici une heure. À tout à l'heure ! » Étonnée de ne pas y avoir pensé plus tôt, Oksa regarda en détail tout ce que son ami avait pu enregistrer. Du côté des messages, rien à signaler. Mais du côté des fichiers d'images, il y avait quelque chose de bizarre : juste avant

de recevoir l'appel de sa mère – l'horloge du portable le confir-
mait –, Gus avait pris une photo étrange.

— Regardez !

Oksa montra la minuscule photo qui apparaissait sur l'écran du
portable.

— Qu'est-ce que ça peut bien être ?

Aussitôt, Pavel alluma son ordinateur pour faire un agrandisse-
ment et tout le monde se groupa autour de lui. Dès que l'image
apparut, Zoé s'écria :

— Mais c'est ma grand-mère ! C'est Réminiscens !

— Tu es sûre ? s'exclama Dragomira.

— Oui !

Tous fixèrent l'écran : un tableau représentait le portrait d'une
femme d'environ soixante-dix ans dont on n'apercevait que la
moitié supérieure du corps. Elle regardait droit devant elle, ses
pâles yeux bleus écarquillés de désespoir et de crainte. Elle était
mince, vêtue de sombre, et son visage fin inspirait une compassion poignante.

— C'est ma grand-mère… ajouta Zoé d'une voix enrouée par
la fatigue et l'émotion.

Stupéfaits, Dragomira et Abakoum se regardèrent. Un éclair de
compréhension rompit soudain leur silence et ils s'écrièrent en
chœur sans se quitter des yeux :

— L'ENTABLEAUTEMENT !

2

Celui que personne n'attendait

Gus se tenait dans un équilibre instable sur la corniche vermoulue que formait l'intérieur du tableau. Quelques secondes plus tôt, il était encore dans la salle de sciences du St Proximus College, devant ce tableau étrange d'où provenait une voix, bouleversante de douleur et de tristesse. Il avait alors été aspiré par le portrait flou dont les reflets mouvants l'avaient happé... Oui. Aussi incroyable que cela puisse paraître, c'est ainsi que les choses s'étaient passées... Et maintenant, il se trouvait de l'autre côté, à l'intérieur, pétrifié de peur sur le rebord de bois qui semblait s'effriter sous ses pieds.

— Le tableau... murmura-t-il. Je suis passé à travers le tableau !

Devant lui, il ne distinguait rien de plus qu'une masse sombre et immobile qui lui inspirait un atroce sentiment de terreur. Le cadre du tableau avait pris des proportions gigantesques qui donnaient au jeune garçon l'impression d'être minuscule. Il se tourna avec précaution et se contorsionna pour tâter la toile tendue. Avec un peu de chance, il repasserait à travers et échapperait à ce cauchemar... Il atteignit la toile du bout des doigts et gémit de déception : elle s'était transformée en un voile de vapeur polaire aussi insaisissable que l'air d'une chambre froide.

— Est-ce qu'il y a quelqu'un ? demanda-t-il, les mots s'étranglant dans sa gorge. Vous m'entendez ?

Sa voix était étrangement mate, comme s'il se trouvait dans une pièce capitonnée. Jamais il n'avait entendu un tel silence. Il sentit un morceau du rebord de bois céder sous son poids et tomber. Il tendit l'oreille, impatient d'entendre le bout de bois terminer sa chute, ce qui lui permettrait d'évaluer à quelle hauteur il pouvait bien se trouver. Plusieurs dizaines de secondes s'écoulèrent, interminables, sans que le moindre bruit résonne.

Ce qui se trouvait sous les pieds de Gus paraissait sans fond… Le garçon déglutit alors qu'une sueur acide et glacée glissait le long de son dos et sur son front. Une goutte gagna ses yeux, brouillant sa vue. Dans un geste instinctif, il porta sa main à son visage pour se frotter les yeux, ce qui mit aussitôt en péril son équilibre. Et ce qu'il redoutait ne tarda pas à arriver : il battit des bras avec l'espoir de trouver une prise qui le retiendrait et, dans un cri désespéré, il tomba dans le vide.

La chute sembla sans fin, comme si le temps n'existait plus. Dans une obscurité absolue, le corps de Gus plongeait vers une destination inconnue sans que le garçon puisse contrôler le moindre de ses mouvements. Il savait qu'il tombait, mais il n'en sentait aucun effet. Il s'enfonçait dans une sorte de gravité puissante mais légère, avec la souplesse d'une plume qu'on lâcherait et qui flotterait longuement avant d'atteindre enfin le sol. Tombait-il la tête en avant ? À la verticale ou à l'horizontale ? Impossible de savoir, l'absence de perception de son propre corps était totale. Mais même si cette sensation était fantastique, Gus ne pouvait s'empêcher d'être terrifié. Peut-être était-il mort ? Peut-être errait-il dans une sorte de trou noir qui allait l'emprisonner jusqu'à la fin des temps ? Il écarquilla les yeux, effaré par cette pensée monstrueuse.

Enfin, il se sentit rebondir sur une surface moelleuse comme un édredon. Éperdu de panique, il retint son souffle et plissa les yeux pour tenter de percer l'obscurité. Jamais il n'en avait vu de si profonde. Peut-être était-ce cela que l'on appelait les ténèbres… Intenses et veloutées, elles paraissaient solides tant elles étaient denses. Gus tendit la main avec appréhension, s'attendant à tout moment à sentir au bout de ses doigts… quelque chose. Un mur. Une porte. Un visage ! Mais il n'y avait rien d'autre que ce vide épais et terrifiant. Ses yeux scrutèrent avec angoisse la nuit extrême et distinguèrent bientôt des petites bulles bleues phosphorescentes qui s'échappaient de sa bouche, comme si sa respiration s'était matérialisée ! Il expira, soufflant avec exagération, et l'étonnant phénomène se confirma : des bulles de toutes les tailles s'élevèrent, puis disparurent. Troublé, le garçon reprit son inspection. Au bout de quelques minutes, il réussit à percevoir des battements lents qui dégageaient de légères décharges d'un violet très foncé. Le cœur des ténèbres ?

Cette pensée le fit frissonner. « Ne pense pas à ça… se dit-il, affolé. Les ténèbres n'ont pas de cœur ! »

Il regarda partout autour de lui, sans pouvoir repérer quoi que ce soit d'autre que des nervures qui frémissaient en rythme. Les ténèbres n'avaient sans doute pas de cœur mais, en tout cas, elles semblaient bien vivantes ! Gus décida de prendre son courage à deux mains et se leva. Ses jambes flageolaient et ses dents claquaient sans discontinuer, mais il tint bon et s'enfonça dans l'obscurité.

Les ténèbres avaient fini par se dissiper peu à peu. Des bribes de lumière provenant d'un ciel anormalement mauve se diluaient, diffusant une clarté crépusculaire sur la forêt qui entourait désormais Gus. Il ne percevait rien, comme si toute forme de vie avait disparu. Il secoua la tête, mal à l'aise devant cette immobilité inquiétante. Rien ne bougeait, même l'air semblait s'être figé. Gus fronça les yeux et, au bout de quelques secondes, blêmit. Secoué, il se laissa tomber contre le tronc d'un arbre gigantesque et plongea sa tête entre ses mains.

— Mais qu'est-ce qui m'arrive ? gémit-il, le cœur battant à tout rompre. Qu'est-ce que ça veut dire ?

Le jeune garçon rejeta en arrière la mèche de cheveux noirs qui lui barrait les yeux et la ramena d'un geste nerveux derrière son oreille. Il avait l'impression qu'une masse gluante comme du goudron chaud envahissait chaque parcelle de son corps et de son esprit. Ses oreilles bourdonnaient comme si une ruche s'était logée au centre de son cerveau. Il se sentait paralysé par sa propre peur, osant à peine respirer et encore moins bouger. Mais où se trouvait-il donc ? Était-il dans une autre dimension ? Dans un monde parallèle ? À Édéfia, la Terre Perdue ? Tout ce dont il pouvait être sûr, c'est qu'il était tombé *dans un tableau* et qu'il n'était pas mort puisqu'il sentait cogner son cœur.

Plusieurs minutes passèrent – des heures peut-être, comment savoir ? – avant qu'il atteigne un certain calme. Depuis qu'une empreinte secrète était apparue autour du nombril d'Oksa, la vie de Gus n'avait été qu'un enchaînement d'aventures toutes plus incroyables les unes que les autres. Une tempête de péripéties. Un déferlement de mystères. Et surtout une avalanche d'ennuis ayant tous la même cause : Orthon McGraw. Le cauchemar vivant. L'homme de tous les dangers. Mais McGraw était mort. Abakoum, l'Homme-Fé, l'avait pulvérisé en plusieurs milliards de particules en lui projetant l'impitoyable Granok de Crucimaphila. Gus l'avait vu de ses propres yeux.

Et pourtant, c'était bel et bien à cause de McGraw qu'il était piégé. Le garçon se souvenait très bien quand l'infâme professeur avait accroché le maudit tableau dans la salle de sciences de St Proximus. Ce jour-là, Oksa avait fait du zèle – une fois de plus ! – en utilisant ses dons pour mettre McGraw hors de lui. À ce souvenir, Gus tressaillit. Son attention se porta de nouveau sur la forêt. Toujours adossé contre l'arbre énorme qui semblait s'être moulé à la forme de son corps, il entreprit alors d'observer la forêt immobile qui l'encerclait. Elle paraissait monstrueuse ! D'immenses arbres le toisaient de leur hauteur terrifiante et semblaient vouloir basculer vers lui. Le feuillage de ces colosses s'élevait bien au-delà de ce que le regard humain permettait de voir. Saisi par un violent vertige, Gus baissa les yeux. Au pied de ces géants végétaux, un chemin serpentait, bordé de plantes aux formes et aux couleurs étranges. Le garçon fixa son regard sur la plus proche, une longue tige couverte de poils gluants, sur-montée d'une fleur tarabiscotée dont les fins pétales d'un rouge incandescent paraissaient pouvoir s'enflammer à tout instant. À côté d'elle, une autre plante étonnante attira le regard de Gus. Plus trapue que toutes les autres, elle était constituée d'une boule bleu électrique de la taille d'un ballon de foot. Posée à même le sol dans lequel elle s'enracinait, elle était pourvue de huit tiges qui lui donnaient l'allure d'une méduse obèse. Mais le plus étrange n'était ni la taille des arbres ni la forme des plantes. Le plus étrange, c'était cette lumière qui perçait à travers le feuillage épais des cimes. Une lumière qui paraissait… sombre ! Des rayons d'un mauve profond jaillissaient de toutes parts comme si un immense soleil noir irradiait le ciel. L'un d'eux arri-vait aux pieds de Gus. Il tendit la main et le rayon traversa sa paume comme si elle était transparente !

— Waouh… murmura-t-il.

Une poudre légère et brillante s'échappa de sa main et tomba sur la mousse dans un crépitement à peine perceptible. Depuis qu'il avait atterri dans cette forêt, c'était le premier bruit que Gus entendait. Le silence s'empara de nouveau du lieu, figeant l'air et toute forme de vie. Gus s'adossa contre l'arbre et sursauta aussi-tôt : le tronc était devenu *mou* ! Le garçon tourna la tête avec prudence pour s'apercevoir que l'écorce avait un aspect insolite, sa surface semblant constituée de milliers de pétales dans toutes les nuances de brun et de doré. Intrigué, il se leva lentement, comme si le tronc était un animal qu'il ne voulait pas effrayer, et effleura du bout des doigts cette écorce incroyable. C'était fascinant ! Chaque écaille du tronc était d'une douceur rare comme la plus soyeuse des chairs. Gus s'approcha encore, irrésistiblement tenté de plonger son visage dans cette matière fabuleuse.

C'est alors que l'écorce se mit à vibrer et, dans un bruissement tout juste audible, une formidable nuée de papillons se dégagea et se mit à voleter en cercle autour de lui. Le garçon n'en croyait pas ses yeux : l'intégralité du tronc était recouverte de milliers et de milliers de papillons ! Ce qu'il avait pris pour des pétales n'avait rien de végétal... Le cercle infernal que formaient maintenant les magnifiques insectes était terriblement angoissant. Mais c'était aussi le spectacle le plus hallucinant que Gus ait jamais vu. Ses yeux ne pouvaient plus quitter la danse des papillons et son cerveau s'emplissait du chuchotis des ailes fines qui battaient en cadence. Cependant, il ne lui échappait pas que le cercle se resserrait. Il tournait de plus en plus vite et se rapprochait de lui. Impressionné, Gus tomba à la renverse sur la mousse élastique. Il sentit une vague d'effroi s'emparer de ce qui lui restait de courage.

— Arrêtez-vous ! bredouilla-t-il en tendant les mains en avant dans le geste vain de vouloir repousser la nuée.

Il vit alors un immense papillon d'un noir profond s'échapper du cercle et s'approcher de lui, si près qu'il perçut le battement de ses ailes contre sa joue. Il se raidit et retint son souffle en louchant pour garder le papillon dans son champ de vision. Quelques secondes plus tard, le papillon regagnait le cercle et la nuée s'envolait vers le ciel mauve dans un frémissement léger.

Recouvrant ses esprits, Gus se redressait en prenant appui sur ses poings quand il sentit quelque chose. Quelque chose qui bougeait. Qui grouillait. Qui gigotait. Quelque chose de vivant ! Ça n'en finirait donc jamais ?

— Non mais, vous pourriez faire attention ! Vous m'écrasez, je vous signale !

La voix venait de jaillir du sol ! Gus se leva d'un bond en poussant un hurlement.

— Regardez de quoi j'ai l'air maintenant ! reprit la voix.

Paniqué, Gus n'avait qu'une envie : fuir ! Mais avant qu'il puisse faire quoi que ce soit, son pied fut entravé par une racine qui se tortillait sur le sol. Une racine peu ordinaire puisque, émergeant de la terre, elle portait à son extrémité une petite tête ! Tout autour, ce fut alors comme si la forêt prenait vie après avoir retenu son souffle. Les feuilles s'agitèrent dans les arbres, la mousse s'abaissa et se souleva comme si elle retrouvait son souffle. Mais Gus ne voyait rien de cette activité tant la scène qu'il avait sous les yeux était extraordinaire. S'agitant au bout de la longue racine, la petite tête le fixait d'un œil indigné. Soudain, elle poussa un sifflement et plusieurs racines, toutes rehaussées d'une tête, se mirent à gesticuler au pied de l'arbre. Celle que Gus avait écrasée s'approcha et le garçon put examiner en détail l'étrange visage qui lui faisait face : ni tout à fait humain ni tout à fait animal, il était de la taille d'un poing et faisait penser au croisement improbable entre une petite fille couverte de taches de rousseur et un écureuil aux yeux malins. La tête, curieuse mais bienveillante, le contempla, le huma et, de ses petites dents, tira les pans de sa chemise blanche. Soudain, elle éructa d'une voix pointue :

— Oh ! là, là ! Il ne va pas être content !

Les autres têtes s'agitèrent au bout de leurs racines et une rumeur nerveuse s'éleva, sans que Gus puisse en saisir le sens. Tous les petits yeux s'étaient tournés vers le ciel mauve pour suivre l'approche d'un oiseau qui volait avec majesté. Puis, aussi rapidement qu'elles étaient apparues, les racines et leurs têtes s'enfoncèrent de nouveau dans le sol, plongeant Gus dans un désagréable sentiment d'incrédulité. L'oiseau grossissait à vue d'œil, révélant un somptueux corbeau aux ailes noires et brillantes. Arrivé à sa hauteur, le corbeau s'ébroua sans délicatesse, un crachotement répugnant s'échappant de son bec doré. Puis, tout en grognant, il replia ses longues ailes en fixant Gus d'un air plein de reproche. Stupéfait, Gus le laissa approcher, si près que le corbeau put le piquer de son bec. L'oiseau se recula alors, surpris.

— Qui êtes-vous ? Que faites-vous là ? croassa-t-il d'un ton sévère, son bec lâchant des fumerolles de vapeur noire.

— Euh… je ne sais pas… répondit Gus.

— Vous ne savez pas qui vous êtes ? répliqua le corbeau. En tout cas, moi, je sais qui vous n'êtes pas !

— Non ! Enfin si… Je sais qui je suis ! Je suis Gus Bellanger, répondit le garçon, désarçonné par cet accueil. Mais je ne sais pas ce que je fais là. Et vous ? Vous le savez ?

— De toute évidence, vous avez été entableauté ! répondit le corbeau avec irritation. Mais vous n'êtes pas du tout la personne que nous attendions !

Le corbeau soupira, rejetant une nouvelle bouffée de vapeur noire.

— Rien de pire ne pouvait arriver… lança-t-il, abattu.

3

D'inquiétantes confidences

— J'ai été entableauté ? répéta Gus, éberlué. Mais qu'est-ce que ça veut dire ? Qu'est-ce que j'ai fait ?

Le corbeau laissa échapper un gémissement contrarié. Ses plumes se soulevèrent, projetant des gouttelettes glaciales.

— Vous ? Mais vous n'avez rien fait ! répondit-il avec une pointe de dépit. C'est lui ! C'est sa faute !

— De qui parlez-vous ?

— Mais je parle de celui qui devait être entableauté, bien sûr ! répliqua le corbeau. C'est lui qui est responsable du coma du Fouille-Cœur !

— Entableauté ? rebondit Gus, perdu. Le Fouille-Cœur ?

Le corbeau détourna les yeux, en proie à une violente émotion qui semblait près de le faire pleurer.

— Depuis le mauvais Entableautement, le Fouille-Cœur est soumis aux Malfaisantes, poursuivit-il sans relever la question de Gus. Tous les repères sont perdus et l'Entableautement n'a plus aucune concordance avec son essence profonde.

— Je ne comprends rien… soupira Gus. Expliquez-moi, s'il vous plaît !

— Le Fouille-Cœur est la source de l'Entableautement, lui répondit le corbeau en le regardant de nouveau. Depuis que celui qui devait être entableauté a provoqué la confusion du processus, le Mal ronge le Bien et domine mon monde. De ce Mal sont nées les Malfaisantes. Malgré toute sa sagesse, le Fouille-Cœur a été incapable d'empêcher leur naissance et leur prolifération. Elles se répandent comme une épidémie et gagnent des forces en se nourrissant de tout ce qui est vivant et mortel.

— Et que peut-on faire ? demanda Gus avec inquiétude.

— Seul celui qui devait être entableauté peut annuler le Mal qui nous envahit en payant sa dette, car c'était à lui qu'était destiné cet Entableautement. Mais s'il ne vient pas, il existe une solution extrême : la destruction du Fouille-Cœur. Je le déplore car il n'est pas le Mal et je regrette de ne lui être d'aucun secours, mais je dois me cacher pour échapper aux Malfaisantes. Si j'étais tué, aucun de vous ici n'aurait de chances de survivre.

— Et moi dans cette histoire ?

— Je crains d'être obligé de vous demander de courir de grands dangers pour pouvoir retourner dans votre monde. Une seule magie possède la puissance de vous ramener chez vous : celle de la potion. Je laisse près de vous mon Éclaireur, précisa-t-il en indiquant du bec le papillon noir. Maintenant, il vous faut trouver le Sanctuaire du Fouille-Cœur. Il est devenu le fief des Malfaisantes, quelque part sur le territoire de la Muraille de Pierres, au plus profond d'une forteresse protégée par des maléfices que vous et moi ne pouvons imaginer. Voici de quoi vous aider !

Sur ces mots, il décrocha la minuscule fiole qu'il portait à son cou et la tendit à Gus du bout d'une de ses griffes.

— Qu'est-ce que c'est ? murmura le garçon en tournant la fiole entre ses doigts. Qu'est-ce que je dois faire ?

— Si vous parvenez jusqu'au Fouille-Cœur malgré les assauts des Malfaisantes, vous devrez utiliser cette potion fabriquée par les Fées Sans-Âge. Elle permet l'Enchantement de Dislocation qui a le pouvoir de détruire le Fouille-Cœur. Une goutte de sang mélangée à la magie de la fiole et vous sortirez à jamais de ce piège.

— Mais pourquoi ne le détruisez-vous pas vous-même ? demanda Gus. Vous avez l'air beaucoup plus puissant que moi !

— Je suis plus puissant que vous, certes. Mais je ne suis pas un homme et l'Enchantement ne se combine qu'avec du sang humain. Que la chance soit avec vous, mon jeune ami. Jusqu'à notre prochaine rencontre…

Le corbeau souffla un dernier jet de vapeur noire et déploya ses larges ailes pour s'envoler. La discussion était close. Gus le suivit des yeux quelques instants jusqu'à ce qu'il disparaisse dans le ciel mauve.

— Revenez, s'il vous plaît ! hurla-t-il. Ne me laissez pas comme ça !

Le corbeau parut ralentir son vol. Puis Gus le vit nettement revenir. En quelques battements d'ailes, il se trouvait devant lui. Il émit un affreux croassement qui fit vaciller le jeune garçon.

— Donnez-moi des indices ! supplia ce dernier. Dites-moi ce que je dois faire !

— Je vous en ai déjà beaucoup dit, objecta le corbeau. L'Entableautement doit préserver le mystère de son essence. Cependant, je comprends le caractère inhabituel de la situation et je vous donnerai donc quelques indications. Écoutez bien car ce seront les dernières :

> L'issue de la Forêt du Non-Retour
> Ne se gagne que si tous les esprits
> Sont animés par le même but.
> Il faudra alors prendre garde
> À ne pas laisser le Vide s'emparer de la Vie.
> Y échapper demandera vitesse et force.
> La Vie sera à nouveau menacée
> Par des forces impitoyables
> Venues des profondeurs aériennes.
> Viendra ensuite
> Le règne de la soif et de la chaleur
> Où les gouffres feront jaillir la cruauté.
> Enfin, la Muraille de Pierres ouvrira
> Depuis l'intérieur de son cœur
> La voie vers le Dehors.
> Mais il faudra prendre garde
> À la puissance fatale des Malfaisantes
> Qui règnent sur la Vie
> En détenant le pouvoir de la Mort.

Puis, sans attendre la réaction de Gus, le corbeau s'envola à tire-d'aile. Perplexe et inquiet, le jeune garçon se retourna pour tenter d'interroger le papillon noir. Mais il eut beau chercher, il avait disparu : Gus était à nouveau seul. Il repensa à ce que le corbeau venait de lui dire. S'il voulait sortir du tableau, il devait accomplir une mission qui lui paraissait impossible. Quant aux dernières indications, elles ne l'aidaient pas le moins du monde et laissaient présager de bien pénibles moments. Le Vide qui s'empare de la Vie ? Des forces impitoyables ? La puissance fatale des Malfaisantes ? Il était loin d'être un garçon taillé pour ce genre d'aventures ! Mais quel choix avait-il ? Sûrement aucun, et il le savait. S'il échouait, il serait dévoré par les Malfaisantes, perdu à jamais.

Il regarda à nouveau autour de lui. En d'autres circonstances, il aurait adoré cet endroit. Tout était si grandiose ! Mais le calme profond de la forêt ne parvenait pas à apaiser son inquiétude. Il s'avança avec précaution en direction du sombre sous-bois, veillant à ne pas poser les pieds sur une plante endormie. Il traversa un labyrinthe d'arbres dressés vers le ciel comme des pieux noirs. La forêt s'épaississait au fur et à mesure qu'il s'enfonçait entre les troncs gigantesques. Autour de lui, les mousses se soulevaient au rythme d'une molle respiration, accompagnées par le doux mouvement du feuillage des arbres bercé par un vent étrange qui semblait sortir des feuilles elles-mêmes pour se perdre dans le ciel. Mais quand Gus s'arrêta, tout se figea comme sur une photo. Les plantes gardaient une immobilité parfaite, à croire qu'elles retenaient leur respiration pour mieux l'observer. Ce qui s'avérait encore plus effrayant que lorsqu'elles s'adressaient directement à lui…

— Je deviens complètement parano, moi… Est-ce qu'il y a quelqu'un ? risqua-t-il d'une voix hésitante.

Le silence était total. Par contre, tout ce qui se passait à l'intérieur de son corps était amplifié et résonnait, augmentant encore son angoisse : les veines faisaient circuler son sang en produisant autant de bruit qu'une autoroute à l'heure de pointe. Quant à son cœur, il s'était transformé en un gong géant et ses poumons soufflaient comme une monstrueuse locomotive. Son ventre vide émit soudain un grognement, diffusant un roulement sourd qui n'était pas sans rappeler le grondement d'un orage au loin. Gus sursauta, impressionné par ce vacarme inhabituel venu des tréfonds de lui-même.

— Est-ce qu'il y a quelqu'un ? répéta-t-il en hurlant. Répondez, s'il vous plaît !

Épuisé et au comble de l'angoisse, le jeune garçon se laissa tomber sur le sol et s'allongea de tout son long. Le sol était duveteux comme une fourrure, mais, malgré ce confort et la fatigue qu'il ressentait, Gus n'avait pas du tout envie de prendre le risque de s'endormir.

— Je vais crever ici tout seul… grinça-t-il. De faim, pour commencer, ajouta-t-il en se tâtant le ventre. Jamais je n'aurais cru que je finirais comme ça. C'est vraiment nul…

Il resta allongé un long moment, tourmenté par ses réflexions. L'évocation de ses parents lui fit monter les larmes aux yeux. Allait-il les revoir ? Ils devaient être fous d'inquiétude. Et Oksa ? Et les Sauve-Qui-Peut ? Ils allaient faire leur possible pour venir le sortir de ce cauchemar… Il fallait qu'il reste confiant. D'instinct, il pressa contre lui la petite sacoche d'Oksa qu'il portait en bandoulière depuis le retour de la classe de mer. Quelque chose gigotait à l'intérieur ! Il ouvrit la sacoche et le Culbu-gueulard – l'alarme personnelle *et* vivante de sa fidèle amie – en émergea, l'air ahuri.

— Culbu ! s'écria Gus. Si tu savais comme ça fait du bien de retrouver un ami !

Le Culbu-gueulard s'extirpa du sac et fit dodeliner son corps conique.

— L'ami de ma Jeune Gracieuse est fort aimable… dit-il en rougissant.

— Sais-tu où nous sommes ?

Gus savait qu'il était un expert en repérages en tout genre. Peut-être aurait-il des indices ?

— Une certitude doit être apportée : nous sommes en Grande-Bretagne, à Londres, Jeune Maître. Centre-centre-ouest, très précisément, Bean Street, St Proximus College, premier étage, troisième salle de classe en partant du grand escalier, mur nord, un mètre cinquante du sol, deux mètres quinze du coin ouest, six mètres quarante-deux du coin est.

— Euh… oui… marmonna Gus, étonné. Mais tu crois que tu peux être encore plus précis ? Où sommes-nous *exactement* ? ajouta-t-il en montrant d'un geste du bras la forêt étrange qui les entourait.

— Mais nous sommes dans le tableau, Jeune Maître ! répondit le Culbu-gueulard en s'agitant. Nous sommes dans le tableau qui fait trente-huit centimètres de longueur sur vingt-cinq de hauteur ! Je ne peux être plus précis, ne me blâmez pas. Je ne vois aucun des quatre points cardinaux, aucune altitude ni aucune profondeur. Les distances, le temps et les mesures n'existent pas, mais l'atmosphère est respirable…

— Oui, j'avais remarqué… murmura Gus.

— … et il existe plusieurs niveaux superposés. Non… se reprit le Culbu-gueulard. Ils ne sont pas superposés : ils sont imbriqués les uns dans les autres.

— Comme des poupées russes ?

La petite créature opina et, faisant volte-face, se remit à l'abri dans la sacoche. Gus, plus sceptique et désespéré que jamais, resta un moment silencieux, les yeux perdus dans les ténèbres muettes du sous-bois.

— Allons, mon garçon, il ne faut pas te laisser abattre…

Gus sursauta et leva la tête. Il balaya le sol des yeux à la recherche de la racine à tête avec laquelle il avait eu cette étonnante conversation un peu plus tôt. Plusieurs plantes étaient massées au pied de l'arbre et semblaient l'observer. L'une d'entre elles, affublée d'une énorme boule duveteuse à son sommet, se pencha vers les baies qui frétillaient et leur chuchota quelque chose que Gus ne comprit pas.

— La confiance et la ténacité sont souvent les clés de la réussite… reprit la voix.

Le regard de Gus fut alors attiré par une silhouette qui se tenait non loin de lui, dans l'ombre du profond sous-bois. Le souvenir de cette voix lui revint en mémoire : il l'avait déjà entendue… Mais où ?

— N'aie pas peur, continua la voix. Surtout, n'aie pas peur.

Gus se tassa sur sa branche, s'attendant au pire. Et soudain, la silhouette diffuse fit place à une femme qui émergeait de la forêt. Le garçon écarquilla les yeux, reconnaissant avec stupéfaction celle qui s'avançait à pas lents vers lui : la femme dont le portrait figurait sur le tableau, celle qui l'avait attiré dans ce piège maudit ! Elle était là, devant lui, et le regardait avec un sourire énigmatique.

4

Le processus de l'Entableautement

Oksa et Zoé échangèrent un regard mêlé d'étonnement et d'inquiétude. Face à elles, Dragomira semblait au bord du malaise. Pâle, les yeux fiévreux, elle saisit la main d'Abakoum et la serra avec insistance.

— L'Entableautement... murmura-t-elle avec douleur.

Abakoum prit une profonde inspiration et caressa sa courte barbe en fermant les yeux. Quand il les rouvrit, son visage exprimait un trouble intense, ce qui fut loin de rassurer ceux qui n'avaient aucune idée de ce que pouvait bien être cet « Entableautement ». Si l'Homme-Fé paraissait aussi soucieux, c'est que l'affaire était grave.

— C'est impossible, intervint Abakoum avec émotion. Je veux bien admettre que Réminiscens ait été entableautée, mais pas Gus !

— Tu veux dire... que ma grand-mère n'est pas morte ? sursauta Zoé.

— Rien ne lui aura été épargné, souffla Léomido. D'abord le Détachement Bien-Aimé, puis l'Entableautement... Mais Dieu merci, oui, elle est vivante...

— Et Gus ? risqua Oksa en jetant un regard paniqué à Pierre et Jeanne qui semblaient pétrifiés d'horreur.

Les Sauve-Qui-Peut se dévisagèrent avec désarroi. Personne n'osait prendre la parole, comme si les mots pouvaient infliger une souffrance intolérable qu'aucun ne saurait supporter. Comme à son habitude, c'est Oksa qui brisa le silence :

— Si Réminiscens est vivante *dans* le tableau, alors Gus aussi, non ? dit-elle d'un ton vif. C'est logique ! Ce tableau dans la salle de sciences de St Proximus est la dernière chose que Gus ait vue. Il l'a pris en photo et juste après, il a disparu !

Tout le monde se tourna vers l'écran sur lequel apparaissait le portrait de Réminiscens.

— C'est ça l'Entableautement, non ? reprit Oksa. Gus est enfermé dans le tableau avec Réminiscens !

La frêle Jeanne gémit et chancela sur sa chaise. À côté d'elle, son mari serra les poings de rage.

— Gus ne peut pas avoir été entableauté… prononça-t-il en tremblant.

— Mais Réminiscens l'a bien été ! fit Dragomira.

— Peut-être y avait-il une raison à ce qu'elle le soit… enchaîna Abakoum. Mais Gus… c'est impossible, vous dis-je !

— Pourquoi ? s'écria Oksa avec vigueur. Tu vois bien que ça ne peut pas être autre chose !

— La Jeune Gracieuse a la vérité en bouche, intervint alors le Foldingot, les yeux écarquillés. Les Sauve-Qui-Peut doivent absorber cette certitude dans leur cœur : l'ami de la Jeune Gracieuse a subi l'Entableautement, la révélation est farcie de tragédie, mais elle fait le revêtement d'un caractère incontestable.

— Merci, mon Foldingot, lui dit Dragomira en tapotant le crâne couvert de duvet jaune de la petite créature. J'ai bien peur que nous ne devions nous rendre à l'évidence, en effet. Je suis abasourdie qu'une telle chose ait pu arriver… Est-ce que l'un d'entre vous a une explication ? Naftali ? Brune ? Vous qui étiez Serviteurs au Pompignac avant le Grand Chaos, connaissez-vous les lois qui régissent l'Entableautement ? J'étais si jeune quand nous avons dû fuir notre chère Édéfia… Tout ce dont je me souviens, c'est que seule une décision de justice peut permettre d'entableauter ceux qui ont commis des infractions graves ou bien des crimes. C'est une sorte d'emprisonnement, n'est-ce pas ?

— Oh… dans le principe, oui, acquiesça Naftali Knut, l'immense Suédois chauve. Mais cela va bien au-delà du simple emprisonnement. L'Entableautement est un puissant sortilège, très complexe. Et c'est cette complexité qui garantit sa fiabilité. C'est pourquoi je suis plus que stupéfait par ce qui vient de se passer, mes amis.

— Que veux-tu dire ? interrogea Dragomira en plissant ses ardents yeux bleus.

— Je veux dire que si une erreur de jugement se glisse, le processus est aussitôt interrompu.

— Il ne peut pas y avoir d'erreur judiciaire alors ? demanda Oksa.

— Non… lui répondit Naftali d'une voix gutturale. Mais laissez-moi vous expliquer… Il arrive que les hommes commettent des actes graves envers les autres, par convoitise, par désespoir ou par folie. À Édéfia, la société était fondée sur des notions d'équité et d'harmonie qui aidaient ses membres à s'éloigner de ces travers. Quand nous sommes arrivés à Du-Dehors, nous avons découvert un monde beaucoup plus enclin à la malveillance – du moins est-ce ainsi que nous l'avons ressenti – dans lequel certains sont prêts à perdre leur liberté pour la fortune, la gloire ou l'amour. Sans parler des chefs d'État capables de s'entredéchirer et de mettre leur peuple en péril pour d'obscures questions politiques ou religieuses… Nous avons tous été choqués par le peu de valeur accordé à la vie car, à Édéfia, la vie était la clef de voûte qui conditionnait et ordonnait le quotidien de chacun. Néanmoins, il pouvait arriver que certains n'accordent pas autant de valeur à ces fondements. Comme Du-Dehors, Édéfia a connu la violence, la conspiration et le meurtre. La seule différence, c'est que de tels actes sont toujours demeurés rarissimes…

— Jusqu'au Grand Chaos… l'interrompit Oksa.

— En effet, reconnut Naftali. Le Grand Chaos a été un déferlement de violences extrêmes que nous n'avions jamais connues jusqu'alors. Nous n'étions pas du tout prêts à affronter une telle démesure. Ce fut notre principale faiblesse et c'est surtout ce qui a causé notre échec : le Bien et le Juste n'ont pu triompher du Mal.

Le Suédois massif se tut un instant, ses yeux émeraude baissés vers ses mains qui tremblaient. Sa femme, Brune, tourna nerveusement une des nombreuses bagues en argent qui ornaient ses longs doigts, et encouragea du regard son mari.

— Il est bien possible que l'homme ne soit pas aussi bon que nous le souhaiterions, reprit Naftali. Certains le sont, c'est incontestable. Mais il semble que la bonté ne soit pas naturelle : elle s'acquiert au fil des années, elle se transmet, peut-être même s'apprend-elle… Ma vie à Du-Dehors m'a beaucoup fait réfléchir à ce sujet : dans ce monde, la bonté n'est pas facile car tout est fait pour la corrompre. Depuis la nuit des temps, les Du-Dedans l'ont compris : c'est pourquoi Édéfia s'est fondée sur des principes de bienfaisance auxquels les hommes se sont modelés. Au fil des siècles, ces valeurs se sont transmises, d'autant plus facilement qu'à tous les niveaux, tout était conçu pour qu'elles soient favorisées. Mais comme je le disais, la bonté n'est peut-être pas si évidente et, malgré les efforts de l'immense majorité, certains hommes ont fait preuve de violence, d'autres ont même tué…

— Marpel… murmura Oksa. Celui qui a tué Gonzal pour lui voler les Intemporentas…

— Oui, Marpel est un bon exemple, renchérit Naftali. Ou un mauvais exemple, devrais-je dire ! Déjà enfant, il avait un tempérament violent. Il refusait toute notion d'effort, que ce soit pour participer au bon équilibre de notre société ou pour subvenir à ses propres besoins : il attendait tout des autres sans rien donner en retour. Arrivé à l'âge adulte, il a commencé à voler, d'abord en catimini, puis en n'hésitant pas à frapper ceux qui lui résistaient. La Manufacturière de bijoux de l'époque a été une de ses dernières victimes et c'est ce qui a valu à Marpel d'être entableauté. Et il l'aurait vraisemblablement été de nouveau pour avoir assassiné le vieux Gonzal. Mais c'est une autre histoire… L'Entableautement, à la différence de l'emprisonnement qui se pratique à Du-Dehors, oblige celui qui le subit à s'éloigner du monde afin de devenir meilleur. À Édéfia, on ne paie pas pour ses fautes, on ne s'amende pas : nous estimons que la seule réparation possible est de parfaire ce qui est perfectible.

— Et… si tout est mauvais ? releva Oksa. S'il n'y a rien de bon ?

— Mais même l'homme le plus mauvais est perfectible, ma chère petite ! souligna Dragomira.

Naftali et Brune la regardèrent en fronçant les sourcils avec un scepticisme évident.

— Je ne suis pas aussi idéaliste que ta grand-mère, Oksa, reprit Brune. Mais oui, à Édéfia, nous étions convaincus que c'est sur les qualités qui sont plus ou moins ancrées en chacun qu'il fallait travailler. C'était le but essentiel de l'Entableautement.

— Marpel avait donc des qualités ? demanda Oksa.

— Bien sûr !

— Lesquelles ? Tu as des exemples ?

— Non… admit Brune.

— Comment ça ? Il a été entableauté et tu ne sais pas en quoi il est devenu meilleur ? C'est l'arnaque !

Malgré la situation tragique, tout le monde sourit de l'emportement d'Oksa.

— Le délictueux ne fait pas à autrui la preuve de son embellissement intérieur, intervint le Foldingot. L'Entableautement fournit l'épreuve et le Fouille-Cœur produit l'appréciation.

Oksa fit claquer sa langue et son front se plissa avec scepticisme.

— Excuse-moi, Foldingot. D'habitude, j'arrive à te suivre mais là, je ne comprends rien…

— C'est toute la complexité de l'Entableautement dont nous parlions tout à l'heure, reprit Naftali. Quand quelqu'un est arrêté pour un délit grave, il est présenté à la Gracieuse qui décide de le soumettre au Sortilège de l'Entableautement : une Claquetoile – une toile aux vertus magiques fabriquée par les Fées Sans-Âge – est déroulée, tendue et fixée sur un cadre. Le délit est exposé à haute voix et s'inscrit sur la Claquetoile. Le délictueux souffle alors sur les mots, son souffle se répand dans la matière jusqu'à ce qu'il atteigne le Fouille-Cœur. Le Fouille-Cœur est l'esprit de la Claquetoile. Il en est à la fois le noyau et le maître. Quand il reçoit le souffle du délictueux et l'exposé de ses méfaits, il entre dans son cœur, le fouille attentivement, en examine les profondeurs et les recoins. Après plusieurs heures de réflexion, il décide si la personne mérite l'Entableautement ou non. Si c'est le cas, il met en place toute une série d'épreuves qui doivent permettre au délictueux de perfectionner ce qui est perfectible en lui. Ces épreuves s'inscrivent de façon indélébile à l'intérieur de la Claquetoile, qui se prépare alors à accueillir le délictueux dont le portrait pigmente peu à peu les fibres de la toile. Il est alors entableauté après avoir déposé une goutte de son sang garantissant son identité, c'est-à-dire qu'il est aspiré à l'intérieur du tableau afin d'y effectuer la série d'épreuves définies par le Fouille-Cœur. S'il les surmonte, s'il parvient à maîtriser ses propres démons et à donner le meilleur de lui-même, il sera libéré.

Un silence stupéfait se mit à flotter dans la pièce. Les respirations se firent oppressées et les regards, lourds de crainte. Une fois de plus, Oksa posa la question cruciale :

— Le Fouille-Cœur peut-il se tromper ?

Elle jeta un coup d'œil angoissé aux parents de Gus qui, plus que quiconque, appréhendaient la réponse.

— C'est impossible… peina à articuler Naftali. Le Fouille-Cœur n'entableaute jamais d'innocents…

— Comment peux-tu en être sûr ? continua Oksa.

— J'ai déjà assisté à plusieurs jugements passibles d'Entableautement, lui répondit Naftali. Le Fouille-Cœur ne s'est jamais trompé. Même quand nous étions tous persuadés de la culpabilité d'une personne, il s'est avéré que c'est nous qui avions tort. Et je dois vous donner un détail qui a son importance : de toute l'histoire d'Édéfia, n'ont été entableautés que des délictueux ayant attenté à la vie d'autrui.

— Mais Gus n'a jamais tué personne ! s'écria Oksa, paniquée. Alors pourquoi ? Pourquoi est-il entableauté ?

La gorge nouée, Naftali regarda tour à tour la Jeune Gracieuse et les parents de Gus, puis chuchota :

— J'ai bien peur que le Fouille-Cœur n'ait été victime d'un maléfice…

5

La tragique erreur

Quand l'aube pointa sur Bigtoe Square, les Sauve-Qui-Peut s'étaient tous rendus à la terrible évidence. Nul ne comprenait comment une telle chose avait bien pu arriver, mais tous savaient désormais au plus profond d'eux-mêmes que Gus avait été entableauté. Jeanne et Pierre Bellanger étaient abattus et leurs amis ne ménageaient pas leurs efforts pour tenter de les rassurer. Et, de tous, c'est le Foldingot de Dragomira qui s'avérait le plus efficace.

— Le Foldingot possède la connaissance du mystère de la vie et de la mort, dit-il en posant sa main potelée sur l'épaule de la mère de Gus. Il maîtrise la détection de ce qui est vivant et de ce qui ne le sera plus jamais. Le moment actuel s'accompagne d'une certitude intégrale : l'ami de notre Jeune Gracieuse est rempli de vie et sa présence honore le périlleux tableau avec la compagnie de la malchanceuse Réminiscens. Vous devez garnir votre cœur de cette conviction.

— Puisses-tu avoir raison… souffla Pierre en se frottant les mains dans un geste de désarroi.

— Mon Foldingot a toujours raison, tu le sais bien, lui sourit tristement Dragomira. Mais je crois que nous pourrions en savoir plus grâce à la Devinaille… ajouta-t-elle en se levant.

Ramenant devant elle son ample robe de satin gris, elle quitta la pièce et revint peu après avec la poule miniature qui tremblait de froid.

— Mes chères petites, dit-elle à l'intention d'Oksa et de Zoé tout en caressant la Devinaille blottie contre elle, cette petite créature si frileuse n'est pas seulement douée pour déterminer d'où viennent les courants d'air glacés ou pour évaluer de combien de degrés les températures vont chuter… Elle a un autre talent : c'est une exceptionnelle révélatrice de vérité. Si quelqu'un peut nous dire ce qui s'est passé, c'est elle !

Tout le monde regarda la petite poule, qui fut secouée par un violent frisson et se pelotonna encore davantage contre le cache-cœur de mohair de la Baba Pollock.

— Devinaille, Gus a été entableauté… lui dit la vieille dame.

— Je le sais bien ! répliqua la créature de mauvaise humeur. Mais quelqu'un pourrait-il me dire pourquoi il fait si froid alors que nous sommes quasiment en été ?

— Je te rappelle que nous sommes à Londres, c'est-à-dire un brin au-dessus du 45e parallèle, loin des tropiques, et qu'il fait tout de même vingt-deux degrés… releva Léomido en soupirant d'un air las.

— Peut-être ! riposta la Devinaille avec une animosité qui faisait gonfler ses petites ailes rousses. Mais on pourrait s'attendre à des températures un peu plus acceptables !

Oksa regarda Zoé avec une grimace complice : la Devinaille ne manquait jamais une occasion de se plaindre du climat anglais.

— Peux-tu nous dire ce qui s'est passé avec le tableau ? intervint Dragomira d'une voix forte, coupant court à la discussion climatique. Le Fouille-Cœur a-t-il subi un maléfice ?

— C'est évident ! répondit la Devinaille d'un ton vif. Le Fouille-Cœur a fait une tragique erreur en aspirant Réminiscens au lieu de son frère jumeau, le Félon Orthon. À cause de ses multiples délits, c'est lui qui devait être entableauté, pas elle… Et depuis, le Fouille-Cœur déraille. Sa méprise l'a rendu dingue, comme moi je risque de le devenir si quelqu'un ne ferme pas cette fenêtre ! hurla-t-elle de sa petite voix aigrelette. Je me gèle les plumes, je vous signale !

Léomido soupira et se leva pour fermer la fenêtre qui laissait passer un filet d'air doux.

— L'erreur du Fouille-Cœur n'en est pas une, reprit la Devinaille. Réminiscens et le Félon Orthon partagent le même ADN, il y a eu une confusion, volontaire ou involontaire, qui sait ?

— Et pour Gus ? Que sais-tu ? demanda Dragomira.

— Depuis son erreur vis-à-vis des jumeaux, le Fouille-Cœur est dans un état de violent désordre, répondit la Devinaille avec gravité. Le jeune garçon n'aurait pas dû être entableauté : deux personnes ne peuvent pas se retrouver dans un même tableau.

Puis, le souffle court, la Devinaille hocha sa petite tête et s'affaissa contre Dragomira, tremblante comme si elle était glacée jusqu'aux os. Les Sauve-Qui-Peut se regardèrent avec étonnement.

— C'est la Jeune Gracieuse qui était appelée…

— Seigneur ! s'exclama Dragomira, la main sur le cœur.

— Mais comment le Fouille-Cœur a-t-il pu se tromper à ce point ? s'indigna Oksa. Je ne sais pas si vous avez remarqué, mais il y a une certaine différence entre Gus et moi ! Il faut être complètement frappé pour nous confondre…

— Devinaille, tu parlais de l'ADN commun de Réminiscens et d'Orthon, enchaîna Zoé en effilochant avec fébrilité la manche de son tee-shirt. C'est ce qui pourrait expliquer pourquoi le Fouille-Cœur s'est trompé : à ses yeux, ils sont identiques.

La Devinaille acquiesça avec un tremblement frigorifié.

— Est-ce que le simple fait que Gus ait pu être porteur d'un peu de l'ADN d'Oksa suffirait pour que le Fouille-Cœur s'embrouille ? continua Zoé.

— Qu'est-ce que vous voulez dire ? lança la Devinaille d'un air vif.

La jeune fille rougit, émue d'être le centre d'attention de tous les Sauve-Qui-Peut, qui étaient suspendus à ses lèvres.

— Je crois que je vois où Zoé veut en venir, intervint Naftali en volant à son secours. Tu penses à un cheveu d'Oksa qui pourrait se trouver sur Gus, ou bien…

Les regards se tournèrent vers Oksa qui fronça les sourcils, plongée en pleine concentration. Soudain, elle se frappa le front du plat de la main, bouche bée.

— OH NON ! PAS ÇA !

Tout le monde se figea.

— Gus a ma sacoche… annonça la Jeune Gracieuse d'une voix d'outre-tombe.

— Et… qu'est-ce qu'il y a dans ta sacoche ? ânonna Pierre, la gorge nouée.

— Ça ne pouvait pas être pire… répondit Oksa en respirant difficilement. Mon Culbu-gueulard… Mon Coffreton… Ma Crache-Granoks…

Dragomira la regarda d'un air stupéfait, partagée entre l'envie subite d'entrer dans une colère noire et le souci de ne pas aggraver la situation. Une situation qui venait de franchir un nouveau palier vers le drame absolu. La Baba Pollock joignit ses deux mains pour tenter de se calmer, mais les Sauve-Qui-Peut n'étaient pas dupes du grand trouble qui la faisait tressaillir. Oksa, quant à elle, commençait à mesurer l'ampleur du désastre dont elle ne tarda pas à se sentir affreusement responsable. Sa grand-mère et Abakoum l'avaient pourtant bien prévenue : il ne fallait *jamais* laisser ses outils de Jeune Gracieuse à quiconque. Jamais. Quelqu'un de malintentionné pouvait s'en emparer et les conséquences étaient faciles à deviner. Mais comment aurait-elle pu imaginer ce qui venait d'arriver ? Son nez commença à picoter, les larmes montaient au fur et à mesure qu'un énorme sanglot bloquait sa respiration. Elle inspira dans l'espoir d'une délivrance rapide. Quand son regard croisa celui de Dragomira, ardent et furieux – elle en aurait mis sa main au feu –, le sanglot l'étouffa davantage encore.

— Qu'est-ce que j'ai fait… murmura-t-elle dans un souffle presque inaudible.

— Comprends-tu ce que nous voulions dire quand nous te mettions en garde ? La moindre imprudence peut nous coûter très cher… fulmina Dragomira en retenant sa colère.

— Nous sommes tous en grand danger, enchaîna Abakoum d'une voix accablée. À chaque instant. Il faut bien nous mettre cette évidence en tête.

— Ne perdons pas de temps à revenir sur ce qui s'est passé, intervint alors Naftali avec fermeté. Maintenant, il nous faut agir ! Et le plus urgent, c'est de récupérer le tableau. Si quelqu'un mettait la main dessus avant nous…

Oksa releva la tête et regarda le géant suédois. Si quelqu'un mettait la main sur le tableau, aucun d'entre eux ne reverrait plus jamais Gus…

6

Ninja père & fille

Ce soir-là, aux yeux d'Oksa, la nuit semblait mettre des heures à arriver. Quand les ombres eurent fini de s'étirer et que le ciel eut enfin décidé de s'obscurcir, la Jeune Gracieuse était au comble de l'impatience, se sentant sur le point d'exploser. Elle avait rongé le dernier ongle qui lui restait et regardait dehors d'un air exaspéré.

— C'est bon maintenant ? On y va ? lança-t-elle pour la vingtième fois de la soirée.

Son père scruta à nouveau le ciel et dévisagea Oksa avec gravité. Puis, afin de cacher l'émotion qui l'étreignait, il s'agenouilla pour lacer ses chaussures légères. Pavel Pollock était un homme tourmenté. Ses origines extraordinaires avaient toujours été difficiles à assumer et, au cours de ces derniers mois, il ne se passait pas une semaine sans que la vie lui rappelle qu'il était à la fois le fils de Dragomira, la Vieille Gracieuse aux pouvoirs incroyables, et de Vladimir, le chaman sibérien. Mais aussi le père d'Oksa, celle qui représentait l'unique espoir des Sauve-Qui-Peut de retourner à Édéfia, la Terre Perdue. L'Inespérée… Après avoir tenté en vain de s'opposer à l'inévitable destinée des Sauve-Qui-Peut – dont il faisait partie, qu'il le veuille ou non –, il s'était fixé une priorité et s'efforçait désormais de ne pas dévier de son objectif : protéger sa femme et sa fille unique. Marie Pollock était toujours profondément affectée par le savon empoisonné par leur ennemi à tous, Orthon McGraw. Bien qu'il n'en soit pas responsable, Pavel ressentait l'aggravation de l'état de sa femme comme un échec personnel qui creusait une blessure cruelle au fond de son cœur, là où aucun réconfort ne pouvait l'atteindre ni l'apaiser. Jusqu'à aujourd'hui, il n'avait été d'aucun secours pour quiconque. Il était temps de prouver à tous les siens qu'ils pouvaient autant compter sur lui que sur Abakoum et Léomido.

— Prépare-toi, Oksa, dit-il d'une voix caverneuse. Allons chercher ce tableau…

Quand ils arrivèrent devant le magnifique bâtiment du St Proximus College, situé à quelques rues de Bigtoe Square, la nuit était enfin tombée. Cependant, les lampadaires jetaient sur la rue une lumière assez vive pour compromettre l'entreprise des Pollock, père et fille. Au contraire d'Oksa, Pavel mesurait très bien le risque qu'ils étaient sur le point de prendre en entrant en pleine nuit et sans y être invités dans le collège. Il n'avait pas l'intention de commettre la moindre effraction. Non ! C'était une simple « visite » et l'usage des dons naturels devrait suffire… Il pointa son index vers les réverbères qui s'éteignirent aussitôt l'un après l'autre, plongeant la rue dans une obscurité protectrice. Oksa poussa un petit cri d'admiration.

— Trop fort ! chuchota-t-elle. Il faudra vraiment que j'apprenne à faire ça…

— Allons-y… murmura son père en ajustant son foulard noir sur son visage.

— T'as l'air d'un vrai ninja, Papa ! fit remarquer Oksa en regardant son père vêtu de noir des pieds à la tête.

— Toi aussi, Oksa-san, lui répondit-il dans un souffle.

— Je suis prête, Vénéré Maître… fit-elle en remontant à son tour le masque de tissu.

Elle eut juste le temps de percevoir dans les yeux de son père un sourire triste et désespéré avant qu'il ne s'élance avec une souplesse féline vers l'enceinte du St Proximus College. Ses pieds adhérant à la pierre, il grimpa le long du mur avec l'agilité d'une araignée et atteignit le sommet. Émerveillée par son père, la Jeune Gracieuse s'éleva à son tour dans un Voltical parfait. Puis, main dans la main, tous deux redescendirent de l'autre côté.

Le collège était sombre et vide. Il ne semblait y avoir âme qui vive. Seule la fontaine de pierre au centre de la cour était animée, projetant avec régularité des filets d'eau qui brillaient dans l'obscurité. La silhouette des gargouilles surplombant la cour depuis la corniche du toit se découpait dans le ciel nimbé des lumières orangées de la ville. Oksa, le nez en l'air, les regarda en frissonnant, s'imaginant pendant quelques secondes que ces monstres de pierre allaient se débarrasser de leur carcan et fondre sur elle pour la dévorer.

— Allons, ne perdons pas de temps… murmura Pavel en l'entraînant vers le cloître qui longeait la cour.

Ils s'engagèrent en silence dans un des quatre couloirs du rez-de-chaussée. La lune jetait un éclat froid sur les statues disposées tout le long de ce corridor couvert de larges dalles polies. Oksa ne se sentait pas du tout rassurée et s'en étonnait. Elle se retourna avec l'affreuse sensation qu'on les suivait. Abakoum ? L'Homme-Fé s'était-il de nouveau transformé en ombre pour les accompagner et les protéger ? Non. Il n'y avait pas d'ombre. Juste le regard impassible des statues le long du couloir. Le cœur d'Oksa battait avec une telle violence qu'elle en avait presque la nausée. Mais que se passait-il ? Aurait-elle peur ? Ce serait bien la première fois… Si Gus était là, il la regarderait d'un air étonné et lui dirait en lui donnant un bon coup de coude : « Hé, Ninja-Oksa ! Je te signale que c'est moi le trouillard, pas toi ! » Gus… Comme il lui manquait… Et si les Sauve-Qui-Peut ne trouvaient pas de solution ? Si le maléfice jeté sur le Fouille-Cœur était trop puissant pour qu'aucun d'eux puisse le briser ? Oksa s'aperçut que cette horrible possibilité l'affolait. La peur que son fidèle ami ait disparu à jamais dans ce tableau diabolique retournait son cœur. La panique lui coupa la respiration, elle haleta, les yeux écarquillés, rivés sur une des statues qui la fixait avec sévérité. Autour de son poignet, le Curbita-peto se mit à onduler, réceptif au malaise de sa jeune maîtresse. Un long frisson secoua Oksa et une vague pétillante se répandit en elle, lui apportant un réconfort immédiat.

— Tiens bon, Gus… murmura-t-elle avec fermeté. Viens, Papa, c'est par là.

Tous les deux gravirent l'escalier monumental qui menait au premier étage et se retrouvèrent bientôt dans la fameuse salle de sciences. Le tableau était là, brillant d'une étrange lueur mouvante, à quelques mètres. Mais surpris par l'obscurité qui régnait dans la pièce, Pavel heurta un portemanteau qui chuta sur le parquet dans un bruit qui parut épouvantable aux oreilles des deux intrus.

— Quel crétin… se maudit Pavel.

Il sortit sa Crache-Granoks et marmonna quelques mots avant de souffler. Une lumière vive jaillit alors et se mit à flotter au milieu de la salle. Oksa se précipita vers le tableau.

— On va te sortir de là, Gus ! souffla-t-elle à quelques centimètres à peine de la toile mouvante.

— Attention ! l'avertit son père en la tirant en arrière. Souviens-toi de ce qu'a dit Dragomira : il ne faut être en contact avec la Claquetoile sous aucun prétexte ! Quiconque la touche risque d'être immédiatement entableauté.

Sur ces mots, il sortit de sa poche un sac en tissu qu'il déplia pour le poser sur un des bureaux. Puis, avec mille précautions, il se saisit du tableau en le tenant par son cadre de bois.

— Ouvre le sac, Oksa !

La jeune fille obéit en retenant son souffle. Pavel glissa le tableau à l'intérieur, resserra la corde qui servait de fermeture et mit le sac en bandoulière autour de son torse.

— C'est bon, lança-t-il. Partons maintenant !

Mais à peine venait-il de poser sa main sur la poignée de la porte que le couloir s'éclaira d'une lumière crue. Oksa se mordit la lèvre pour s'empêcher de crier. Quelqu'un les avait entendus ! Et pire : ce quelqu'un était en train de monter les escaliers ! Le gardien ? Le fantôme de McGraw ? Tétanisée par cette pensée atroce, elle perdit de précieuses secondes en hésitant à suivre son père qui tentait de l'entraîner dans la salle de sciences. Les pas se rapprochaient, lourds et menaçants. Pavel la tira à l'intérieur de la salle et la plaqua contre le mur en lui fourrant une petite bille dans la main. Puis il referma sans un bruit la porte derrière eux.

Quand la poignée de la porte s'abaissa en grinçant, Oksa crut qu'elle allait s'évanouir. Le gardien — puisque c'était bien lui — passa la tête dans l'entrebâillement.

— Il y a quelqu'un ? cria-t-il, faisant sursauter la jeune fille.

Oksa avait espéré qu'il arrête là son investigation. Mais le gardien était un homme scrupuleux et doté d'une ouïe particulièrement développée. Le bruit qu'il avait entendu depuis la réserve du rez-de-chaussée où il rangeait du matériel ne faisait aucun doute : quelqu'un s'était introduit dans le collège ! L'homme avait été engagé quelques jours auparavant pour surveiller le collège pendant les vacances d'été et pour y faire de petits travaux d'entretien. Cette nuit était la première et, déjà, les ennuis commençaient… C'était bien sa veine ! Il actionna l'inter-rupteur de la salle de sciences. Grâce à l'intervention de Pavel, aucune lampe ne fonctionnait. Seul le couloir éclairait une petite partie de la pièce.

— Tiens, il faudra que je change les ampoules… fit-il en sortant sa torche électrique.

Il jeta un regard circulaire à l'intérieur. Un grand portemanteau se trouvait sur le sol.

— Bizarre… marmonna le gardien en fronçant les sourcils.

Il ramassa le portemanteau et entreprit une inspection de la salle, résolu à faire son travail du mieux possible. Il regarda par-tout, sous les bureaux, dans l'armoire, derrière la porte. Partout sauf au plafond où Oksa et Pavel se tenaient accrochés comme des chauves-souris… Bredouille, le gardien sortit enfin. Quelques minutes plus tard, toutes les lumières s'éteignirent et la nuit reprit son cycle silencieux dans les couloirs de St Proximus. Suivie par son père, Oksa se détacha alors du plafond dans une habile roulade.

— Fabuleux, ce Capaciteur de Ventosa ! chuchota-t-elle avec fièvre, les joues en feu.

— On peut le dire… lui répondit Pavel, laconique. Mais ne traî-nons pas ! Nous n'aurons pas de deuxième chance !

Il ouvrit une des nombreuses fenêtres ornées de vitraux et enjamba l'encadrement.

— Papa ! s'exclama Oksa, la main sur la bouche.

— Ne me dis pas que tu as peur de descendre par là ! Le gar-dien doit surveiller l'entrée, nous n'avons pas le choix.

Et il plongea dans le vide… Oksa se précipita à la fenêtre qui surplombait la rue. Son père était en bas et lui faisait signe de des-cendre à son tour. Elle se mit alors debout sur le rebord de la fenêtre, avança un pied dans le vide, s'assura de son équilibre, puis descendit en flottant.

7

Des retrouvailles tendues

La terrible situation exigeait la réunion urgente de tous les Sauve-Qui-Peut, sans exception. Le noyau dur – composé des Pollock, des Bellanger, des Knut et d'Abakoum – convoqua donc les autres Sauve-Qui-Peut qui avaient été identifiés de par le monde : Mercedica de La Fuente, l'élégante Espagnole, ex-Serviteur du Pompignac et proche de Dragomira ; Cockerell, un Britannique installé au Japon, ex-Trésorier de la famille Gracieuse devenu banquier ; Bodkin, un citoyen sud-africain, ex-Manufacturier reconverti en maître orfèvre. Trois personnes dignes de confiance qui avaient magnifiquement réussi leur intégration à Du-Dehors – mais avaient-elles eu le choix ? – tout en conservant le désir fou et inaltérable de retourner un jour à Édéfia. S'était ajouté au groupe Tugdual, le ténébreux petit-fils des Knut, qui était arrivé peu après, semant une nouvelle fois le désordre dans le cœur d'Oksa.

— Salut, P'tite Gracieuse ! lui lança-t-il après avoir salué chacun des Sauve-Qui-Peut avec sa désinvolture habituelle.

Il s'approcha d'elle et, pendant une affolante seconde, elle crut qu'il allait lui faire la bise. Mais au lieu de cela, il la couvrit de son regard bleu acier et elle se sentit rougir bêtement. Tugdual sourit, ce qui la fit pester, et détourna enfin les yeux.

— On nage en plein drame, on dirait… fit-il.

— Ce n'est vraiment pas le moment de faire de l'ironie ! le reprit son grand-père Naftali d'un ton glacial.

Le sombre jeune homme le regarda d'un air aussi désabusé que frondeur.

— J'ai toujours dit qu'il fallait s'attendre au pire… lança-t-il en époussetant sa chemise noire avec nonchalance. Mais personne n'a jamais voulu me prendre au sérieux. Ou je devrais plutôt dire : personne n'a jamais voulu *le* prendre au sérieux… Je veux parler d'Orthon McGraw, bien sûr…

— Orthon est mort, permets-moi de te le rappeler ! souligna d'un ton sec Mercedica en toisant le jeune homme avec sévérité.

Tugdual lui rendit son regard, avec l'attitude fière de celui qui ne se laisse pas démonter pour si peu.

— Et moi, permettez-moi d'en douter… répondit-il à la hautaine Espagnole. Bien au-delà de la mort, le Mal peut subsister et continuer de faire des ravages. Le Mal ne meurt jamais, la preuve en est faite aujourd'hui, non ?

Le point d'interrogation resta comme suspendu au-dessus de la pièce, flottant au ras du plafond comme une fumée inquiétante.

— Là n'est pas le problème, intervint de nouveau Mercedica en coupant le lourd silence.

Abakoum et Naftali s'agitèrent sur leur chaise avec un air de profonde désapprobation.

— Là est *tout* le problème, au contraire, ma chère Mercedica, la contredit le géant suédois. Orthon est responsable de ce qui se passe en ce moment même. Je suis persuadé que Réminiscens a été entableautée par les soins de son frère jumeau en personne !

— Comment serait-ce possible ? s'étonna Mercedica en griffant son accoudoir de ses ongles laqués de rouge. Le Fouille-Cœur ne se trompe jamais !

— Eh bien, il faut croire que si, ma chère amie ! rétorqua Abakoum. Mais maintenant, il faut nous mettre à la place d'Orthon. Car ce n'est qu'en comprenant nos ennemis qu'on peut les combattre…

— Comment pouvez-vous parler de combattre vos ennemis ? lança Tugdual en grinçant des dents. Pour être franc, j'ai du mal à vous voir en vaillants petits soldats de sa très Jeune Gracieuse, vous qui n'avez jamais fait de mal à une mouche…

Le regard gêné des Sauve-Qui-Peut, surpris par cette remarque, oscilla entre Abakoum et Tugdual.

— Les mouches n'ont jamais attenté à la vie de ceux que j'aime ! rétorqua Abakoum avec un calme étonnant. Mais si l'idée leur en prenait, crois bien qu'elles le paieraient très cher, mon jeune ami. Quant à Orthon…

Le vieux Veilleur s'interrompit, levant une main devant lui en signe de capitulation. Mieux valait pour tout le monde stopper cette conversation sans issue avant qu'elle ne dégénère. De son côté, Oksa fulminait. Malgré le trouble certain dans lequel Tugdual la jetait dès qu'il se trouvait à proximité, elle trouvait qu'il était allé trop loin dans la raillerie et la provocation. Elle savait que sous sa grande sagesse apparente, Abakoum pouvait être un homme redoutable, plus redoutable que le plus aguerri des soldats. N'était-il pas le seul à avoir été capable de lancer une Granok de Crucimaphila à Orthon McGraw ? Personne d'autre n'aurait pu le faire. Oksa savait que ce geste n'avait pas été facile et qu'il le tourmenterait jusqu'à la fin de ses jours. Mais son immense loyauté faisait de lui l'homme qu'il était sans conteste : le plus puissant des Sauve-Qui-Peut. Cette fidélité à Dragomira, et plus largement à toute sa famille, était la source de son immense force. Une force mentale qui lui permettait de résister à toutes les épreuves. Mais comment dire tout cela à Tugdual ? Son ténébreux ami ne devait pas savoir que c'était Abakoum qui avait pulvérisé Orthon McGraw dans la cave de sa maison. Sinon, il n'aurait pas ironisé sur le pacifisme du vieil homme avec une telle perfidie.

— Tu oublies qu'Abakoum est l'Homme-Fé… lui souffla-t-elle simplement, les joues rouges de contrariété et de confusion.

— Tiens, à propos des Fées, enchaîna Tugdual d'un air sarcastique, ça fait longtemps qu'elles ne nous ont pas rendu visite ! Elles pourraient peut-être nous donner un coup de main, non ?

Les sourcils froncés, Dragomira se pencha vers Naftali et Brune qui fixaient d'un œil sévère leur petit-fils.

— Il me semblait pourtant qu'il allait mieux, ces derniers temps, murmura-t-elle à l'intention de ses deux amis tout en regardant Tugdual. Je trouvais qu'il était moins…

— Moins morbide ? Moins névrosé ? continua Tugdual en roulant des yeux avec dérision. Mais je vais très bien, inutile de vous inquiéter ! Abakoum, que je respecte plus que vous ne l'imaginez, est celui qui me connaît le mieux et loin de moi l'idée de le blesser. Je voulais juste vous rappeler ce que vous aviez dit un jour à propos de votre manque d'expérience face au danger. Vous vous considériez comme des vieillards inaptes… Mais aujourd'hui, regardez-vous et soyez honnêtes : êtes-vous réellement prêts à affronter la férocité de vos ennemis ? En outre, vous avez toujours pensé que j'exagérais quand je parlais d'Orthon comme l'incarnation du Mal. Mais ce n'étaient pas les pensées délirantes d'un pauvre garçon névrosé, vous savez… Est-ce que vous vous en rendez compte maintenant ? Il faut s'attendre au pire… Toujours s'attendre au pire…

Certains Sauve-Qui-Peut hochèrent la tête en signe d'approbation. Le jeune homme était certes excessif, mais il y avait du vrai dans ce qu'il disait et tous en avaient l'intime conviction désormais : le pire était à prévoir, les signes ne trompaient pas, c'était devenu évident.

8

Décision cruciale

La Devinaille se dressait sur un guéridon, son bec minuscule à quelques centimètres du tableau. La Claquetoile, parfaitement tendue dans l'encadrement de bois, rayonnait de reflets sombres et nacrés en perpétuel mouvement. Les yeux rivés sur cet étrange phénomène, les Sauve-Qui-Peut attendaient avec impatience que la petite poule délivre son diagnostic.

— La Devinaille détient la véracité des éléments du présent, précisa le Foldingot en chuchotant à l'oreille d'Oksa. Elle sait aller là où la connaissance des autres ne va pas. La vérité est toujours intégrale dans sa compréhension du monde, jamais l'erreur ne la rencontre. Nous pouvons développer une confiance bien pleine : elle donnera l'explication du problème qui atteint le tableau.

— Tccchhhhh… éructa la Devinaille en jetant un coup d'œil furieux au Foldingot. Comment voulez-vous que je me concentre si vous hurlez tout le temps derrière moi ?

Oksa regarda le Foldingot qui était devenu cramoisi de confusion et lui adressa un clin d'œil en essayant de ne pas éclater de rire. La Devinaille n'en était pas à son coup d'essai en matière d'excès ; c'était une petite créature qui s'emportait avec une facilité aussi déconcertante qu'exagérée, et aucun Sauve-Qui-Peut ne put se retenir de sourire.

— Pour le moment, il n'y en a qu'une qui hurle : c'est elle, cette espèce de poule hystérique ! fit remarquer une autre petite créature chevelue.

— Tais-toi, Gétorix, le réprimanda Oksa, amusée. Tu vas t'attirer des ennuis.

Au bout de longues minutes, la Devinaille se retourna enfin, fit gonfler ses plumes et s'ébroua.

— Je demande votre attention, veuillez m'écouter s'il vous plaît ! lança-t-elle aux Sauve-Qui-Peut qui étaient suspendus à son bec.

— C'est pas trop tôt… bougonna le Gétorix.

— Nous t'écoutons tous, Devinaille… confirma Dragomira en se calant dans son fauteuil. Dis-nous ce que tu sais !

— L'affaire est terrible et complexe, commença la Devinaille avec gravité. Aujourd'hui, le Fouille-Cœur n'est plus le maître du tableau : le Mal a pris le pouvoir et cherche à attirer un cœur Gracieux. S'est-il trompé de personne en attirant Gus ? Le jeune garçon a-t-il été la victime d'une nouvelle erreur funeste ? Ou bien le Mal l'a-t-il volontairement happé ? Je ne peux être plus précise car mes sens sont brouillés par tant de désordre. Tout ce que je ressens avec certitude, c'est l'urgence : le jeune garçon et la vieille dame disposent d'une arme fatale et, pourtant, ils n'ont aucune chance de survie sans l'aide de leurs amis. Certains vont devoir être entableautés pour les secourir.

La Devinaille fut agitée par un frisson.

— Qu'y a-t-il ? demanda la vieille dame.

— Cet endroit, souffla-t-elle, c'est l'enfer !

— Que perçois-tu ?

— Ça ne ressemble à rien que je connaisse. Une grande confusion et une puissance malsaine troublent ma vision.

Dragomira lissa les plumes de la petite poule, les yeux embués de larmes, prenant de plein fouet la tragédie de la situation. Cette révélation s'abattait sur les Sauve-Qui-Peut comme une onde glacée s'insinuant dans leur corps tout entier. Muets de consternation, ils s'entreregardèrent, front plissé et souffle court. Aucun d'entre eux n'aurait imaginé que le retour à Édéfia serait si compliqué… Voilà cinquante-sept ans qu'ils attendaient ! Mais les dangers n'avaient jamais été aussi nombreux, surtout depuis qu'ils avaient toutes les clés en main : l'Empreinte autour du nombril d'Oksa, le médaillon de Dragomira hérité de sa mère Malorane, le Repère d'Édéfia à l'abri dans le cœur du Foldingot. Pavel, qui avait été l'un des plus difficiles à convaincre du bien-fondé de ce retour sur la Terre Perdue, était perplexe. Sa toute récente détermination à participer à cette incroyable aventure s'émoussait de minute en minute. À quoi bon tous ces risques ? Le jeu en valait-il la chandelle ? La vie à Du-Dehors n'était pas si insupportable…

— Tu as parlé d'un cœur Gracieux convoité par le Mal… intervint Abakoum en s'adressant à la Devinaille. Peux-tu nous en dire plus ?

Les Sauve-Qui-Peut regardèrent l'Homme-Fé avec inquiétude, conscients de l'importance vitale de sa question.

— Ce cœur Gracieux est celui de la Jeune Gracieuse, affirma la Devinaille.

— Pas de souci ! s'écria Oksa en se levant de son siège. Je suis prête !

— Oksa, s'il te plaît ! réagit aussitôt son père en la regardant fiévreusement. Il n'est pas question que tu entres dans ce tableau !

— Mais Papa… continua la jeune fille.

— Il n'y a pas de « mais Papa », rétorqua Pavel avec dureté. Tu n'iras pas dans ce tableau, inutile d'insister.

— Mais tu oublies que c'est Gus qui est prisonnier à l'intérieur ! s'emporta-t-elle. Si on ne va pas le chercher, il n'a aucune chance d'être délivré. Comment peux-tu être si… *inhumain* ?

Sur ces mots, elle se retourna et, poussant un cri de rage et de frustration, elle quitta la pièce. Un silence de mort s'abattit sur les Sauve-Qui-Peut, gênés. Certains jetèrent un regard furtif à Pavel, d'autres insistèrent plus lourdement, affichant une nette expression de reproche. Dragomira, déconcertée par la réaction de son fils, posa la main sur son avant-bras dans l'espoir de le ramener à la raison. Mais Pavel se dégagea et baissa les yeux, plus tourmenté que jamais, s'isolant dans une solitude douloureuse. Le dilemme était d'une atroce complexité et serrait son cœur comme un faucon serre ses griffes autour de sa proie : sans hésitation et sans pitié. Il ressentait la souffrance de ses amis, Pierre et Jeanne, dont le fils unique se trouvait enfermé dans ce piège. C'était épouvantable de le savoir quelque part, perdu, certainement terrifié, et de ne rien faire pour le sortir de là. Mais entrer dans le tableau, c'était prendre le risque de ne jamais en ressortir ! Il leva la tête, évitant de croiser le regard de Pierre et de Jeanne qui le dévisageaient avec autant d'horreur que de douleur. Son regard se porta sur l'écran de l'ordinateur qui affichait la dernière photo prise par Gus avant son Entableautement : le portrait de Réminiscens, la grand-mère de Zoé… Derrière, la fenêtre laissait entrevoir le ciel d'été qui s'ombrait de nuées violettes. Pavel se prit la tête entre les mains et s'emmura dans sa souffrance.

À l'étage au-dessus, Oksa était assise sur le sol, recroquevillée contre le mur. La colère l'avait désormais envahie tout entière, submergeant les efforts qu'elle essayait de faire pour se calmer. Le Curbita-peto ondulait sans relâche autour de son poignet pour l'apaiser. Mais la Jeune Gracieuse restait imperméable à ses tentatives… D'un geste impétueux, elle ébouriffa ses cheveux châtains et soupira. Dehors, le tonnerre grondait et semblait se rapprocher à grande vitesse. Oksa sursauta quand la foudre s'abattit dans un fracas brutal juste au-dessus de Bigtoe Square. Le vent se mit à souffler avec une violence effrayante, faisant crier les passants apeurés. Soudain, un éclair aveuglant cingla le ciel et vint heurter la fenêtre de la chambre d'Oksa, qui explosa en milliers d'éclats de verre.

— Ça alors… murmura-t-elle, fascinée.

Ce n'était pas la première fois qu'elle déclenchait ce genre de tempête. Mais cette dernière était monstrueuse ! À l'image de la colère qu'elle ressentait, le vent balayait tout sur son passage : les poubelles tombaient et roulaient avec fracas sur le trottoir, des tuiles s'éjectaient au pied des maisons où elles se brisaient dans un bruit mat et les antennes de télévision se couchaient sur les toits, arrachées par les puissantes rafales. Debout devant sa fenêtre brisée, Oksa regardait ce spectacle cataclysmique d'un air sidéré. C'est alors que le vent changea brusquement de direction. Au lieu de tournoyer autour de Bigtoe Square, toute sa force se concentra sur la jeune fille qui reçut son souffle furieux avec stupeur. Une indicible sensation glacée souleva le feu rageur qui brûlait en elle. Elle vit les nuages d'un noir d'encre se diriger vers elle et couvrir ses yeux d'un voile sombre. À l'intérieur de son corps, la lutte entre le vent et le feu faisait rage, l'étouffant sans pitié. Un cri venu du plus profond d'elle jaillit en l'étranglant. Elle se sentit défaillir, se retint de toutes ses forces au rebord de la fenêtre couvert de débris de verre et, les mains ensanglantées, elle tomba sur le sol, sans connaissance.

Le premier visage qu'elle vit lorsqu'elle revint à elle fut celui de Tugdual. Le jeune homme la regardait avec un air mêlé d'inquiétude et d'admiration.

— J'ai l'impression qu'il vaut mieux éviter de te mettre en colère, toi… murmura-t-il, un léger sourire aux lèvres.

Oksa grimaça. Elle se sentait toute courbaturée, aussi exténuée que si elle avait soulevé des haltères pendant des heures. Elle jeta un coup d'œil par la fenêtre. Dehors, le ciel était bleu, le soleil brillait, tout semblait… normal.

— J'ai cru que c'était la fin du monde ! fit-elle en se redressant.

— Disons qu'on n'est pas passé loin… renchérit Tugdual avec un rictus amusé. Le quartier est juste dévasté…

— Pstt… le réprimanda son grand-père Naftali.

Autour du canapé sur lequel elle était allongée, les Sauve-Qui-Peut se tenaient immobiles. Et pourtant, leurs regards tourmentés trahissaient l'état de profonde anxiété dans lequel ils se débattaient tous. Pavel s'approcha d'elle et posa sa main sur son épaule.

— Oh, Papa ! s'écria-t-elle en se jetant à son cou. Excuse-moi ! Je suis nulle de me mettre en colère comme ça. Mais… qu'est-ce que j'ai ?

Elle tourna ses mains devant elle. Elles étaient recouvertes de bandages.

— Tu t'es coupée avec les morceaux de verre, lui répondit son père d'une voix sourde. Mais ne crains rien, Dragomira a déjà fait ce qu'il fallait… Dans quelques heures, tes entailles ne seront plus qu'un mauvais souvenir.

— Merci, Baba ! Euh… tu as utilisé les Filfollias ? demanda la jeune fille en frissonnant au souvenir des fines petites araignées brodeuses.

— Tout à fait, ma Douchka ! lui répondit Dragomira avec un enthousiasme mitigé.

— Alors, ça veut dire que je suis restée longtemps inconsciente ?

— Exactement quatre heures et trente minutes, précisa son père en regardant sa montre. Pendant tout ce temps, nous avons discuté. De toi, de Gus et du tableau. Et nous sommes parvenus à une décision très importante.

— Une décision cruciale… ajouta Tugdual, de plus en plus sombre.

Pavel se racla la gorge et se passa la main sur le visage, comme s'il cherchait ce qu'il allait dire. Et surtout la façon dont il allait le dire.

— Comme chacun d'entre nous, j'ai le cœur brisé… commença-t-il d'une voix d'outre-tombe.

— Tu ne veux pas aller chercher Gus, c'est ça ? l'interrompit Oksa, les larmes aux yeux.

— Ce que je veux importe peu, ma chérie… lui répondit son père avec rancœur.

— Nous allons chercher Gus et Réminiscens, annonça Abakoum. Nous prenons un énorme risque, mais nous n'avons pas le choix : nous ne pouvons pas laisser l'un des nôtres prisonnier du tableau. Malgré les craintes de Tugdual, continua-t-il en glissant un regard sévère vers le jeune homme, nous sommes plus forts que nous n'en avons l'air. Nos rides sont peut-être profondes et nos cheveux fort blancs, mais nous possédons de sérieux atouts. Je ne parle pas de toi, ma chère petite, bien entendu…

— Tu insinues que je fais partie de l'aventure ? souffla Oksa, ses grands yeux gris écarquillés d'impatience.

— C'est une décision totalement ir-res-pon-sable… martela Mercedica.

Son lourd chignon tremblait d'exaspération. Elle jeta un regard noir à Dragomira qui tirait sur une de ses longues nattes, les yeux perdus dans le vague. Oksa retenait son souffle, plus anxieuse que jamais.

— Nous ne pouvons faire autrement que de t'emmener avec nous… hélas !… confirma Pavel avec tristesse.

— Et quand vous dites « nous », vous parlez de nous tous ? ajouta-t-elle en balayant du regard les Sauve-Qui-Peut placés en cercle autour d'elle.

— Non, Oksa, lui dit son père. Ce serait de la folie d'entrer tous, surtout que ta mère est trop faible pour pouvoir supporter ce genre… d'expérience. Dragomira, Naftali et Brune vont rester auprès d'elle, ainsi que Jeanne, Zoé et Mercedica. Le nombre faisant parfois la force, Cockerell et Bodkin se chargeront de rechercher dans le monde entier les Sauve-Qui-Peut qui pourraient s'allier à nous. Sur leur demande et avec l'accord de tous…

— Et le restaurant ? demanda Oksa.

Le regard de Pavel se voila d'amertume.

— C'est Jeanne qui aura la charge de le gérer pendant notre absence.

— Alors je viens avec vous ? C'est sûr ? continua la jeune fille.

— Je répète que je m'oppose à cette décision inconsidérée d'emmener Oksa dans le tableau ! s'exclama Mercedica, très fâchée. Vous avez l'air d'oublier qu'elle est la Jeune Gracieuse !

C'est de la folie de lui faire prendre ce risque… De *NOUS* faire prendre ce risque ! Je vous rappelle qu'elle est la seule à pouvoir déclencher l'ouverture du Portail qui nous fera entrer à Édéfia.

— Je disais donc, continua Pavel en faisant son possible pour ne pas prêter attention aux mises en garde de Mercedica, qu'à la quasi-unanimité il a été décidé que ce serait donc Léomido, Abakoum, Pierre, toi et moi qui entrerions dans le tableau pour libérer Réminiscens et Gus.

Oksa resta bouche bée, incapable de prononcer une seule parole. Tout cela était si irréel ! Elle ne savait plus quoi dire, désarmée par les sentiments contradictoires qui bouillonnaient en elle, un mélange de peur, d'excitation et d'impatience. Elle croisa le regard triste de Zoé qui lui adressa un pâle sourire à la fois plein de résignation et d'encouragement.

— Vous oubliez quelqu'un ! intervint Tugdual avec une certaine férocité dans la voix.

— Oui… Excuse-moi, Tugdual, murmura Pavel. Tugdual vient avec nous, ajouta-t-il à l'intention de sa fille.

— Waouh… ne put que répondre Oksa.

À cet instant précis, se sentant idiote jusqu'au bout des ongles, elle enrageait. Mais malgré les terribles circonstances, elle était heureuse que le sombre jeune homme les accompagne.

— Je suis le Serviteur de sa Très Jeune Gracieuse, lança Tugdual en plongeant son regard de saphir dans les yeux d'Oksa qui rougit jusqu'à la racine des cheveux. N'oublie jamais que pour toi, je serais prêt à tout…

9

L'argument fatal

Allongé sur son lit, Pavel semblait pétrifié. Mais cet immobilisme apparent n'empêchait pas la tempête intérieure d'agiter son cœur. Plus qu'une tempête, c'était même un véritable ouragan qui se déchaînait en lui, ravageant tout sur son passage. Et pourtant, les yeux fixés sur le plafond où s'agitaient les ombres nocturnes venant de la rue, il ne laissait rien paraître de cette tourmente. Adossé à la fenêtre, Abakoum l'observait avec gravité.

— Je connais ta réticence et l'effort colossal que tu fais en acceptant d'être entableauté, fit-il.

— Vous ne me laissez pas le choix… rétorqua Pavel.

— Aucun de nous ne l'a, dit Abakoum dans un souffle. L'avenir de Du-Dehors, le nôtre et celui de ceux qui nous suivent en dépendent. Et même si tu ne crois pas en cela, une autre raison nous empêche de faire marche arrière…

— De quoi veux-tu parler ? Avoir la responsabilité de l'avenir du monde n'est-il pas suffisant à tes yeux ?

— Cette autre raison, c'est Marie… répondit Abakoum d'un air soudain très las.

Pavel resta sans voix, en proie à un brusque vertige qui lui donnait l'impression de se vider de tout son sang. Son pouls s'accéléra et la panique le submergea tandis qu'il attendait les explications d'Abakoum.

— Marie est condamnée, lui annonça alors le vieil homme d'une voix brisée. La Robiga-Nervosa est un poison plus puissant que n'importe lequel des remèdes que nous connaissons, Dragomira et moi. Nous avons tout essayé. Je suis désolé, Pavel. Je suis désolé.

Le silence, effrayant, s'abattit, seulement troublé par les respirations précipitées des Sauve-Qui-Peut accablés. Pour Pavel, c'était comme si le ciel s'écroulait sur sa tête.

— Mais… mais… bredouilla-t-il, paniqué. Je croyais que les Vermiculum fonctionnaient bien ! Et ce remède à base de… comment l'appelais-tu déjà… Tochaline ? Son effet est très efficace, Marie a fait des progrès incroyables, tu l'as toi-même reconnu ! Elle est sur la bonne voie ! Comment peux-tu dire aujourd'hui qu'elle est condamnée ? Comment peux-tu me dire cela, Abakoum ?

Sa voix s'étrangla alors qu'un désespoir sans fond prenait le contrôle de tout son être. Il s'assit au bord du lit et se prit la tête entre les mains. Il n'avait jamais ressenti un tel déchirement depuis la mort de son père. C'était en Sibérie. Il avait huit ans. Son père Vladimir était le petit-fils du grand chaman Metchkov qui avait accueilli Dragomira, Léomido et Abakoum après l'éjection d'Édéfia. Un jour glacial de décembre, un peu avant Noël, Vladimir avait été emmené par le KGB, la police secrète soviétique. Son arrestation s'était déroulée avec une brutalité inouïe. Devant sa femme et son jeune fils, il avait été roué de coups et injurié par les policiers avant d'être transporté dans un goulag où on l'avait jugé comme « ennemi de l'État ». Hormis les bienveillants habitants du petit village sibérien — tous au courant des dons des Pollock —, c'était la première fois que Pavel rencontrait des Du-Dehors. C'était également la dernière fois qu'il voyait son père. Car, quelques semaines plus tard, Dragomira recevait la terrible nouvelle : Vladimir avait été tué par ses geôliers alors qu'il tentait de s'évader. Ni Abakoum, ni Dragomira, ni aucune des personnes qui le connaissaient ne furent dupes de cette version : si Vladimir avait voulu s'évader, il aurait réussi à le faire. N'était-il pas un fabuleux chaman ? N'avait-il pas prouvé qu'il pouvait égaler en bien des domaines sa femme et son meilleur ami, l'Homme-Fé aux pouvoirs pourtant si grands ? Les autorités mentaient : dans l'état où il avait été emmené, nul doute qu'il n'avait plus la force de faire quoi que ce soit. Et encore moins de s'évader. Vladimir avait été exécuté, abattu comme un chien à cause de ses immenses pouvoirs, voilà la vérité. Et jamais Pavel n'avait réussi à s'en consoler. La vie avait suivi son cours, inexorable et implacable. Mais la blessure ne s'était jamais refermée.

Alors qu'Abakoum lui assenait l'épouvantable nouvelle au sujet de Marie, il sentit la plaie se raviver, le déchirant jusqu'au plus profond de son âme. L'incrédulité laissa place à une fureur sans nom, un cruel sentiment de révolte face à cette injustice. Pourquoi Marie ? Pourquoi celle qui était la plus inoffensive des Sauve-Qui-Peut ? Il n'oubliait pas que c'était Oksa qui était initialement visée par le savon empoisonné. Mais Oksa, malgré son jeune âge et son inexpérience, aurait été en mesure de se défendre contre les méfaits de la Robiga-Nervosa. Oksa… La Jeune Gracieuse… La protégée des Sans-Âge… Oksa, si jeune et si déterminée, si vulnérable et si puissante. Oksa sa fille unique et Marie sa femme adorée. Toutes les deux étaient le cœur de sa vie. Pavel aurait tant voulu les protéger, être digne de son rôle de père et de mari. Au lieu de cela, sa femme était paralysée sur un lit d'hôpital et le destin de sa fille était entre les mains de vieillards pleins d'illusions. Et pourtant… avait-il le choix ? Bien malgré lui, Abakoum avait porté le coup fatal en avançant l'ultime argument, celui qui devait tout changer.

— Tu as raison, Pavel, lui dit-il, ses beaux yeux gris noyés de larmes. La Tochaline, ou Inestimable Fleur comme nous la nommons, a eu un effet miraculeux sur Marie. C'est le contrepoison qu'il lui faut…

— Mais alors ? cracha Pavel avec violence.

— Lors du Grand Chaos et de notre éjection à Du-Dehors, j'avais emmené dans ma Boximinus une sélection des principaux végétaux et créatures que l'on peut trouver à Édéfia, continua l'Homme-Fé en pâlissant. Il s'y trouvait un plant de Tochaline que j'ai eu beaucoup de difficultés à maintenir en vie. Les soins très rigoureux que Dragomira et moi avons apportés à ce spécimen nous ont permis d'obtenir quelques plants. Mais tout cela ne s'est pas fait sans mal, crois-moi : la culture de la Tochaline est complexe et exigeante, tout simplement parce que la composition de la terre de Du-Dehors n'apporte pas tous les nutriments présents à Édéfia. Nous avons fait venir du monde entier des échantillons de terre pour tenter d'en cultiver et nous avions cru réussir avec ce mélange issu des rives orientales du fleuve Amazone et des orangeraies de Cordoue. Grâce à ce mixage, les plants ont connu une croissance fulgurante, ce qui nous a permis de mettre au point le contrepoison qui a si bien réussi à Marie. Oui, Pavel, la Tochaline est le seul remède qui peut la sauver.

— Je ne comprends pas…. Où est le problème ? Dragomira et toi, vous avez trouvé, n'est-ce pas ? Alors qu'est-ce qui ne va pas ?

À ce moment précis, il appréhendait la réponse plus que tout. Une réponse qui prendrait la forme d'un verdict sans appel dans les paroles d'Abakoum, il n'en doutait pas.

— Oui, nous avons trouvé le remède, Pavel. En cela, nous sommes formels…

Abakoum s'interrompit une nouvelle fois, submergé par l'émotion.

— Parle ! rugit Pavel. Parle, je t'en prie !

Abakoum le fixa longuement avant de répondre.

— Il y a deux semaines, Marie a pris une dose de Tochaline qui a considérablement amélioré son état. Cette dose était la dernière. Nous n'avons plus de Tochaline, Pavel. Malgré nos soins acharnés, le dernier plant n'a pas tenu. Il est mort hier soir.

— Mais… mais qu'est-ce qu'on peut faire ? réussit à articuler Pavel, l'air hagard.

— J'ai cherché dans le monde entier, mais je ne connais qu'un endroit où l'on peut trouver de la Tochaline, précisa l'Homme-Fé. Un endroit où elle pousse à profusion, où il n'y a qu'à se baisser pour la cueillir…

— Il faut y aller tout de suite ! Qu'est-ce qu'on attend ? s'exclama Pavel.

Abakoum posa sa main sur l'épaule de son ami et, sans le quitter des yeux, lâcha :

— Cet endroit, c'est l'Inapprochable, dans les plaines sauvages au sud d'Édéfia. Il n'y a que là-bas que nous trouverons la Tochaline qui pourra sauver Marie de la mort.

10

Qui est le vrai Tugdual ?

Il n'échappait pas à Oksa qu'Abakoum et Dragomira étaient très soucieux. Étant donné les circonstances, elle se disait qu'ils avaient un bon milliard de raisons de l'être. Cependant, suspicieuse et observatrice, elle soupçonnait autre chose. Quelque chose d'encore plus grave et d'encore plus secret. Elle prêta l'oreille, essayant de percevoir des bribes de la conversation tendue qu'ils avaient dans le petit salon, à quelques mètres d'elle. Mais, se sentant observés, ils baissèrent encore la voix, rendant impossible toute écoute. Dépitée, la Jeune Gracieuse s'enfonça dans le canapé de velours cramoisi, entre les deux Foldingots de sa grand-mère qui s'étaient sagement assis à côté d'elle. Les deux créatures la regardèrent de leurs immenses yeux globuleux dans l'attente d'engager une discussion. Mais Oksa, l'esprit ailleurs, resta silencieuse, une main posée sur l'avant-bras duveteux du Foldingot qu'elle se mit à caresser avec nonchalance. L'Entableautement était prévu pour le lendemain matin. Comme c'était étrange… Pendant que certains préparaient leur départ en vacances, d'autres s'apprêtaient à entrer dans un tableau ensorcelé…

— À chacun sa destinée… murmura Oksa avec une certaine dérision.

— Les mots de la Jeune Gracieuse sont recouverts d'un sens sarcastique, fit remarquer la petite créature joufflue.

— Fine observation, Foldingot ! soupira Oksa en lui jetant un coup d'œil en biais. En tout cas, je suis contente que la Foldingote soit du voyage…

— Les Foldingots ne doivent jamais connaître la séparation de leurs maîtresses. Les Gracieuses constituent la raison d'exister des Foldingots et leur accompagnement doit adhérer, quelles que soient les conditions. Le Foldingot est le Gardien du Repère Absolu, il surveillera donc la présence de la Vieille Gracieuse ici et la Foldingote fera l'escorte de la Jeune Gracieuse dans le tableau. La mort fera la représentation de la seule séparation possible.

À l'évocation de cette éventualité, Oksa frissonna. Tout cela était certes très excitant, mais elle avait une conscience aiguë du danger et des enjeux de l'entreprise. Le lendemain matin, elle se trouverait à l'intérieur du tableau envoûté avec son père, Tugdual et quelques courageux Sauve-Qui-Peut pour aller chercher Gus. Elle avait connu des expériences plus banales que celle-là... Même si sa confiance et son optimisme étaient solides, elle n'oubliait pas que cette fois-ci, l'issue était des plus incertaine. Mais il en allait de la vie de Gus. Et de celle de sa mère. Les soins constants d'Abakoum et de Dragomira – à base d'injections de Vermiculum qui s'affairaient sans relâche sur son système nerveux – avaient réussi à stabiliser son état, mais la Robiga-Nervosa était féroce et la paralysie s'étendait comme une marée noire, lancinante et invincible. Et aujourd'hui, Oksa savait pourquoi. La Tochaline...

— La Jeune Gracieuse fait la rencontre de l'inquiétude ? lui demanda la Foldingote en la dévisageant avec curiosité.

— Euh... je suis juste un tout petit peu *terrorisée*, tu vois ! lança Oksa avec un rire crispé. Je n'avais pas tout à fait prévu d'aller passer mes vacances dans un tableau qui a perdu les pédales. Mais je vais m'habituer. Je vais m'habituer... Après tout, on aurait pu décider d'aller en vacances en Irak ou en Tchétchénie, histoire de se reposer dans un cadre super zen. Mais non ! Trop gentil pour les Pollock ! On a choisi un plan sur mesure, le truc pile-poil qu'il nous fallait ! Car tout cela est très simple après tout : on entre dans le tableau dingue, on libère Gus et puis on file à Édéfia cueillir de la Tochaline. Ah oui ! Et accessoirement, on sauve le Monde... Petit programme sympa, non ?

Les Foldingots restèrent muets, se contentant d'afficher un air perplexe vis-à-vis de la « sympathie » du programme énoncé avec ironie par Oksa.

— J'aimerais bien savoir ce qu'ils sont en train de se raconter... continua-t-elle en regardant Abakoum et Dragomira qui discutaient toujours à voix basse. Qu'est-ce qu'ils complotent ?

— Hum, hum... intervint le Foldingot.

Oksa se tourna vers lui, avec l'œil brillant de celle qui vient d'avoir une idée lumineuse.

— Oh ! oh ! toi tu sais quelque chose ! lui dit-elle en rejetant ses cheveux en arrière.

— Le Foldingot contient la connaissance de toutes sortes de choses, la Jeune Gracieuse dispose de cette conviction, n'est-il pas ?

— Tu m'étonnes que je dispose de cette conviction ! approuva Oksa. Allez, dis-moi ce que tu sais… et que je ne sais pas !

Le Foldingot regarda autour de lui puis, rassuré, se pencha vers la jeune fille pour lui murmurer à l'oreille de sa voix de crécelle :

— La Jeune Gracieuse doit recevoir l'information qu'un traître a commandé d'instaurer la surveillance des Sauve-Qui-Peut.

— Qu'est-ce que c'est que cette histoire ? marmonna Oksa en fronçant les sourcils.

— La traîtrise est au cœur de l'action, Jeune Gracieuse, reprit le Foldingot sous le regard paniqué de sa compagne. La traîtrise œuvre au sein des Sauve-Qui-Peut. Intérieur et extérieur font l'encerclement. La mise en garde est d'une grande sévérité : les Félons, comme les amis, n'ont pas l'obligation de coïncider avec notre conviction.

— Tu sais, Foldingot, j'ai parfois du mal à te suivre… renchérit Oksa en se grattant la tête d'un air sceptique.

— C'est pourtant limpide ! retentit une voix derrière elle, la faisant sursauter.

Elle se retourna et aperçut alors Tugdual, adossé contre le chambranle de la porte du salon. Une mèche de cheveux noirs cachait une bonne partie de son visage, mais, bien qu'il eût la tête baissée, Oksa pouvait néanmoins voir ses yeux bleu acier la fixer avec insistance. Tugdual releva la mèche, découvrant son beau visage mince, et esquissa un sourire étrange, aussi bienveillant qu'inquiétant, qui la déstabilisa. Sans la quitter des yeux, le jeune homme s'approcha et Oksa se raidit sur son canapé. Quant aux Foldingots, ils se levèrent avec le maximum de discrétion dont ils étaient capables et se pelotonnèrent au coin de la cheminée.

— Ce que veut dire le Foldingot, c'est que les amis et les ennemis ne sont pas toujours ceux que l'on croit, expliqua Tugdual en s'affalant dans un fauteuil, face à Oksa.

Contrairement à elle, il affichait une totale décontraction. Il balança une jambe par-dessus l'accoudoir et se mit à passer sa langue ornée d'un piercing le long de ses dents, produisant un crissement irritant. Oksa soupira, énervée de se sentir aussi décontenancée chaque fois qu'elle se trouvait en présence du mystérieux garçon. Elle chercha quelque chose à dire. Mais en sentant la confusion empourprer tout le haut de son corps, les mots se mélangeaient dans son esprit.

— Tu as remis tes piercings ? réussit-elle à dire en se maudissant de la médiocrité de sa repartie.

Un étonnement fugitif obscurcit le regard de Tugdual. Puis ses yeux s'éclaircirent de nouveau, reprenant cette incroyable couleur bleu glacé qui lui plaisait tant – elle s'en rendait tout à fait compte à cet instant précis. Elle déglutit et se mordit la lèvre inférieure, ébranlée par cette constatation.

— Oh ! tu sais… lui répondit Tugdual, personne ne change jamais vraiment…

Sa voix était grave, sombre et froide comme la brise hivernale. Plus que jamais, Oksa était partagée entre deux sensations contradictoires : une part de Tugdual la rassurait par son implacable côté félin et la puissance de son instinct. Mais elle percevait chez l'énigmatique jeune homme une autre face, redoutable, presque menaçante. Tout ce dont elle était sûre, c'était qu'il affolait son cœur dès qu'il se trouvait à proximité et que jamais elle n'avait ressenti un tel trouble. Oksa l'observa : il n'était pas vraiment différent du Tugdual qu'elle avait rencontré presque un an auparavant. Mince, ténébreux, vêtu de noir des pieds à la tête, les sourcils, les oreilles et le nez percés de multiples et minuscules pierres précieuses, il avait la même allure et les mêmes attitudes que la première fois où elle l'avait vu, le soir de la révélation du Secret des Sauve-Qui-Peut. La seule distinction, c'était qu'il la regardait aujourd'hui avec beaucoup plus d'intensité qu'auparavant. « Oksa-san, tu perds la boule… Ressaisis-toi ! » se gronda-t-elle. Elle plia les jambes et les ramena sous elle pour cacher tant bien que mal son trouble.

— Mais l'essentiel, c'est de savoir qui on est et de l'assumer, reprit-il.

— Et qui es-tu ? enchaîna aussitôt Oksa, éberluée par l'audace de sa propre question.

Tugdual lui jeta un regard mi-surpris, mi-rieur qui lui donna l'impression de s'enflammer. Il réfléchit quelques secondes avant de répondre d'une voix aussi gutturale que celle de sa singulière grand-mère Brune :

— Qui je suis ? Tu veux la version officielle ou officieuse ?

— Je veux la vraie version, s'enhardit Oksa. Je veux savoir qui est le vrai Tugdual.

— Tu es bien indiscrète, P'tite Gracieuse ! Et je ne suis pas sûr que tu sois prête à supporter la réponse…

— Tu me prends pour un bébé ! s'emporta Oksa en serrant les poings. C'est très… *humiliant* !

Tugdual la regarda avec un étonnement amusé, prêt à éclater de rire. Ce qui eut pour effet de mettre Oksa dans un état de fureur et de frustration inattendu.

— Tu m'énerves… bredouilla-t-elle, furibonde, détournant la tête pour échapper au regard bleu qui la brûlait.

— Tu veux vraiment savoir ? proposa Tugdual après quelques secondes de supplice.

— Bien sûr que je veux savoir… marmonna-t-elle en se croquant un ongle.

— Eh bien, je suis le descendant de deux des plus éminents membres de la tribu Mainferme exilés d'Édéfia. Je possède des dons que rêveraient de posséder les plus puissants hommes sur cette Terre. Je pourrais moi-même être l'homme le plus puissant du Monde et, pourtant, je dois cacher ce que je suis au plus profond de moi car le montrer équivaudrait à provoquer ma propre mort, ainsi que celle des miens. Mais tout ça vaut aussi pour ton père, ta grand-mère, Abakoum ou mes grands-parents… et pour toi bien sûr. Surtout pour toi… À part ça, je suis un garçon de seize ans qui a de noirs penchants pour la face sombre et cachée qu'ont en eux tous les êtres vivants, hommes ou animaux. Certains appellent cela une névrose morbide obsessionnelle. Mais pour ma part, je considère que l'obscurité et l'ambiguïté sont des sources d'épanouissement qui me nourrissent et m'abreuvent. Je peux être aussi bon que mauvais. Je peux être l'ami le plus fidèle et le traître le plus féroce, avec la même démesure. La menace et bien sûr la mort, surtout quand elles permettent de dépasser l'affreuse banalité de la vie, sont pour moi un défi et une raison de vivre. Et puisque tu veux tout savoir, la rencontre avec une certaine P'tite Gracieuse m'a sauvé d'un ennui si mortel que j'ai bien cru que je n'allais pas en réchapper. Le spectre de la lassitude menaçait de m'emporter quand tu es arrivée, comme un petit miracle. Bref, on peut dire que tu m'as sauvé d'une mort atrocement ennuyeuse, mademoiselle l'Inespérée...

Sur ces mots, il s'étira comme un chat, un sourire de satisfaction au coin des lèvres tranchant avec son regard polaire. Captivée mais secouée, Oksa avait la désagréable impression d'être un jouet entre ses griffes cruelles. Elle médita un court instant avant de demander d'une voix déterminée :

— Tu dis que tu peux être l'ami le plus fidèle et le traître le plus féroce... Et là, maintenant, tout de suite, tu es qui ? lança-t-elle, les paroles de mise en garde du Foldingot lui revenant brutalement en mémoire.

— À ton avis ? répliqua Tugdual avec provocation et amusement.

— Ne cherche pas à te faire passer pour plus méchant que tu ne l'es ! résonna alors la voix d'Abakoum.

Oksa tourna la tête et regarda l'Homme-Fé qui se tenait droit comme un I à l'entrée du salon. À ses côtés, Dragomira fixait Tugdual d'un air très las.

— C'est le jeu favori de notre jeune ami, expliqua Abakoum en s'installant à côté d'Oksa. Faire croire qu'il est du mauvais côté alors qu'au fond de lui, il est sans doute le plus ardent défenseur de notre cause. N'est-ce pas, Tugdual ?

Pour toute réponse, le jeune homme décocha à Oksa un sourire éclatant qui faillit la faire tomber à la renverse. Elle serra les poings jusqu'à s'en faire mal et lui rendit son sourire en lui adressant un regard qu'elle espérait aussi flegmatique que le sien. Tout en sachant pertinemment que le déconcertant garçon était loin d'être crédule...

11

L'inconnu du square

Le trouble que Tugdual faisait naître en Oksa était loin d'échapper à Dragomira et à Abakoum. Cependant, ils ne pouvaient lui accorder autant d'attention qu'ils l'auraient souhaité car un nouvel événement venait parasiter la situation déjà très complexe.

— Nous avons un problème, mes chers enfants, lança Dragomira en dévisageant tour à tour Oksa et Tugdual.

— Il y a un traître parmi nous, c'est ça ? rebondit aussitôt Oksa.

— Pourquoi dis-tu cela ? l'interrogea sa grand-mère en fronçant les sourcils et en jetant un regard noir à Tugdual.

— Euh… c'est ce qui peut nous arriver de pire, non ? répliqua Oksa afin de disculper son ami et de préserver l'anonymat de son petit informateur blotti au coin de la cheminée.

Dragomira la regarda d'un air perplexe, tapota ses cheveux nattés en couronne autour de sa tête et continua :

— Nous ne pensons pas qu'un traître se cache dans notre groupe. Mais ce dont nous sommes certains, c'est que quelqu'un nous surveille. Depuis l'Entableautement de Gus, nous sommes suivis, observés, épiés…

— Comment le savez-vous ? l'interrompit Tugdual.

— Tu n'es pas sans savoir, mon cher garçon, qu'Abakoum dispose d'un flair hors du commun. L'odeur de notre espion nous suit depuis trois jours. Cette odeur flotte sans discontinuer autour de Bigtoe Square et nous avons vu un homme qui est resté debout contre un des arbres du square pendant plusieurs heures. Quand tu as déclenché la tempête, Oksa, cet homme n'a pas bougé d'un pouce, ne serait-ce que pour s'abriter. C'est plutôt révélateur, non ? Tout à l'heure, Abakoum est sorti pour en avoir le cœur net. Dès qu'il l'a vu, l'homme s'est enfui. Deux heures plus tard, il était de nouveau là. Abakoum est alors devenu ombre et s'est approché. Mais l'homme devait être très bien renseigné car il s'est encore enfui. Ce qui nous a définitivement convaincus qu'il s'agit d'un Sauve-Qui-Peut…

— Ou d'un Félon ! s'exclama Oksa.

— Les Félons sont *aussi* des Sauve-Qui-Peut, ma Douchka, lui rappela Dragomira.

— Oui, c'est vrai, admit Oksa. Mais ça pourrait aussi être un agent des services secrets, non ? Ou un policier ?

Dragomira et Abakoum échangèrent un bref sourire.

— Un Du-Dehors n'aurait pas fui à l'approche de l'ombre d'Abakoum… objecta la Baba Pollock. Il n'aurait pas fui parce qu'il ne l'aurait même pas perçue ! Seul un Du-Dedans très bien renseigné – c'est-à-dire un Sauve-Qui-Peut proche de notre famille – peut être au courant du don d'Abakoum.

— Oui, tu as raison… consentit Oksa tout en continuant de réfléchir. Et ça ne pourrait pas être un Sauve-Qui-Peut qui essaierait de rentrer en contact avec nous ?

— Si c'était le cas, il s'y prendrait autrement, tu ne crois pas ? lui opposa Abakoum. Et pour commencer, il ne fuirait pas. Mais dis-moi, Oksa, on dirait que tu ne veux pas reconnaître l'existence d'un espion Sauve-Qui-Peut ?

Oksa baissa les yeux, perturbée par cette question et surtout par l'éventualité d'être surveillée par un inconnu.

— Eh bien… parce que je ne veux pas ! répondit-elle. Les choses sont déjà très compliquées, non ?

— Vous pensez que ça pourrait être Mortimer McGraw ? lança soudain Tugdual.

— C'est le premier qui nous est venu à l'esprit, en tout cas, lui répondit Dragomira.

— Mais pourquoi ? Pourquoi Mortimer nous surveillerait-il ? reprit Oksa. À cause de Zoé ? Il veut la revoir ? Elle fait partie de sa famille, après tout… OH NON ! Il veut peut-être l'enlever !

Cette suggestion l'effrayait plus qu'elle ne l'aurait imaginé. Zoé, petite-fille de Léomido et de Réminiscens, nièce d'Orthon McGraw et descendante d'Ocious et de Témistocle, les féroces Murmous. Mais aussi Zoé, une jeune fille à la fois fragile et puissante, au passé chaotique et douloureux…

— Je ne pense pas que Zoé soit la cible de cet espion, dit Abakoum. Mortimer partage certainement les mêmes motivations que son père, mais j'ai toujours pensé qu'Orthon n'était pas le seul Félon à Du-Dehors. Ce dont nous sommes sûrs et qui nous pose un très sérieux problème aujourd'hui, c'est qu'à partir du moment où nous serons entableautés, le tableau représentera un objet encore plus inestimable qu'il ne l'est aujourd'hui. Certains ne voient en toi qu'une clé pouvant leur permettre d'entrer à Édéfia, Oksa. Et ils vont tout faire pour s'emparer du tableau. Ils n'auront alors plus qu'à attendre et à te cueillir à la sortie, si je puis dire. C'est plus simple que d'essayer de t'enlever !

— Hum… Ne croyez pas que j'aie peur d'entrer dans le tableau, mais si ça craint tellement, pourquoi je ne reste pas ici ? demanda Oksa, secouée.

— C'est vrai que l'existence de cet homme qui nous surveille aggrave les choses, continua Abakoum. Le danger n'est pas seulement à l'intérieur du tableau – qui sait ce que nous allons y trouver et surtout comment nous allons en sortir ? –, mais aussi à l'extérieur. Ce n'est plus du tout la même chose et nous avons en effet envisagé de te laisser ici et d'emmener Dragomira à ta place.

— Ah non ! s'insurgea Oksa. C'est hors de question ! Je viens avec vous !

— Personne n'a envie de te mettre en danger, ce n'est ni dans notre intérêt ni dans celui des Félons. Mais bien sûr, tu viens avec nous, lui confirma Abakoum avec tristesse. Tu as entendu la Devinaille : tu représentes le seul espoir de libération de nos amis, c'est indéniable.

— Et imaginons le pire… proposa Tugdual. Admettons que ce Félon ou je ne sais qui s'empare du tableau. Avec nous dedans, bien sûr. Et admettons que pour une raison ou une autre il le détruise. Qu'est-ce qu'on devient ? On est condamnés à errer à tout jamais dans une dimension inconnue et hostile ? On meurt dans d'atroces souffrances ?

Dragomira soupira en dodelinant de la tête de gauche à droite avec un air accablé.

— Tu cherches à inquiéter encore davantage Oksa ? lui lança-t-elle. Tu trouves que la situation n'est pas assez dramatique ?

— Tu es vraiment *impossible* ! s'exclama Oksa en se tournant vers le jeune homme qui semblait très satisfait de la voir s'emporter. Bien sûr qu'on mourrait… Ça paraît logique, non ? Eh bien, si tu veux savoir, ça ne me fait pas peur ! Non, pas du tout ! Enfin… juste un peu… reconnut-elle en baissant la voix.

Tugdual émit un petit rire qui énerva la Jeune Gracieuse au plus haut point. Résistant à l'envie de se ruer sur lui, elle serra les poings et les mâchoires, déterminée à ne rien montrer de sa fureur.

— Voilà pourquoi, malgré l'immense aide qu'elle pourrait nous apporter en se laissant entableauter avec nous, Dragomira restera à l'extérieur pour protéger ce précieux tableau, conclut Abakoum. Et puis, n'oublions pas que ta mère a besoin qu'on s'occupe d'elle. Qui mieux que ta grand-mère peut le faire ? Une apothicaire magicienne, peut-on rêver mieux ?

12

Le départ vers l'inconnu

Marie serrait de toutes ses forces les accoudoirs de son fauteuil roulant, enfonçant ses ongles dans le cuir épais. Derrière elle, Oksa avait enroulé ses bras autour de son buste, l'enserrant avec anxiété. La journée s'achevait, la dernière avant l'Entableautement. Se reverraient-elles ? Oksa n'en doutait pas. Elle avait une confiance absolue en leur réussite. Ce qui ne l'empêchait pas, à quelques minutes de la séparation, de se sentir extrêmement nerveuse et angoissée. Elle perçut les sanglots étouffés qui agitaient sa mère en accélérant sa respiration. Ses narines se mirent à piquer : les larmes montaient, inexorables. Autour, dans un mutisme de plomb, les Sauve-Qui-Peut se tenaient prêts. Dragomira, très émue, se cramponnait au bras d'Abakoum, son fidèle Veilleur dont elle allait se trouver séparée pour la première fois depuis qu'elle était née. Toute la journée, dans un silence sinistre, elle avait travaillé à ses côtés dans son atelier-strictement-personnel à la fabrication des ultimes stocks de Granoks et de Capaciteurs. Ils allaient en avoir sacrément besoin à l'intérieur du tableau ensorcelé ! Les yeux rougis par la tristesse et la fatigue, la Baba Pollock regarda son ami et lui murmura :

— Prends grand soin de toi, mon cher Veilleur… Et ramène-les tous en vie, je t'en supplie ! ajouta-t-elle, la voix brisée.

— Tout se passera bien, la rassura l'Homme-Fé sans paraître tout à fait convaincu de ses paroles. Nous serons là très vite, je te le promets. Il ne va rien nous arriver. Tu sais que nous avons de puissants atouts : Pavel est plus fort qu'il ne voudra jamais l'admettre ; Léomido réunit l'expérience et la sagesse ; Pierre incarne la force à l'état pur et Tugdual, le pouvoir sombre qui peut nous faire parfois défaut, à nous les idéalistes. Quant à notre Inespérée, elle l'ignore, mais sa puissance est vertigineuse…

— Protège-la, je t'en conjure ! intervint Marie qui avait écouté la conversation, ainsi que tous les Sauve-Qui-Peut. J'en mourrai, sinon…

Oksa sentit son cœur se serrer douloureusement. L'évocation de la mort par sa mère si malade brisait toutes ses résistances. La mort qui rôdait comme une prédatrice implacable, accompagnée de son incontournable allié : le temps.

— Allez, on y va ! lança-t-elle soudain, craignant à chaque seconde qui s'écoulait de n'avoir plus le courage d'y aller.

C'est Pierre qui s'avança le premier. Il serra sa femme dans ses bras et tout le monde suivit son exemple. Les accolades étaient tendues et silencieuses, les larmes coulaient sans bruit. Pavel donna un dernier baiser à Marie, laissant la place à Oksa qui enfouit son visage dans le cou de sa mère. « Je vais crever de tristesse… » se dit-elle. Abakoum posa sa main sur son épaule avec une grande douceur, bouleversé par la peine immense qui étouffait le cœur de la Jeune Gracieuse. Il était temps d'y aller. Oksa ébouriffa ses cheveux et, pour masquer sa tristesse, prit une pose de ninja, jambe tendue en arrière et mains dressées devant elle.

— À nous, maudit tableau ! lança-t-elle en essuyant son visage luisant de larmes d'un revers de la main. Tu vas voir ce que tu vas voir… On arrive, Gus ! Tiens bon !

À peine Pavel eut-il effleuré la Claquetoile que les six Sauve-Qui-Peut, main dans la main, se sentirent aspirés à l'intérieur de l'étrange mélange de couleurs nacrées qui se mouvaient avec lenteur. Pendant un bref instant, ils se tinrent en équilibre au bord de l'encadrement de bois, au-dessus du gouffre monstrueux qu'ils surplombaient. Abakoum fut le premier à céder à l'attraction du vide en se laissant tomber, entraînant ses compagnons avec lui.

— Mamaaaannnnn ! hurla Oksa en serrant si fort les mains qu'elle tenait − celle d'Abakoum et celle de son père − qu'elle craignit un instant de les briser.

Son cri s'étouffa, absorbé par les parois du long et large couloir vertical dans lequel ils sombraient, se cramponnant les uns aux autres. Pendant plusieurs minutes, ils eurent la sensation de flotter en tourbillonnant comme des plumes au milieu d'une nuée fantastique, obscure et effrayante. Aucun d'eux ne distinguait quoi que ce soit, si ce n'était une sorte de brouillard violet très sombre qui nimbait leur chute d'un voile menaçant. Plus ils s'enfonçaient dans le brouillard, plus la luminosité baissait. Et plus leur cœur s'emballait…

Soudain, ils s'immobilisèrent. Dans un silence impressionnant, ils retinrent leur souffle. Assis sur un sol spongieux, ils écarquillèrent les yeux à s'en faire mal. L'obscurité était désormais totale, aussi absolue que le silence.

— Vous êtes tous là ? s'éleva la voix sourde d'Abakoum.

— Je suis là, répondit aussitôt Pavel en pressant la main d'Oksa qu'il tenait toujours fermement. Ça va, Oksa ?

— Euh… oui… je crois… dit la jeune fille en tremblant.

— Je suis là, dit à son tour Pierre.

— Moi aussi ! renchérit Léomido. Mais j'ai bien peur d'avoir perdu Tugdual… ajouta-t-il d'une voix angoissée. Nos mains se sont lâchées juste avant la fin de notre chute, il ne doit pas être très loin…

Oksa se sentit blêmir. Ses nerfs n'étaient pas loin de craquer. Elle inspira profondément pour essayer de se calmer pendant que son Curbita-peto ondulait autour de son poignet avec une intensité qu'elle n'avait encore jamais connue.

— Tugdual ! Où es-tu ? cria-t-elle aussi fort qu'elle le put.

Imitant Oksa, les quatre hommes crièrent à tue-tête et la Foldingote, installée dans un harnais solidement arrimé au dos de Pavel, se joignit à eux en mettant sa voix de crécelle à contribution. Ce qui amena aussitôt Abakoum à penser à un autre de leurs petits compagnons…

— L'Insuffisant ? Est-ce que tu es là ?

Du dos de Léomido leur parvint une voix lente et pâteuse :

— Oui, il me semble que je suis là, mais je n'en suis pas tout à fait sûr car je ne vois rien… Et vous ? Vous êtes là ? Et qui êtes-vous ? Votre voix me dit quelque chose… Nous sommes-nous déjà rencontrés ?

— L'Insuffisant est en pleine forme, c'est déjà ça ! constata Oksa en pressant la main de son père. Aaahhh ! Mais qu'est-ce que c'est ? Au secours !!!! hurla-t-elle soudain en donnant des coups de pied dans le vide.

— Euh… désolé, Oksa ! Je crois que c'est ta jambe que je viens de toucher.

— Tugdual, c'est toi ? réagit Léomido. Dieu merci, tu es là… Tu vas bien ?

— Oui, ça va, ne vous inquiétez pas, répondit le jeune homme avec sa nonchalance habituelle. Mais vous devriez venir avec moi, je crois que j'ai trouvé quelque chose… Oksa, donne-moi la main et qu'aucun de vous ne se lâche, d'accord ? Je vais vous guider.

Tugdual tâta la jambe puis le flanc d'Oksa jusqu'à ce qu'il trouve sa main et la jeune fille se réjouit d'être plongée dans la nuit noire. Au moins, personne ne pouvait voir la rougeur qui avait envahi ses joues… Les Sauve-Qui-Peut s'agrippèrent les uns aux autres et se levèrent avec précaution. L'obscurité était toujours aussi profonde, mais leurs yeux commençaient à s'accoutumer : peu à peu, ils distinguaient dans le noir d'encre des battements veloutés, mauves et gris, qui rendaient les ténèbres monstrueusement vivantes. Oksa frissonna, très impressionnée.

— C'est beau, tu ne trouves pas ? lui demanda Tugdual, attentif à sa frayeur.

— Arrête ! lança Oksa. J'angoisse à mort…

Tugdual resserra la paume de la jeune fille dans sa main et continua de diriger d'un pas sûr le petit groupe dans les ténèbres qui palpitaient au rythme d'un cœur qui bat.

— Tugdual, je peux te poser une question ? murmura Oksa.

— Je t'écoute, P'tite Gracieuse…

— Tu vois dans le noir ?

— On dirait bien… lui répondit laconiquement le garçon. N'oublie pas que j'ai des origines Mainfermes ! Tu te souviens ? L'instinct, la force et les sens, nous avons tout des animaux. Mais je ne suis pas le seul ici à profiter de ces dons. N'est-ce pas, Pierre ?

Ce dernier se racla la gorge.

— Oui… Mais je dois avouer qu'en ce qui concerne la vision nocturne, tu parais bien plus doué que moi, mon jeune ami ! lança le Viking.

— Ce ne sera plus très long, nous n'allons pas tarder à arriver… conclut Tugdual en entraînant ses compagnons derrière lui.

Ils firent encore quelques pas sur le sol élastique, les yeux fixés sur l'obscurité qui devenait de moins en moins opaque. Puis, en quelques secondes, la noirceur s'estompa, laissant apparaître une forêt dense et ombrageuse.

13

La Forêt du Non-Retour

Une lueur lunaire perçait à travers l'épaisse frondaison des arbres colossaux, déposant dans le sous-bois des plaques d'une étonnante couleur mauve pâle. Immobile et silencieuse, la forêt semblait encore plus inquiétante qu'elle ne l'aurait été si elle avait grouillé de vie. Les Sauve-Qui-Peut, bouche bée, contemplaient ce paysage figé en ayant du mal à croire qu'ils en faisaient réellement partie. Mais un mouvement attira soudain leur regard : une étrange petite tête venait d'émerger du sol ! Son visage, aussi pointu que celui d'un écureuil, était couvert de taches de rousseur. Une longue et épaisse racine constituait son corps et s'agitait en faisant voler de petites mottes de terre. Tournée vers les Sauve-Qui-Peut, elle s'étira jusqu'à frôler du bout de ses cils duveteux le visage d'Oksa. La jeune fille eut un mouvement de recul et la tête-racine se rétracta aussitôt.

— Ne bougeons pas… souffla Abakoum. Elle a aussi peur que nous.

Tout le monde resta ainsi pendant plusieurs minutes, humains et tête-racine face à face, quand un papillon d'un noir nacré vint se poser à leurs pieds. C'était un éblouissant spécimen à l'envergure très large – une bonne trentaine de centimètres ! Ses ailes d'un noir velouté bruissaient avec légèreté alors que ses minuscules yeux fixaient la jeune fille avec autant de curiosité que d'insistance. D'autres têtes jaillirent à leur tour, formant une singulière assemblée. Des chuchotis se firent entendre. Les Sauve-Qui-Peut tendirent l'oreille et, concentrant toute leur attention sur le murmure, comprirent alors le sujet de la conversation.

— C'est la Jeune Gracieuse ! disait une des petites créatures mi-humaines mi-végétales au papillon. Tu peux aller *le* prévenir qu'elle est arrivée. Mais par pitié, évite de croiser les Malfaisantes !

— Puisse la chance être avec moi… Et ces hommes ? Qui sont-ils ? demanda le papillon.

Oksa se racla la gorge. Le papillon se tourna vers elle, s'approcha en voletant et la caressa de ses ailes soyeuses. Oksa retint son souffle, sur la défensive. Elle n'avait jamais beaucoup aimé les insectes, même quand ils étaient d'une beauté incroyable comme le spécimen qui était en train d'effleurer sa peau. Au moindre geste suspect de sa part, elle se sentait prête à l'anéantir d'un claquement de mains ! Pas de pitié ! Mais il fit volte-face et disparut en silence vers l'intérieur de la forêt, échappant ainsi à une affreuse mort par écrasement.

— Qu'est-ce que c'était ? murmura Pavel.

C'est la première tête-racine qui lui répondit sur un ton outragé :

— Vous n'avez donc pas reconnu l'Éclaireur de l'Émissaire du Fouille-Cœur ?

— Eh bien, c'est-à-dire que… nous ne sommes pas du coin, vous voyez ! répliqua Oksa d'un ton caustique.

En entendant la Jeune Gracieuse, la petite tête s'inclina jusqu'à ce que ses longs cheveux roux touchent le sol mousseux.

— On est insolente et après, on se prosterne ! railla la Devinaille en faisant émerger sa petite tête de la veste d'Abakoum. Oh ! mais dites donc ! Il fait extrêmement bon, ici ! La température est parfaite et le taux d'humidité idéal. Le paradis sur terre…

— Hum… sur terre… Laisse-moi émettre quelques doutes, Devinaille ! rétorqua Oksa en balayant du regard l'étrange paysage.

— J'aimerais bien vous aider et vous dire où nous sommes, mais je ne décèle aucun repère, c'est étrange… constata la petite poule.

— Le jeune garçon et la vieille dame vont être heureux d'avoir de la visite, intervint la tête-racine d'une voix suraiguë.

— Tu veux parler de Gus ? sursauta Oksa, le visage soudain éclairé. Tu l'as vu ?

— Dire que je l'ai vu serait un peu abusif, répondit la créature. Disons plutôt que je l'ai senti. Surtout quand il s'est assis sur moi !

— Génial ! s'exclama Oksa, le cœur libéré d'un grand poids.

— Oui, enfin… quand on aime être écrabouillé ! fit remarquer la tête qui ne suivait pas du tout le même raisonnement qu'Oksa.

— Où est-il ? demanda à son tour Pierre.

Haletant, il parcourait des yeux la forêt ténébreuse, à l'affût du moindre signe qui lui permettrait de croire que son fils était vivant. Poussé par une folle impulsion, il s'élança soudain sous la futaie, échappant aux regards de ses amis.

— Pierre ! l'appela Abakoum. Ne fais pas cela ! Tu vas te perdre !

— Il ne peut pas se perdre, informa la tête.

— Comment ça ? s'étonna Oksa, inquiète pour le père de son ami. On peut toujours se perdre ! Surtout dans une forêt comme celle-ci !

— Il ne peut pas, insista la tête. Car, dans la forêt, vos pas vous mènent là où votre volonté veut se rendre. La Forêt du Non-Retour choisit le circuit et les méandres, mais c'est le voyageur qui maîtrise l'issue du voyage par sa seule volonté.

— Donc, si nous avons tous le désir d'aller au même endroit, nous nous y retrouverons avec certitude tout en y allant par les chemins que la forêt aura décidés pour nous. C'est bien cela ? questionna Abakoum.

— Vous avez tout à fait compris ! confirma la tête.

— Il a bien de la chance… marmonna l'Insuffisant, toujours harnaché dans le dos de Léomido. Moi, je n'ai pas compris grand-chose.

— C'est pas grave ! lança Oksa avec gentillesse. Alors ? On y va ? ajouta-t-elle en contenant difficilement son impatience.

— On y va ! fit en écho Abakoum. Pensons tous très fort à Gus et, surtout, ne paniquons pas si nous sommes séparés. Notre destination commune est l'endroit où se trouve Gus, la forêt va nous y conduire.

— Je ne quitterai pas Oksa d'une semelle, prévint Pavel en prenant la main de sa fille.

— Comme tu voudras, Pavel… Mais je crains que la forêt ne soit plus forte que toi, lui dit Abakoum. Si elle a décidé de vous séparer, tu ne pourras faire autrement que de t'y conformer. Garde alors en tête l'objectif que nous avons tous en commun et nous nous retrouverons, Gus à nos côtés.

Oksa s'avança la première. Le visage de Gus était clair dans sa mémoire. « Surtout, ne réfléchis pas, ma vieille, se dit-elle. Agis ! » Elle sourit à la pensée de ce que Gus lui dirait : « Bon sang, Oksa ! Il faut réfléchir avant d'agir ! » Tout l'inverse de ce qu'elle s'apprêtait à faire… Elle jeta un dernier coup d'œil à son père qui semblait fou d'inquiétude et, d'un pas décidé, elle s'engagea dans la Forêt du Non-Retour.

Une quasi-obscurité l'entoura aussitôt. Elle frémit, impressionnée. Un chemin étroit se déroulait devant elle, parsemé de taches de lumière spectrale qui filtraient à travers les feuilles des arbres gigantesques. Elle se retourna, tentée de revenir en arrière. Mais la forêt s'était comme refermée sur elle, donnant tout son sens à son étrange nom… La seule source de vie était un magnifique lièvre au pelage brun qui la dévisageait avec douceur.

— Abakoum ? murmura-t-elle.

Le lièvre hocha la tête et Oksa aurait juré l'avoir vu sourire. Elle se pencha et prit le lièvre dans ses bras, rassurée d'avoir une escorte aussi fiable.

— Ne te retourne pas, ma chère petite, lui souffla le lièvre. Tugdual n'est pas loin derrière nous… Laisse-le penser que tu n'en sais rien, d'accord ?

— Mais pourquoi ? s'étonna Oksa en se retenant.

— Il a besoin de croire qu'il est ton gardien secret.

— Je comprends… dit-elle du bout des lèvres. Mais comment a-t-il fait pour nous suivre alors que Papa et Léomido ont été séparés ?

— Oh… soupira le lièvre. Tugdual a été plus réactif, c'est tout. Au lieu de fixer son objectif sur Gus, il l'a fixé sur toi. Là où tu vas, il ira, c'est aussi simple que cela !

Oksa rougit. Son ténébreux ami était vraiment étonnant.

— Mais ne laisse pas divaguer ton esprit, lui rappela le lièvre. Pense à Gus…

La jeune fille se redressa et, les yeux rivés sur le sentier qui s'enfonçait au cœur de la forêt profonde, elle s'avança, goûtant la fraîcheur parfumée du sous-bois. Des fougères plus hautes qu'elle formaient un dôme au-dessus du chemin bordé de mousse vert foncé. À mesure qu'elle progressait, les fougères se rabattaient derrière elle en dressant un mur végétal infranchissable : il fallait continuer en avant. Abakoum-le-lièvre cheminait non loin d'elle ; elle le voyait bondir par-dessus les hautes herbes qui couvraient le sous-bois. De temps à autre, elle entendait le craquement d'une brindille ou le bruissement d'un feuillage, ce qui lui laissait penser que Tugdual se trouvait non loin d'elle. Un Homme-Fé et un Mainferme-Murmou, elle ne pouvait rêver meilleure protection ! Soulagée par cette pensée, elle se détendit et tout en marchant se mit à observer la forêt. C'était un endroit fabuleux, le règne absolu de la démesure. Les arbres étaient grandioses, d'une taille et d'une beauté que la jeune fille avait du mal à croire réelles. Même les plus gros arbres qui existaient sur terre – les gigantesques séquoias d'Amérique du Nord – semblaient être des arbustes par rapport à ces géants. Oksa se surprit à penser aux descriptions du Territoire des Sylvabuls que lui avaient faites sa grand-mère et Abakoum. Elle n'avait jamais osé leur avouer qu'il lui était difficile d'imaginer que des villes entières aient pu être construites dans des branches, à plusieurs dizaines de mètres du sol. Mais en voyant ces colosses végétaux, elle n'en doutait plus un seul instant ! Agitée par un frisson, elle reconnut les signes d'un début d'angoisse monter en elle. La forêt était belle, c'était indéniable. Mais d'une beauté monstrueuse, presque menaçante. Le silence et l'immobilité qui y régnaient étaient anormaux et la plongeaient dans un état de grande nervosité. Elle se sentait épiée, presque piégée. Peut-être que derrière chaque arbre, chaque fougère, chaque herbe se cachaient des êtres sournois, voire hostiles et dangereux, n'attendant que le bon moment pour lui sauter dessus et la déchiqueter, la dévorer ou la réduire en bouillie ! Elle leva la tête pour essayer d'apercevoir le sommet des arbres et – pourquoi pas ? – un petit morceau de ciel qui soulagerait cette épouvantable impression d'enfermement. Dépitée, elle constata que la cime des géants d'écorce semblait être à des kilomètres du sol !

— J'hallucine… murmura-t-elle, saisie.

La tête en l'air, elle continuait de marcher, repérant des fragments de ciel mauve à travers le feuillage sombre. La sensation d'emprisonnement devenait de plus en plus oppressante et sa vitesse s'accéléra au même rythme que les battements de son cœur, jusqu'à ce qu'elle se mette à courir, submergée par la panique. Elle se retint de crier afin de ne pas affoler Abakoum et de ne pas passer pour une mauviette aux yeux de Tugdual, et continua sa course en suivant le sentier qui dessinait des courbes et des angles en l'entraînant toujours plus profondément dans la forêt. Mais sa course fut soudain interrompue par un obstacle qui, jaillissant en travers du chemin, la fit trébucher et tomber de tout son long. Elle poussa un cri, agacée d'avoir été aussi inattentive. Mais il faisait si sombre… Étalée sur le chemin couvert d'une terre noire aussi fine et douce que de la cendre, elle prit appui sur ses avant-bras pour se redresser. Et remarqua qu'elle se trouvait nez à nez avec une plante affreuse, une sorte de boule couverte de poils et munie de plusieurs racines aériennes qui lui donnaient l'allure d'une méduse végétale. Oksa se redressa pour fuir au plus vite, loin de cette monstruosité de la nature. Mais c'était sans compter sur la volonté de la plante d'engager la conversation... Elle tendit simplement une de ses racines et enserra la cheville d'Oksa qui s'étala de nouveau de tout son long. Aussitôt, le lièvre bondit jusqu'à elle et se posta à ses côtés avec un air de défiance.

— Arrêtez ! dit une voix étrange venant de la plante. Je vous ordonne de vous calmer car je ne vous veux aucun mal !

La cheville toujours entravée, Oksa se releva et se mit aussitôt en position d'attaque ninja. Les avertissements de la plante-méduse l'affolaient plus qu'ils ne la calmaient. Hors d'elle, elle s'éleva du sol et tourbillonna dans sa fameuse prise de la toupie humaine pour essayer de se dégager. Mais la plante ne se laissa pas surprendre : faisant preuve d'une force surprenante, elle agrippa la cheville de la jeune fille qui se retrouva enroulée tel un saucisson par la racine qui s'échappait de la plante comme d'un dévidoir sans fin. Oksa tomba lourdement par terre, aussitôt rejointe par le lièvre prêt à trancher l'attache d'un coup de dents.

— Mais lâchez-moi ! hurla-t-elle en se tortillant, furieuse plus qu'effrayée.

Étrangement, la plante obéit aussitôt. Elle tira sur la racine-ficelle et Oksa roula sur le sol de cendre jusqu'à être libérée. Elle se releva, toujours aussi furibonde, et épousseta ses vêtements, formant de petits nuages de poussière fine autour d'elle.

— Ne vous avisez pas de recommencer ! avertit-elle en menaçant la plante-méduse de son poing.

— Prière d'accepter toutes mes excuses, renchérit la plante de sa drôle de voix. J'ai fait preuve d'un enthousiasme un peu excessif, mais je voulais juste saluer la Jeune Gracieuse, ajouta-t-elle en se laissant rouler jusqu'aux pieds d'Oksa.

— Mais comment sais-tu qui je suis ? s'exclama Oksa, éberluée.

— Nul ne l'ignore ici, lui répondit mystérieusement la plante. Mais vous devriez hâter vos pas jusqu'au jeune homme et à la vieille dame. Votre arrivée représente la fin du désespoir, pour eux et pour nous aussi... Hâtez vos pas ! La forêt n'est pas patiente et la nature est sauvage. Si vous tardez trop, le sentier s'effacera. Vous serez perdus, vous et vos gardiens. Et rien ni personne ne pourra vous retrouver... à part les Malfaisantes ! Pressez-vous !

Alors, n'écoutant que son cœur qui la guidait vers Gus, Oksa s'élança et se mit à courir à perdre haleine.

14

Vos pas vous mènent là où votre volonté veut se rendre

Plus Oksa courait, plus la végétation devenait dense et sauvage, comme si la nature avait subitement décidé d'interrompre la faveur qu'elle avait accordée en se laissant visiter. Le sentier s'obscurcissait à tel point que la jeune fille devait faire d'énormes efforts de concentration pour le distinguer. La tâche devenait plus difficile à chaque enjambée et faisait gonfler le sentiment de panique de la Jeune Gracieuse. Elle se maudissait de ne pouvoir mieux se contrôler, ayant l'atroce impression que l'affolement qu'elle ressentait lui faisait perdre à la fois ses moyens et un temps précieux. « Pas le moment de flancher, Oksa-san ! se réprimanda-t-elle. Gus compte sur toi ! Ils comptent tous sur toi ! » Mais la forêt, insensible à ces bonnes résolutions, se refermait de plus en plus : Oksa ne voyait presque plus le chemin envahi par les fougères qui lui griffaient le visage et par les longues herbes qui entravaient sa course. Avec l'énergie du désespoir, elle chercha une solution en lançant au hasard quelques Knock-Bong, puis quelques Magnétus dont le souffle réussit à aplatir quelques tiges. Mais le stratagème, efficace sur les humains, s'avérait peu efficace sur les plantes. Elle tenta les Feufolettos, sans grande réussite, les plantes étant bien trop vertes pour être réduites en cendres. En dernier ressort, elle se planta devant un des arbres monstrueux et, tout en essayant de maîtriser les battements de son cœur qui lui déchiraient la poitrine, elle grimpa en courant verticalement le long de son tronc. Puis, prenant appui en plongeant ses mains dans l'écorce rugueuse, elle se projeta en avant dans un mouvement élastique pour rejoindre l'arbre suivant, deux bonnes dizaines de mètres plus loin.

— Ya-haaaaaa ! lança-t-elle avec rage, agrippée de toutes ses forces à une branche.

Elle poursuivit ainsi son chemin en rebondissant d'arbre en arbre avec l'agilité d'un petit singe, non sans une pensée fugitive pour ses deux gardiens.

— Abakoum ? Tu es là ? appela-t-elle, inquiète, en omettant volontairement Tugdual dont elle n'était pas censée être au courant de la présence.

— Continue comme ça, Oksa ! entendit-elle depuis les fougères touffues. Surtout, n'arrête pas de penser à Gus !

Elle jeta un rapide coup d'œil vers le bas et aperçut le lièvre qui bondissait dans la végétation presque noire. Rassurée, elle obéit à l'Homme-Fé et se concentra pour ramener toutes ses pensées vers Gus. Son beau visage eurasien lui apparut : ses yeux bleu marine lui souriaient jusqu'à ce qu'une ombre apeurée les voile. Oksa frissonna et se remit en route, gardant en ligne de mire le regard angoissé de son ami.

Elle ne comptait plus le nombre d'arbres auxquels elle s'était accrochée quand elle distingua soudain un miroitement nacré au milieu de la forêt ténébreuse. D'abord à peine perceptible, le scintillement s'élargit et s'éclaircit au fur et à mesure qu'elle s'approchait. Elle l'atteignit rapidement et, sans avoir à faire le moindre effort, elle se retrouva projetée au travers. Elle ferma les yeux, poussa un cri strident et se sentit rouler sur un sol aussi doux que le sentier de cendres de la forêt.

— OKSA !

— Gus ? C'est toi ? répondit-elle à la voix qu'elle venait d'entendre.

Les yeux toujours clos, elle craignait tant d'être déçue qu'elle resta là, roulée en boule par terre.

— Mais oui ! C'est moi, ma vieille ! reprit la voix si familière. Allez, détends-toi ! On dirait un petit hérisson tout craintif…

Oksa ouvrit alors les yeux et, se levant d'un bond, elle se retrouva face à Gus qui la regardait comme si elle était une apparition divine.

— Tu en as mis du temps… fit-il mine de ronchonner pour cacher l'immense joie qu'il ressentait.

Il la fixait, les larmes aux yeux, haletant. Aussi émue que lui – et aussi incapable de le montrer –, Oksa s'approcha et le regarda. Malgré la joie qui éclairait son visage, il avait une mine effroyable : des cernes profonds obscurcissaient ses yeux et son visage s'était creusé. Sa chemise, grise de crasse, était déchirée et ses cheveux emmêlés. Le saisissant par les épaules, elle le secoua avec vigueur.

— Alors, c'est tout ce que tu trouves à me dire, espèce d'ingrat ? hoqueta-t-elle en continuant de le remuer comme un prunier. Je viens de risquer ma vie en traversant une forêt qui ne pensait qu'à me bouffer tout cru et voilà l'accueil que tu me réserves ! Arghhh ! L'horrible égoïste ! La prochaine fois que tu es entableauté, fais-moi penser à te laisser te débrouiller tout seul, d'accord ?

— Oh ! tout doux, jeune fille ! Je te prierai de ne pas réduire mon fils en bouillie !

— Pierre !

Le père de Gus se tenait à quelques mètres, les traits détendus, le cœur délesté d'un lourd fardeau. Oksa se jeta dans ses bras énormes et tous les trois rirent à en perdre haleine, fous de joie de se retrouver.

— Un hérisson craintif veut réduire l'ami de la Jeune Gracieuse en bouillie ? Les habitants de ce lieu ont des mœurs audacieuses, nous devrions nous méfier…

L'Insuffisant, toujours harnaché dans le dos de Pierre, venait à peine de lancer ce commentaire loufoque qu'ils explosèrent de rire sous le regard interrogateur de la créature au cerveau lent. Il leur fallut plusieurs minutes pour retrouver leur sérieux.

— Tu as pu traverser la forêt sans encombre ? demanda Oksa à Pierre en s'essuyant les yeux.

— Hum… J'ai connu des promenades plus relaxantes, mais j'avais une sérieuse motivation, vois-tu… lança le Viking en couvant des yeux son fils.

— Et toi, Gus ? Tu… vas bien ? continua Oksa en regardant attentivement son ami.

— Oui, maintenant que vous êtes là, ça va… murmura Gus, les yeux fixés sur un point derrière Oksa.

Oksa se retourna et constata qu'Abakoum était là. L'Homme-Fé avait repris sa forme humaine et paraissait exténué par la longue course à travers la forêt. Il retira de sa courte barbe le brin d'une fougère qui s'y était accroché et s'avança vers Gus qu'il serra dans ses bras.

— C'est bon de te revoir, mon garçon…

Ému et soulagé, Gus ne put s'empêcher de serrer lui aussi le vieil homme contre lui.

— Salut, Gus ! retentit une autre voix qui, bien qu'elle soit familière, lui faisait moins plaisir à entendre.

— Salut, Tugdual… bougonna-t-il en se renfrognant. Tu es venu, toi aussi ?

— Tugdual ! s'écria Oksa, feignant la surprise et évitant soigneusement le regard amusé d'Abakoum. Tu as réussi à passer ?

— Les doigts dans le nez, P'tite Gracieuse ! lança le jeune homme. Tout est dans l'objectif qu'on souhaite atteindre, tu le sais bien…

Oksa éluda cette remarque et se tourna vers Gus, qui cachait avec difficulté sa contrariété.

— Où sont les autres ? demanda-t-elle en regardant tout autour d'elle pour la première fois depuis sa sortie mouvementée de la forêt.

Le cadre était complètement différent. La forêt avait disparu, toute trace de verdure s'était effacée, comme évaporée. De douces collines couvertes de bruyère d'un brun profond l'avaient remplacée et s'étalaient à perte de vue. Le ciel, tel qu'il était apparu entre les cimes des arbres, flamboyait maintenant de toute sa splendeur mauve. Un soleil voilé, énorme, propageait des rayons pâles qui diffusaient sur le paysage une lumière fantomatique. Derrière Oksa et Gus se trouvait l'entrée d'une grotte lugubre qui semblait s'enfoncer dans les profondeurs, sous les collines. Un peu plus loin, Léomido était assis sur un effleurement rocheux, les coudes posés sur les genoux, la tête entre les mains. Ses longs cheveux argentés s'étaient détachés durant la course à travers la forêt et tombaient sur son visage. Une femme était penchée vers lui, la main posée sur son épaule. Dans un geste délicat, elle releva le menton de Léomido et, du bout des doigts, caressa son visage décomposé par l'émotion comme si elle voulait en graver chaque trait dans sa mémoire. D'où elle était, Oksa ne voyait que son dos et sa chevelure blanche arrangée en une coiffure complexe et magnifique.

— C'est Réminiscens ? Il l'a retrouvée… bredouilla-t-elle.

— Je vais vous présenter… proposa Gus en entraînant ses amis.

Ils s'approchèrent à pas feutrés, impressionnés. Oksa jeta un coup d'œil à Abakoum. À ce moment-là, il ne lui apparut plus sous les traits d'Abakoum, le puissant Homme de l'Ombre, le Lièvre magique, le talentueux Homme-Fé, mais comme un vieil homme ordinaire ému de retrouver l'un des siens après des années de séparation. Il s'avança d'abord d'un pas hésitant, puis, la respiration saccadée, suivit les trois jeunes amis. Réminiscens tourna la tête dans leur direction et Oksa découvrit alors le plus magnifique visage qu'elle ait jamais vu. Éberluée, elle s'arrêta. Bien que son frère jumeau ne soit autre que le terrible Orthon McGraw, la vieille dame ne lui ressemblait pas du tout. Elle était d'une beauté magnétique qui irradiait autour d'elle alors qu'elle s'avançait vers eux avec un franc sourire aux lèvres. Gus prit Oksa par le bras et l'engagea à s'approcher, mais c'est Abakoum qui le premier se présenta à elle.

— Réminiscens... murmura-t-il en inclinant la tête avec respect.

— Abakoum ?

La voix de la vieille dame tremblait. Elle paraissait bouleversée. Elle fit les quelques pas qui les séparaient avec la grâce d'une danseuse, apparaissant dans toute sa splendeur. Ses traits d'une finesse extrême étaient à peine altérés par quelques fines rides et ses yeux, d'un bleu cobalt intense, illuminaient sa peau blanche et soyeuse. De grande taille, elle était vêtue d'une robe simple, presque austère, coupée dans un tissu gris très souple qui soulignait sa silhouette mince. Pour seule fantaisie, elle portait autour de son cou élancé un long collier formé de minuscules perles aux reflets de miel.

— Abakoum... répéta-t-elle d'une voix vibrante. Je suis si heureuse de te revoir... Après toutes ces années... Comment te remercier d'être venu ?

Elle s'inclina de nouveau – sous le coup de l'émotion ou pour éviter le regard pénétrant d'Abakoum, qui pouvait savoir ? – et l'Homme-Fé la prit alors par les épaules, l'obligeant à le regarder.

— Je n'osais plus espérer te retrouver un jour... murmura-t-il d'une voix presque inaudible.

Réminiscens étouffa un gémissement attristé et porta sa main à son cœur. La scène, malgré sa grande pudeur, ébranla Oksa au plus profond de son être. Elle sentit les larmes monter, puis couler comme de petites rivières chaudes et salées le long de ses joues.

— Mes amis ! Oksa ! Vous avez réussi !

Léomido s'était approché du petit groupe, interrompant les retrouvailles entre Réminiscens et Abakoum avec délicatesse mais fermeté. Les deux hommes se congratulèrent, soulagés de se retrouver après leur séparation dans la forêt.

— Oksa, je voudrais te présenter Réminiscens ! intervint Gus en prenant son amie par le coude.

Oksa essuya les larmes qui avaient inondé ses joues et renifla un grand coup.

— Réminiscens, je vous présente mon amie Oksa…

La grande dame la regarda fixement, saisie et curieuse à la fois.

— Te voici donc… souffla-t-elle, les yeux agrandis d'exaltation. Oksa…

Et à la grande surprise de la jeune fille, Réminiscens se courba devant elle dans un geste qui n'était pas sans évoquer une grande déférence à laquelle Oksa n'était pas du tout prête.

— Bonjour, madame… bredouilla-t-elle, gênée. Euh… vous devriez vous relever !

Réminiscens obtempéra, les yeux toujours rivés dans ceux d'Oksa.

— Ton ami Gus m'a beaucoup parlé de toi, tu sais ? dit-elle dans un murmure.

— Oh ! j'espère qu'il ne vous a pas donné trop de détails compromettants ! lança Oksa pour essayer de détendre l'atmosphère.

— Dis donc, ma vieille, qu'est-ce que tu insinues ? réagit Gus en lui donnant un vigoureux coup de coude selon sa bonne habitude.

— Non, rien de compromettant ! répondit Réminiscens en riant. Mais il m'a raconté beaucoup de choses, sur toi, sur ta famille, sur ma chère petite Zoé… ajouta-t-elle, la voix soudain brisée.

— Elle va bien, ne vous inquiétez pas ! la rassura aussitôt Oksa. Si vous saviez combien elle a été soulagée d'apprendre que vous n'étiez pas…

Oksa hésita.

— Morte ? l'aida Réminiscens.

— Euh… oui, admit Oksa.

— Non, je ne suis pas morte, mais le désespoir aurait fini par me tuer si vous n'aviez pas découvert le mystère de l'Entableautement. Et je serais alors définitivement morte aux yeux du monde et, surtout, aux yeux de ma petite Zoé…

— Vous allez la revoir bientôt ! lança Oksa avec enthousiasme.

— Il faudra d'abord que nous réussissions à nous sortir de ce piège… renchérit Réminiscens, la mine assombrie.

Elle marqua un temps d'arrêt, les yeux embués et la lèvre tremblante.

— Et qui est ce jeune homme ? reprit-elle en se tournant vers Tugdual qui observait la scène avec sa désinvolture coutumière.

— Je te présente Tugdual Knut, intervint Léomido. Le petit-fils de Naftali et de Brune.

— Enchantée de te rencontrer, Tugdual, lança Réminiscens en inclinant la tête avec respect, une main posée sur le cœur. Je te remercie d'avoir eu le courage d'être entableauté. J'ai bien connu ton grand-père Naftali. Un homme exceptionnel, une force de la nature. Avec ta grand-mère Brune, ils formaient un couple magnifique.

Abakoum et Léomido opinèrent en silence, touchés par l'excellente mémoire de Réminiscens.

— Et Papa ? Où est Papa ? lança soudain Oksa en tournant la tête dans tous les sens.

Tout le monde sursauta, saisi de surprise. La panique gonfla en Oksa jusqu'à l'étouffer. Elle hoqueta, les yeux affolés.

— Quelqu'un a vu mon père ? cria-t-elle. Est-ce que l'un de vous a vu mon père ?

15

L'éveil du Dragon d'Encre

Quelques heures plus tôt, Pavel faisait irruption dans la terrible forêt. Oksa venait tout juste d'y entrer, suivie de Pierre et de Léomido, ce qui laissait présager qu'elle n'était pas très loin.

— Oksa ! cria-t-il, les mains ouvertes en porte-voix. Oksa ! Où es-tu ?

Mais sa voix n'avait aucune résonance. Assourdie, elle semblait absorbée par la végétation dense et sombre.

— Elle ne doit pas être loin, pourtant, bougonna-t-il. OK-SAAAA !

Il appela ainsi plusieurs fois, en se tournant de tous les côtés pour augmenter ses chances. En vain… Au passage, il constata que la forêt s'était refermée derrière lui : il n'y avait plus aucune trace du passage qui menait à la petite clairière dans laquelle il se trouvait avec sa fille et ses amis, un peu plus tôt.

— Le père de la Jeune Gracieuse devrait faire la digestion des conseils de la tête à corps de racine… La Jeune Gracieuse n'a pas de localisation dans ces parages, elle poursuit un autre chemin.

La Foldingote qu'il portait dans son dos venait de prononcer ces paroles d'une petite voix pointue. Surpris, Pavel stoppa net et réfléchit. Qu'avait dit la créature ? « Vos pas vous mènent là où votre volonté veut se rendre. La forêt choisit le circuit et les méandres, mais c'est le voyageur qui maîtrise l'issue du voyage par sa seule volonté. » Il poussa un profond soupir. C'était absurde de s'obstiner, il s'en rendait compte. Toute sa vie était ainsi, d'ailleurs : il s'entêtait en dépensant de gigantesques quantités d'énergie qui ne le menaient à rien de plus qu'à se sentir un véritable jouet aux mains de sa destinée. Il poussa un cri rauque, plein d'une rage amère et corrosive, et serra les poings. Baissant les yeux, il remarqua qu'un chemin s'était dessiné devant lui. Serpentant entre de hautes fougères et des arbres colossaux, il marcha ainsi pendant un bon moment, perturbé d'avoir été séparé de sa fille. Cette dispersion de leur groupe ne lui disait rien qui vaille. Mais comment lutter ? Dès qu'ils avaient été aspirés par le tableau, Pavel avait bien compris qu'aucun d'eux n'était maître du jeu et cette impuissance n'avait de cesse de vriller sournoisement dans sa tête, lui arrachant des grimaces de colère. Une colère qui l'aveuglait tant qu'il lui fallut un certain temps pour s'apercevoir que le chemin s'était presque effacé.

— Recentre-toi, espèce d'imbécile… marmonna-t-il.

Ce qui ne manqua pas de faire réagir la Foldingote :

— Le père de la Jeune Gracieuse trébuche dans l'excès ! Le recentrage est certes une nécessité, mais l'imbécillité est exempte du projet. Ne faites pas l'oubli de la recommandation de la tête à corps de racine : l'ami de la Jeune Gracieuse se lie solidement à l'objectif que le père de la Jeune Gracieuse doit garder devant ses yeux et à l'intérieur de son esprit.

Pavel eut un petit rire triste et tendit le bras par-dessus son épaule pour tapoter la créature réconfortante. Elle avait raison : en fixant leurs pensées sur Gus, ils se retrouveraient tous auprès du jeune garçon qu'ils étaient venus sauver. Pavel ferma les yeux et les traits de Gus lui revinrent en mémoire. Quand il les rouvrit, le chemin apparaissait de nouveau devant lui. Alors, s'efforçant de rester concentré sur l'image du garçon, il s'avança d'un pas aussi décidé qu'impatient.

Il avait l'impression d'être dans cette forêt silencieuse et obscure depuis des heures, sans avoir aucune prise sur le temps ni sur l'espace. La course avait succédé à la marche et, pourtant, il n'avait pas l'impression de progresser. Essoufflé, il s'arrêta un moment et se courba, les mains en appui sur les cuisses, pour reprendre sa respiration. Le silence qui régnait était impressionnant. Soudain, Pavel se crispa, saisi d'une douleur qui lui arracha un cri plaintif. Il se redressa brutalement et se cambra sous l'effet de la souffrance en tordant les bras en arrière pour essayer d'atteindre la Foldingote toujours harnachée dans son dos.

— Le père de la Jeune Gracieuse connaît le supplice ? Le poids de la Foldingote a provoqué l'accablement du corps, ooohhhh ! Le regret de la Foldingote est inondé de désolation et fait l'exigence de l'excuse !

La Foldingote se tortilla pour essayer de se dégager de son harnais tandis que Pavel gémissait de plus en plus, assailli par une douleur atroce. Il se débarrassa tant bien que mal de son « porte-Foldingote » et la petite créature se posta aussitôt devant lui. Posant ses deux mains grassouillettes sur les hanches de Pavel, elle l'attira vers elle et posa sa tête joufflue contre le ventre de son maître.

— Le père de la Jeune Gracieuse aura-t-il la volonté d'attribuer le pardon à sa pesante domestique ? geignit-elle en pressant Pavel contre sa joue.

— Ton poids n'y est pour rien, Foldingote… grimaça Pavel en se redressant laborieusement. J'ai cru que j'allais m'enflammer tant mon dos brûlait !

La douleur s'effaçait peu à peu, le laissant pantelant et épuisé. La Foldingote toujours accrochée autour de la taille, il fit quelques pas pour aller s'asseoir contre un arbre au tronc géant afin de recouvrer ses esprits.

— La Foldingote a-t-elle provoqué la cuisson du dos du père de la Jeune Gracieuse ? interrogea la petite créature soucieuse.

— Non… souffla Pavel.

— Le père de la Jeune Gracieuse libère donc la Foldingote de toute responsabilité ? reprit la créature.

— Oui… confirma Pavel. Reprenons notre route, veux-tu ? J'ai l'impression que nous ne sommes pas au bout de nos peines.

Et tous deux repartirent en suivant le chemin qui s'enfonçait toujours plus dans le cœur noir de la Forêt du Non-Retour. La Foldingote ayant catégoriquement refusé de s'installer à nouveau dans le harnais, Pavel la portait maintenant sur ses épaules afin de pouvoir courir plus vite. La douleur était toujours présente sur toute la surface de son dos. Elle avait diminué en intensité, mais restait néanmoins aussi pénible qu'un violent coup de soleil. Il courait, courait à en perdre le souffle et la raison. De temps à autre, il laissait échapper une plainte étouffée qui alarmait la Foldingote impuissante. Mais bien qu'il soit un excellent coureur, ses jambes commençaient à le faire cruellement souffrir, ses muscles se tétanisant sous l'effort. Dans ces conditions, il éprouvait les plus grandes difficultés à se concentrer sur Gus. La douleur, l'impatience et l'inquiétude l'épuisaient et ses pensées se dirigeaient toutes vers Oksa. Il sentait ses limites approcher et ses dernières résistances fondre comme la neige au soleil. Soudain, il perçut un mouvement à travers le feuillage épais des plantes qui encadraient le sentier. Il stoppa net, les sens en alerte, et fouilla des yeux la végétation. Son cœur manqua de s'arrêter quand il reconnut une silhouette inespérée.

— Oksa ? appela-t-il d'une voix hésitante. Oksa ? C'est toi ?

Quittant la piste, il s'avança en écartant les larges feuilles. Oksa était là, à quelques mètres ! Assise sous une fougère énorme, elle caressait un lièvre majestueux en souriant.

— Oksa ! s'exclama-t-il, fou de joie de la retrouver.

Il s'approcha en criant son nom. Mais la jeune fille semblait ne pas l'entendre et continuait de caresser le lièvre sans se soucier de sa présence. Affolé, Pavel continua son approche en écartant les feuilles qui le gênaient. Mais, arrivé tout près d'Oksa, il fut saisi d'une nouvelle crise encore plus cuisante que la précédente qui le fit se tordre de douleur. Il jeta un regard désespéré vers sa fille : elle avait disparu ! Il poussa un cri de rage pendant que la Foldingote sautait à terre. Pavel souffrait atrocement, son dos semblait s'embraser comme si des flammes mordaient sans pitié chaque centimètre de peau.

— Je brûle… se lamenta-t-il, défiguré par la douleur.

La Foldingote saisit le visage de son maître et, tout en massant ses tempes, elle le fixa en faisant tourner ses gros yeux globuleux. Quelques secondes plus tard, la douleur s'estompait jusqu'à s'évanouir, laissant Pavel anéanti.

— Merci, Foldingote… murmura-t-il avec gratitude à la petite guérisseuse.

— Le père de la Jeune Gracieuse va-t-il donner l'accord à la Foldingote d'inspecter le dos enflammé ?

Pour toute réponse, Pavel souleva son tee-shirt en gémissant, mâchoires serrées et dents grinçantes. La Foldingote lâcha ses tempes et, d'une démarche chancelante, se plaça derrière lui. Un silence inquiétant, seulement ponctué par les gémissements de Pavel, s'imposa.

— Alors, Foldingote ? Que vois-tu ? lança-t-il d'une voix étranglée.

La Foldingote attendit quelques longues secondes avant de répondre :

— Le père de la Jeune Gracieuse a la possession d'une trace dans le dos, dit-elle enfin.

— Une trace ? Quelle trace ? lança Pavel.

— La trace est celle d'une créature fantastique oubliée par le temps, mais toujours crainte par les hommes. Le père de la Jeune Gracieuse détient la trace de cette créature !

— Tu veux parler de mon tatouage… fit remarquer Pavel, rassuré.

— Le tatouage est existant, confirma la Foldingote. Le Dragon d'Encre est visible. Cependant, sa bordure reçoit l'évolution. Le Dragon d'Encre envahit le dos, mais aussi le cœur et chaque veine du père de la Jeune Gracieuse. Maintenant, le Dragon d'Encre connaît l'ardeur de la vie, il est animé de l'ambition de se libérer de son maître et de lui attribuer le don de sa force.

Décomposé, Pavel se prit la tête entre les mains.

— Le père de la Jeune Gracieuse a la connaissance de la capacité de son Dragon d'Encre, n'est-ce pas ? ajouta la Foldingote en tapotant l'épaule de Pavel. Le Dragon d'Encre est éveillé.

— Oui… souffla Pavel. J'ai toujours su que ce jour arriverait. Et je l'ai toujours redouté…

— Mais le jour de la révélation n'est pas redoutable ! renchérit la Foldingote. Le père de la Jeune Gracieuse va s'emplir de la force du Dragon d'Encre qui sommeille dans son cœur et connaître la libération de la puissance qui l'étouffe.

— La puissance qui m'étouffe… murmura Pavel. Qui m'étouffe…

16

Amertume

Pavel s'arrêta brutalement. Devant lui, marquant les limites extrêmes de la forêt silencieuse, se dressait un mur qui ondoyait comme s'il était recouvert d'eau. Il se retourna pour s'apercevoir que le chemin, les arbres et la végétation avaient disparu. La forêt s'était comme évaporée au fur et à mesure qu'il s'enfonçait dans ses profondeurs. Un immense vide, ténébreux et intense, l'avait remplacée. Fasciné, le regard ardent, Pavel tendit la main vers ce néant et sentit un souffle glacial qui semblait s'avancer vers lui. Le bout de ses doigts bleuit aussitôt sous la morsure du froid, s'opposant à la brûlure de son dos. Il retira sa main, impressionné. N'écoutant que son instinct, il fonça alors vers le mur ondoyant en poussant un cri guerrier. Absorbé par la surface nacrée, il perdit tout contrôle de son corps pendant quelques secondes avant d'atterrir, roulé en boule, sur un tapis de végétation.

— PAPA ! s'écria Oksa en se précipitant vers son père gisant sur le sol. Papa ! J'ai eu si peur !

Pavel se redressa, le cœur fou de joie et de soulagement, et ouvrit grand ses bras pour qu'Oksa puisse s'y blottir.

— Ma fille ! murmura-t-il en plongeant son visage dans les cheveux d'Oksa. Je te retrouve enfin...

Il retenait ses larmes tant bien que mal, fermant si fort les yeux qu'il voyait des milliards de petits points lumineux crépiter derrière ses paupières.

— Tu n'as rien ? demanda-t-il à l'oreille d'Oksa. Quelle angoisse de te savoir seule dans cette terrible forêt !

— Mais je n'étais pas vraiment seule ! lui répondit la jeune fille à mi-voix. Abakoum était là, tu sais ! Enfin... la version animale d'Abakoum, si tu vois ce que je veux dire... ajouta-t-elle avec malice. Et puis Tugdual n'était pas loin non plus.

— Eh bien, en voilà deux qui ont mieux assuré que ton incapable de père… marmonna Pavel en serrant Oksa encore plus fort contre lui.

— Oh, Papa ! Tu exagères toujours !

— Content de te voir, Pavel ! l'interrompit Abakoum d'une voix forte.

— Content de te voir également, Abakoum, grommela Pavel. Pierre, Léomido, Tugdual… Je vois que je suis le dernier ! constata-t-il avec amertume en saluant tour à tour ses amis.

— Qu'importe ! rebondit Abakoum. L'essentiel, c'est que nous soyons enfin réunis. Regarde qui nous avons retrouvé !

Un large sourire éclairant son visage amaigri, Gus s'avança vers Pavel qui le dévisagea avec une émotion sincère.

— Tu nous as fait une sacrée peur, mon garçon… lui dit-il en le serrant à son tour dans ses bras. Ton père doit être le plus heureux des hommes !

— Merci, Pavel, merci… intervint Pierre, les yeux emplis d'une chaleur émue. Je te revaudrai cela, mon ami.

Sans dire un mot, Pavel leva la tête et le regarda. Son ami se tenait devant lui, les mains posées sur les épaules de son fils retrouvé. La gratitude qui se dégageait de son regard toucha Pavel de plein fouet.

— Il est temps que je te présente une nouvelle Sauve-Qui-Peut, notre grande amie Réminiscens ! s'exclama Abakoum.

La belle dame s'avança d'une démarche élégante et inclina la tête tout en gardant le regard fixé sur Pavel.

— Tu ressembles tant à Dragomira… murmura-t-elle.

Pavel la salua avec respect, troublé de se retrouver face à cette femme dont il avait si souvent entendu parler. Il n'aurait jamais imaginé pouvoir la rencontrer un jour. Car, après tout, Réminiscens était censée être restée à Édéfia !

— Je ressemble à ma mère par certains points, en effet, concéda-t-il avec raideur, souffrant de cette comparaison qu'il s'acharnait à prendre en sa défaveur. Mais vous, si je peux me permettre, vous n'êtes pas du tout comme votre frère Orthon.

Réminiscens blêmit et croisa nerveusement les mains sur son ventre.

— Autant te dire, ma chère Réminiscens, que ce que vient de dire Pavel a valeur de compliment dans sa bouche ! précisa Abakoum, la soulageant sur-le-champ.

— Alors je le prendrai comme tel… déclara la vieille dame en adressant à Pavel un sourire éblouissant.

— Ne veux-tu pas te décharger de ta petite compagne ? continua Abakoum en indiquant la Foldingote qui attendait sagement dans son harnais.

— L'Homme-Fé a la bienveillance en bouche, admit la créature. Le dos du père de la Jeune Gracieuse souffre déjà de la cuisson par son Dragon d'Encre sans qu'il soit nécessaire de faire l'ajout du poids de sa domestique.

Abakoum sourcilla, intrigué.

— De quel Dragon d'Encre parles-tu, Foldingote ? demanda-t-il avec douceur.

— Je me suis éraflé le dos au niveau de mon tatouage, coupa Pavel.

— Tu devrais me montrer cela ! suggéra Abakoum en s'approchant.

— Inutile ! lui répondit aussitôt Pavel en se contorsionnant pour aider la Foldingote à se dégager de son harnais. C'est une simple égratignure. J'ai connu pire…

La Foldingote devint toute violette, signe évident de grande confusion chez les créatures de son espèce.

— Le père de la Jeune Gracieuse tente la réduction de l'importance du Dragon d'Encre… marmonna-t-elle à mi-voix.

— Tout va bien, Foldingote ! assena Pavel d'une voix ferme et vaguement irritée. Nous n'allons pas faire un drame d'une insignifiante écorchure… Alors, Oksa ? ajouta-t-il en changeant soudain de ton. Tu ne me fais pas visiter ce lieu magnifique ? Parfait pour des vacances paisibles, non ?

Tout le monde rit et le suivit, alors qu'il se dirigeait vers le sommet de la colline la plus proche afin d'admirer le paysage étrange. La Foldingote en profita alors pour attirer l'attention d'Abakoum qui n'attendait que cela. Vigilante, Oksa ralentit le pas et dressa l'oreille, ravie de mettre à profit ce don si pratique qu'était la Chucholotte.

— L'Homme-Fé doit recevoir l'information que le père de la Jeune Gracieuse n'a pas rencontré l'écorchure, murmura la Foldingote.

— Je m'en doutais un peu, admit Abakoum d'une voix presque inaudible. Que s'est-il passé, Foldingote ? Tu peux me faire confiance, je ne dirai rien de mes sources.

— La Foldingote ne connaît pas l'habitude d'effectuer la trahison de ses maîtres, mais elle connaît l'embarras de conserver le secret d'un événement rempli d'importance... avoua la petite créature, le teint aussi violacé qu'une aubergine.

— Tu peux parler sans crainte. Que s'est-il passé dans la forêt ?

La Foldingote jeta des regards affolés tout autour d'elle en frottant avec nervosité ses mains le long de son corps potelé. Elle poussa un gémissement qu'elle étouffa aussitôt en plaquant sa paume sur sa large bouche.

— Le père de la Jeune Gracieuse a subi la délivrance de son Dragon d'Encre... confia-t-elle alors, effrayée par ses propres mots.

— Enfin ! chuchota Abakoum. C'est arrivé...

La Foldingote le regarda en poussant une nouvelle plainte. L'Homme-Fé affichait un sourire satisfait qui la perturba définitivement, au point qu'elle s'effondra, submergée par l'émotion.

17

Réminiscens

Le petit groupe gravissait la douce colline, entraîné par Pavel qui ne ménageait pas ses efforts pour détourner l'attention des propos de la Foldingote concernant son Dragon d'Encre. Seule Oksa, volontairement à la traîne, avait réussi à entendre l'échange entre la petite créature et Abakoum. Ce qui l'avait aussitôt plongée dans une agitation assez vive. Pendant que le groupe cheminait vers le sommet de la colline, les questions assaillaient l'esprit de la Jeune Gracieuse. Son père avait un tatouage dans le dos ? Se souvenait-elle de l'avoir déjà vu ? Il lui semblait que non. Son père ne se montrait jamais torse nu, il était très pudique. Trop pudique ? À cause de ce tatouage ? En avait-il honte ? Et dans ce cas, pourquoi ? Non, c'était sûrement autre chose. À travers les quelques mots de la Foldingote et les questions d'Abakoum, elle décelait une cause beaucoup plus secrète et intime qu'un simple problème esthétique.

— Rrrrrr, c'est rageant… s'énerva-t-elle en se grattant la joue.

— Un problème, Oksa ? questionna Abakoum en la rejoignant, la Foldingote avachie dans les bras.

La jeune fille bouillonnait d'envie de poser ouvertement toutes les questions qui se précipitaient dans sa tête. Mais elle se ravisa, préférant observer, chercher et surtout trouver par elle-même.

— Non, tout va bien, merci, Abakoum ! répondit-elle d'un air plus songeur qu'enjoué. Qu'est-ce qu'elle a ? lança-t-elle en caressant la joue de la Foldingote. Un trop-plein d'émotions ?

— Tout cela n'est pas facile pour elle, tu sais… lui expliqua Abakoum.

— Cette étrange créature déborde de problèmes psychologiques, intervint l'Insuffisant qui se retrouvait, lui aussi mais malgré lui, à la traîne. Regardez la couleur de sa peau ! On dirait qu'elle souffre d'une congestion… Oh ! j'ai compris ! s'exclama-t-il avec ravissement. C'est une congestion émotive !

— Tu as raison, l'Insuffisant ! s'esclaffa Oksa. Très bon diagnostic !

— Il est trop fort ! renchérit Gus qui n'avait pas tardé à rejoindre son amie.

— Oui, je suis très fort en diagnostic, acquiesça l'Insuffisant. Mais voudriez-vous me rappeler qui vous êtes ? Votre visage m'est familier…

Gus et Oksa éclatèrent de rire. Un éclat de rire qui fit exploser toute la tension qu'ils avaient accumulée l'un et l'autre depuis ces dernières heures éprouvantes, la peur de s'être perdus à jamais, l'horreur des pensées morbides. Tous les deux pleuraient de rire devant l'Insuffisant qui les regardait avec scepticisme, étonné de susciter de tels débordements d'hilarité.

— Vous êtes d'une nature très joyeuse… en conclut-il avec candeur.

Oksa s'essuya les yeux et fit un clin d'œil à Gus, scellant ainsi leur complicité retrouvée. Le garçon rougit et baissa la tête. Une longue mèche brune tomba, masquant la moitié de son visage. Il la releva d'un geste de la main et, comme pour cacher son émotion, prononça d'une voix anormalement aiguë :

— Regardez par là !

Abakoum et Oksa se tournèrent : Léomido et Réminiscens s'étaient arrêtés à l'écart du groupe et semblaient en pleine conversation. Le grand-oncle d'Oksa paraissait très ému pendant que Réminiscens lui parlait, sans le quitter des yeux.

— Vous vous rendez compte ? s'exclama Gus en retrouvant une voix à peu près normale. Cinquante-sept ans qu'ils ne s'étaient pas vus !

— Et elle est toujours aussi belle… murmura Abakoum, perdu dans ses pensées.

Oksa et Gus le regardèrent, étonnés par le ton de l'Homme-Fé, empreint de regret et de nostalgie.

— Cette femme est fascinante ! ajouta Tugdual qui venait de les rejoindre. Fille d'Ocious, sœur jumelle d'Orthon et descendante du génial Témistocle, l'inventeur de la métamorphose humaine, je vous rappelle…

— Et tu trouves ça fascinant ? lui lança Gus.

— Bien sûr ! rétorqua Tugdual. Elle est quand même un concentré de pouvoir ! Un peu comme les Gracieuses, si je peux me permettre, ma Très Honorable P'tite Gracieuse… Et en plus, elle a subi le Détachement Bien-Aimé ! Un Diaphan s'est approché d'elle et lui a aspiré tout sentiment amoureux, c'est dingue, non ? Quelle est la probabilité pour que vous rencontriez un jour quelqu'un comme elle ? Vous avez déjà réfléchi à ça ?

— Non, on n'a pas réfléchi à ça. Tu vois, personne n'a l'esprit aussi tordu que toi ! persifla Gus. Allons donc les rejoindre au lieu d'écouter tes âneries…

Tugdual haussa les épaules sans se départir de son sourire ironique.

— Vous n'arrêterez donc jamais de vous chamailler ? marmonna Oksa en lui jetant un regard chagriné.

— On ne se chamaille pas ! se défendit Tugdual. Je dirais juste que nous avons un rapport franc et direct.

— Oui ! acquiesça Oksa. Franc et direct comme deux garçons qui ne peuvent pas se supporter et qui contredisent systématique-ment ce que l'autre dit !

— Oh ! ce n'est quand même pas ma faute si ton ami n'a pas ma vivacité d'esprit ! railla Tugdual.

— Tu es impossible ! s'étouffa Oksa.

— Mais c'est ça que tu aimes en moi, non ? conclut le jeune gar-çon avec malice.

— Tais-toi maintenant ! assena Oksa. Tu parles trop !

Tugdual partit d'un grand rire qui fit lever la tête des autres Sauve-Qui-Peut réunis en cercle sur la bruyère, autour de Léomido et de Réminiscens. Gus semblait au comble de l'agacement.

— Eh bien, qu'est-ce qui vous amuse tant, mes enfants ? demanda Réminiscens en souriant.

— Oh, vous savez, Tugdual pense être très drôle, mais le pro-blème, c'est qu'il ne fait rire que lui ! se vengea Oksa en évitant le regard furieux de Gus et celui, hilare, de Tugdual.

— Je suis si heureuse, si vous saviez ! reprit Réminiscens. Faire votre connaissance et surtout retrouver mes vieux amis que je n'espérais plus revoir…

— Je peux vous demander quelque chose ? l'interrompit subite-ment Oksa. Euh… c'est une question peut-être indiscrète…

— … mais que tu brûles d'envie de me poser ! poursuivit Rémi-niscens, les yeux brillants.

— Oui ! répondit Oksa, les joues en feu.

— Je t'écoute.

— Eh bien, je voudrais savoir pourquoi vous n'avez pas cherché à retrouver Léomido une fois que vous êtes arrivée à Du-Dehors…

Réminiscens baissa la tête, troublée.

— Je savais que l'un de vous me poserait cette question à un moment ou à un autre. C'est une longue histoire…

— Nous ne sommes pas pressés, précisa Abakoum d'un ton calme.

Réminiscens le regarda avec tristesse et lissa sa robe d'un geste lent. Puis, les yeux perdus dans le vague, elle commença :

— Pour répondre à ta question, Oksa, je dois remonter très loin. Plusieurs dizaines d'années en arrière, à l'époque où j'étais très amoureuse de ton grand-oncle Léomido. Nos familles avaient toujours été liées ; mon frère jumeau Orthon, Léomido et moi, nous avons pratiquement été élevés ensemble dans la Colonne de Verre, sous le regard attentif de Malorane et de son Premier Serviteur, mon père Ocious. Quand je suis devenue une jeune fille, je me suis aperçue que mon amitié d'enfant s'était transformée en un amour profond et ardent pour celui qui avait été jusqu'alors le meilleur compagnon. Et quand Léomido m'a avoué que ses sentiments avaient eux aussi évolué, ce fut l'un des plus beaux jours de ma vie. Notre amour a vite éclaté au grand jour et ce fut là le commencement de notre malheur à tous deux…

« Sans que nous comprenions pourquoi, Malorane et Ocious ont alors tout fait pour briser notre couple. Malorane a d'abord présenté à Léomido des jeunes filles toutes plus charmantes les unes que les autres, et mon père faisait de même avec moi en organisant de véritables défilés de jeunes hommes qui se prétendaient tous fous de moi. Léomido et moi, nous en riions beaucoup à l'époque, toutes ces manœuvres nous amusaient, nous étions si naïfs… Mais devant notre passivité, nos parents sont passés à des mesures plus brutales. Ma famille a déménagé à l'autre bout d'Édéfia, officiellement pour faciliter l'administration par mon père d'À-Pic, le territoire des Mainfermes. J'ignorais alors que ce déménagement avait pour but notre éloignement et, bien que j'aie été très peinée de voir moins souvent celui que j'aimais, je m'y suis contrainte par obéissance pour mon père. C'était un homme brillant, sombre et surtout très autoritaire. Beaucoup le craignaient, mais il était mon père et les liens du sang aveuglaient ma raison en étouffant les questions que je pouvais me poser. Cependant, j'étais amoureuse et mon cœur était affamé. Léomido et moi, nous nous voyions en cachette. Les heures passaient si vite… Nous nous quittions, tristes et plus déchirés chaque fois. Pourquoi cherchait-on à nous séparer ?

« Un jour, mon frère nous a surpris. J'avais retrouvé Léomido dans une des maisons de la famille Gracieuse, une belle demeure perchée dans la forêt de Vert-Manteau. Nous venions une fois de plus de nous jurer fidélité et de nous encourager à garder l'espoir que les choses s'arrangeraient quand Orthon a débarqué… Jamais je ne l'avais vu dans une telle colère. Son discours était haineux, d'une violence qui m'avait jusqu'alors échappé. Orthon avait toujours admiré Léomido, il le considérait comme son frère. Un frère qu'il admirait autant qu'il enviait. Mais ce jour-là, j'ai vu en lui une bête féroce et bornée. Je ne comprenais rien à ce qui se passait, tout me semblait disproportionné, absurde, inutile. J'ai essayé de m'interposer en lui disant que j'aimais Léomido et que je voulais vivre avec lui jusqu'à la fin de mes jours. Il a alors osé lever la main sur moi. J'ai ressenti une douleur inouïe, mais la souffrance physique n'était rien à côté de celle de mon cœur qui saignait de peur et d'amertume. Même si j'ai vécu des moments pires que celui-là dans ma vie, je garde un souvenir très pénible de cet épisode car quelque chose s'est définitivement brisé ce jour-là : mon frère jumeau, celui dont j'avais toujours été si proche, venait de me frapper pour la simple raison que j'aimais un garçon contre la volonté de notre père. Fou de rage, Orthon s'est rué sur Léomido qui, bien qu'il fût plus jeune, était beaucoup plus fort que lui. Mon frère s'en est tiré avec un nez cassé et de belles contusions, mais surtout avec une blessure d'orgueil incurable.

« Depuis ce jour, ma vie est devenue un enfer. Mon frère et mon père me surveillaient sans cesse et déployaient mille stratagèmes pour me prouver que Léomido n'était pas celui que je croyais. Tout y passait : la persuasion, la menace, le chantage… De son côté, Léomido subissait le même traitement de la part de sa mère. C'était comme si nos deux parents s'étaient unis pour nous désunir ! J'en souffrais monstrueusement. Je ne comprenais rien à ce changement. Mais je n'entrai pas dans le jeu ignoble d'Orthon, d'Ocious et de Malorane. J'aimais Léomido et c'était tout ce qui comptait. Nous parvenions à nous voir avec la complicité de ceux qui étaient restés nos amis. Ils étaient rares : nos parents avaient tout fait pour nous couper du monde et nous isoler, moi encore plus que Léomido. La plupart du temps, je restais cloîtrée à la maison − nous habitions alors une luxueuse grotte des montagnes Mainfermes, tapissée de pierres précieuses. Ma mère me surveillait, impuissante face à mon malheur : elle était trop effrayée par les menaces de mon père qui devenait de plus en plus autoritaire et mauvais. Elle faisait son possible pour me dissuader d'aimer Léomido. Mais aucun de ses arguments ne parvenait à me convaincre. Au contraire ! Plus on me privait de lui, plus il me manquait et plus je comprenais que je l'aimais.

« Très vite, je suis devenue prisonnière de ma propre famille. J'étais comme un lion en cage, la vie perdait toute sa saveur. Mes sorties se faisaient sous la haute surveillance de mon père ou de mon frère. Orthon devenait de plus en plus dur. Lui qui manquait si cruellement de confiance en lui, voilà qu'il était devenu en quelques mois seulement un jeune homme impitoyable, féroce, presque inhumain. Notre père le tenait sous sa coupe, je ne le reconnaissais plus. Léomido, son « presque frère », était devenu son ennemi juré et les messes basses qu'il entretenait avec mon père me laissaient penser que je n'étais pas l'unique cause de ce changement radical. Peu à peu, à force d'observer et de tendre l'oreille − je m'ennuyais tant dans mon troglodyte… −, j'eus l'impression de n'être qu'un grain de sable dans le rouage d'une machinerie qui dépassait de loin mon histoire d'amour avec Léomido. C'est à cette époque que j'ai surpris une conversation capitale qui confirma mes soupçons : Orthon et Ocious conspiraient pour prendre le pouvoir ! Mais ce qui les intéressait n'était pas de régner sur Édéfia, non ! Ils voyaient bien plus loin… Malorane avait eu l'extrême imprudence de montrer ses rêvoleries à Du-Dehors, ce qui avait eu pour effet d'éveiller certaines ambitions dont vous connaissez tous la sombre nature. Quand j'ai compris le danger que faisait courir à notre peuple la bande de Félons ralliée à mon père, je me suis précipitée chez Léomido en volticalant plus vite que je ne l'avais jamais fait. Il m'a cachée dans une maison secrète de Vert-Manteau pendant trois jours, jusqu'à ce que mon père et ses sbires me retrouvent. Le lendemain, Ocious me traînait sur le Territoire de Brûle-Rétine, dans une des grottes de son horrible société secrète des Murmous où j'ai subi la pire des punitions…

18

Le Détachement Bien-Aimé

— Un Diaphan a aspiré jusqu'à la dernière goutte tout le sentiment amoureux que j'avais en moi. Cette créature immonde s'en
est gorgée jusqu'à s'en rendre malade. Du goudron noir coulait
de ses narines fondues, je n'ai jamais rien connu de si répugnant… Je me suis sentie vidée de toute mon âme. Mon cœur se
figea, comme s'il était transpercé par une flèche de glace. Il s'est
durci au fur et à mesure que la vie semblait quitter mes veines. Il
n'y avait plus aucune douleur en moi, juste une épouvantable
sensation de froid. J'imaginais que la mort était en train de me
prendre et que la vie s'écoulait hors de moi par l'aspiration du
Diaphan. Même mon frère paraissait ébranlé par cette ignominie.
Je me souviens d'avoir croisé son regard… J'étais affolée, terrorisée par le Diaphan en transe. Et lui se tenait dans un coin de la
grotte, se tordant les mains avec une expression torturée sur le
visage. Non loin de lui, mon père observait la scène avec une
impassibilité que je ne lui pardonnerai jamais. Seuls ses yeux
brillaient d'un éclat impitoyable : l'éclat de celui qui est parvenu à
ses fins. Il s'est approché du Diaphan et a recueilli le goudron noir
qui coulait de ce qui lui restait de nez dans une petite fiole qu'il a
aussitôt mise dans sa poche. « Tout ira bien, maintenant, ma
chère petite… » m'a-t-il glissé en caressant ma joue. Mon unique
réaction fut de lui cracher en pleine figure – mon faible état ne
me permettait pas d'en faire plus malgré l'envie dévorante que
j'avais de le tuer. Il s'est alors essuyé lentement du revers de sa
manche, m'a regardée droit dans les yeux et m'a souri avec
cruauté, sans dire un mot.

« Le lendemain, nous emménagions à nouveau dans la
Colonne de Verre et je compris avec horreur les conséquences
de ce que je venais de subir : je ne ressentais plus aucun amour

pour Léomido. Quand je le croisai dans les couloirs de la Colonne, ma propre indifférence me terrassa. Je savais que j'avais aimé ce garçon plus que tout. Je savais que la veille encore, mon cœur ne battait que pour lui. Mais cet amour m'avait été enlevé. Je me suis évanouie, submergée par la douleur de mon détachement. Un Détachement Bien-Aimé dont je souffrirai toute ma vie car, depuis ce funeste jour, jamais je n'ai pu être amoureuse de quiconque.

« Mon père avait gagné. Et Malorane, son alliée dans cette sinistre affaire, pouvait elle aussi crier victoire : je n'aimais plus Léomido. Il l'a très vite compris et s'est mis à me fuir. J'aurais dû lui dire, lui parler de mon supplice, mais j'en étais incapable. Au fond de moi, j'avais honte. Et surtout, je crois que j'avais très peur de sa réaction : s'il avait su la vérité, le sang aurait coulé, j'en étais persuadée, car Léomido n'était pas homme à laisser une telle horreur impunie. Alors, emmurée dans mon silence, je suis tombée dans une profonde dépression dont seule ma mère était consciente. De leur côté, mon père et mon frère peaufinaient le piège qui allait se refermer sur Malorane. J'étais le cadet de leurs soucis, ils ne faisaient presque plus attention à moi. J'allais où bon me semblait, j'écoutais leurs conversations sans qu'ils prennent la moindre précaution pour m'en dissimuler la teneur, et je compris que Du-Dedans s'ouvrirait bientôt pour leur permettre de régner sur le Monde.

« J'essayai d'en avertir Léomido, mais il s'enfuyait dès que je m'approchais de lui. Quant à Malorane, je ne pouvais pas la voir et encore moins lui parler. Ses rapports avec mon père s'étaient beaucoup dégradés, mais cette femme était aussi responsable de mon malheur que lui. J'en parlai donc à ma mère qui souffrait comme moi de la dureté de mon père, et j'en suis venue à l'idée de passer à Du-Dehors en même temps que les Félons. Non pour régner sur le Monde comme eux avaient le dessein de le faire, mais simplement pour fuir une Terre qui ne m'apportait plus ni bonheur ni sécurité. Ma mère hésitait quand un événement acheva de la convaincre de venir avec moi : j'étais enceinte ! J'attendais un enfant de Léomido ! Si mon père l'apprenait, cet enfant représenterait un outil de pouvoir pour lui. Imaginez : l'alliance d'une Murmou descendante de Témistocle et du fils de la Gracieuse Malorane ! Alors nous avons attendu. Le Chaos est arrivé quelques semaines plus tard, suite à la révélation du Secret-

Qui-Ne-Se-Raconte-Pas. Notre belle Terre fut mise à feu et à sang par les Félons et, profitant de la confusion qui régnait, ma mère et moi nous sommes rendues jusqu'au Portail. J'avais vu passer au travers Léomido et la Jeune Gracieuse Dragomira, ainsi que quelques autres. Le Portail était en train de se refermer quand nous sommes arrivées. J'ai pris ma mère par la main, je l'ai agrippée du plus fort que j'ai pu et nous avons foncé sous les yeux stupéfaits de mon père qui a hurlé : "NON !" Mais c'était trop tard ! Nous étions déjà de l'autre côté, à Du-Dehors…

« Nous avons eu la chance d'être éjectées aux Pays-Bas, un pays calme et prospère. Six mois plus tard, mon fils Jan naissait. Il n'eut pas le bonheur de connaître sa grand-mère : la tristesse emporta ma pauvre mère quelques semaines après notre arrivée. Ce fut une période très dure pour moi. Sans mon fils, qui sait si j'aurais supporté la solitude de l'exil que tout Du-Dedans a pu ressentir à un moment ou à un autre… Je pensais souvent à Édéfia et à ceux qui étaient passés à travers le Portail. Et je me sentais vraiment seule, avec ma peine, mes craintes et surtout cette énorme différence avec les Du-Dehors qui faisait de moi – comme de vous tous – un être en danger permanent. Mais j'ai lutté, je me suis adaptée et j'ai fini par m'habituer à cette vie. Je suis devenue diamantaire et j'ai acquis une bonne réputation qui m'a donné confiance et force. J'élevais mon fils du mieux que je le pouvais, la vie se déroulait calmement, sans bonne ni mauvaise surprise.

Mais un jour, vingt ans après le Grand Chaos, le destin est venu raviver les souvenirs qui s'étaient peu à peu estompés. Je lisais le journal quand je suis tombée en arrêt devant un article qui parlait de Léomido Fortensky, le brillant chef d'orchestre. Je l'ai aussitôt reconnu sur la photo qui illustrait l'article. Comment vous expliquer la puissance de l'émotion qui m'a alors envahie ? C'était comme si le sol s'ouvrait sous mes pieds pour m'engloutir. Moi qui avais mis plus de vingt ans à essayer de vivre comme tout le monde, voilà que le passé surgissait comme pour me dire : "N'oublie jamais qui tu es !" L'article précisait que Léomido donnait un concert exceptionnel à l'Albert Hall Museum le soir même.

« Je ne sais pas ce qui m'a pris : je me suis ruée à l'aéroport et j'ai pris le premier avion pour Londres. Là, déception : toutes les places étaient déjà vendues ! Alors, j'ai fait ce que je n'avais pas fait depuis vingt ans et que je m'étais promis de ne plus jamais faire jusqu'à la fin de mes jours : j'ai utilisé mes dons et subtilisé un ticket en le prenant directement – et magiquement ! – dans le sac d'une malheureuse inconnue. Par chance, il s'agissait d'une place située dans des loges très discrètes à l'abri des regards des autres spectateurs, ce qui me permit d'observer la salle sans crainte d'être vue. Je ne savais pas à quoi m'attendre, mais je me sentais très fébrile. Quand je reconnus Naftali et Brune, mon sang ne fit qu'un tour. Ils étaient là, magnifiques, au deuxième rang. Plus loin, je vis Bodkin, le Manufacturier de bijoux que je préférais à Édéfia. D'ailleurs, par le plus grand des hasards et malgré les splendides joyaux que je manipulais depuis des années, c'était une de ses créations que je portais au poignet ce jour-là, un superbe bracelet d'émeraudes ciselées en forme d'étoiles minuscules. Mes yeux parcoururent le reste de la salle avec fébrilité. Soudain, la lumière s'éteignit et la scène s'illumina. J'ai cru que mon cœur allait s'arrêter quand je vis arriver Léomido. Il salua la foule et se tourna face à l'orchestre. Pendant deux heures, je dévisageai son profil avec une émotion presque insoutenable. Il n'avait pas changé, ou si peu…

« À la fin, une femme le rejoignit pour l'embrasser – sa femme, me dis-je avec un pincement plus douloureux que je ne l'aurais imaginé. Ainsi, il s'était marié, il avait fait sa vie. Bien sûr… Pourquoi ne l'aurait-il pas fait ? J'éprouvai à la fois du soulagement et une peine immense en constatant combien ma solitude me pesait. Jamais je ne connaîtrais le bonheur de l'amour. J'avais fini par ne plus y penser mais là, face à ce couple si beau, si heureux, cette constatation m'anéantissait. Je restai dans la loge, abattue, le cœur plombé, quand une voix murmura soudain derrière moi : "Bonsoir, ma chère sœur… Ravi de te revoir." Vingt ans s'étaient écoulés, mais j'aurais reconnu cette voix entre mille. Mon frère Orthon était là, à quelques centimètres de moi. Complètement déstabilisée, j'hésitais à me retourner. Je n'eus pas à le faire : Orthon vint s'asseoir à côté de moi et posa sa main sur la mienne. Je le laissai faire, tétanisée par l'émotion et la surprise. "Notre ami commun est un vrai catalyseur de Du-Dedans, tu ne trouves pas ? me dit-il avec une certaine ironie. Tu auras reconnu comme moi certaines de nos connaissances. Mais le principal, c'est de t'avoir retrouvée. J'étais persuadé que tu ne résisterais pas…" Quand je me suis tournée pour le regarder enfin, je n'ai pu retenir

106

un cri : il paraissait si jeune ! Et si dur... Je ne gardais pas un bon souvenir de lui, loin de là. Mais je crois qu'à ce moment précis, je l'ai détesté. Un sentiment qui n'a fait qu'empirer quand j'ai compris les motivations qui le poussaient à retourner à Édéfia... Il avait voué sa vie à ouvrir le Portail et, pour cela, il avait besoin de mettre la main sur la nouvelle Gracieuse. Il parcourait le monde, surveillant dans l'anonymat le plus absolu les Du-Dedans qu'il avait repérés. Chaque fille qui naissait était alors l'objet d'une observation minutieuse : parmi elles se cachait peut-être la nouvelle Gracieuse... Quand je lui ai dit que j'avais un fils, sa déception fut manifeste et j'avoue m'en être sentie soulagée.

« Mon frère m'effrayait, je ne voulais pas qu'il entre dans ma vie. Et pourtant, à partir de ce concert, il venait me rendre visite de temps à autre, non seulement pour me tenir informée de la progression de ses recherches, mais aussi pour vérifier qu'aucune Gracieuse potentielle ne se trouvait dans mon environnement. Quand mon fils et ma belle-fille mirent au monde Zoé, son intérêt s'est encore amplifié et ses visites se firent plus fréquentes. Étant donné son ascendance, il existait une forte probabilité pour que Zoé soit la prochaine Gracieuse. Je le savais plus que quiconque et je tremblais jour et nuit à cette pensée. Mais par chance, la possibilité finit par s'évanouir et Orthon reporta toute son attention sur Oksa, qu'il venait de repérer.

« Cependant, ma vie ne trouva pas de répit pour autant : la mégalomanie d'Orthon m'inquiétait de plus en plus. Cet homme était dangereux, je ne pouvais plus l'ignorer et, d'ailleurs, il ne s'en cachait pas. Je savais qu'il n'hésitait pas à éliminer ceux qui se mettaient en travers de son chemin, il s'en était vanté sans aucun scrupule. Alors j'ai fait une erreur fatale : je l'ai menacé de prévenir Léomido s'il persistait à vouloir exécuter ses projets. J'étais très inquiète pour Oksa que je sentais être la nouvelle Gracieuse et je m'apprêtais à me rendre chez Léomido pour tout lui avouer. Malheureusement, un terrible événement survint et m'en empêcha : mon fils et ma belle-fille moururent dans un accident d'avion, une tragédie dont jamais je ne me remettrai...

La vieille dame s'interrompit, la mâchoire tremblante. Les yeux noyés de larmes, elle détourna la tête et laissa sa respiration retrouver un rythme moins oppressé avant de poursuivre.

— Dès lors, le doute s'insinua dans mon cœur : et si c'était Orthon qui les avait tués ? Je savais qu'il en était capable. Cette pensée m'empoisonna pendant plusieurs mois sans que je puisse rien dire. J'avais tant à faire avec ma petite Zoé et toute cette peine qui nous meurtrissait… Un jour, Orthon a débarqué chez moi. Comme à chacune de ses visites, la conversation a vite dégénéré. Je lui ai parlé de mes soupçons car j'étais à bout de nerfs. Je l'ai menacé d'aller voir Léomido ou Dragomira et de tout dévoiler. C'était il y a quelques mois. Et depuis ce jour, je suis ici, entableautée…

19

Les Collines Maritimes

Réminiscens se tut, les mains croisées sur les cuisses, dans une immobilité de pierre. Les Sauve-Qui-Peut, émus, la regardaient avec saisissement. Le récit stupéfiant de la belle dame les bouleversait. La Foldingote renifla, rompant le lourd silence.

— Ma chère Réminiscens… murmura Léomido, pâle comme la mort. Je n'ai pas pu faire autrement…

— Ne t'accable pas de reproches.

— Je ne pouvais pas ! s'emporta Léomido en serrant les poings avec rage.

— Arrêtons de ressasser le passé, conseilla Réminiscens. Nous ne pouvons pas changer ce qui a été. Il faut seulement apprendre à vivre avec ses souffrances du mieux que nous le pouvons.

— Je ne connaissais pas tous ces détails. C'est terrible… bredouilla Oksa, bouleversée.

Réminiscens la regarda d'un air fataliste, puis se leva, la tête haute.

— Allons… Nous devrions poursuivre notre route maintenant, qu'en dites-vous ?

— On a une vue fantastique de là-haut ! Vous n'avez jamais rien vu de pareil, j'en suis sûr ! renchérit Gus.

Il prit la main de l'Insuffisant qui le regardait avec une incrédulité béate et marcha d'un pas souple en direction du sommet arrondi de la colline.

— Mais alors ! intervint soudain l'Insuffisant en se redressant. Cela veut dire que la jeune Zoé est la petite-fille de Réminiscens et de Léomido !!!

— Euh… oui ! confirma Oksa. Et pour tout te dire, l'Insuffisant, il n'y a que quatre mois qu'on le sait !

— Quatre mois ? reprit la créature éberluée. Ah ! voilà pourquoi je n'étais pas au courant…

— Il est complètement cinglé ! s'esclaffa Gus.

Oksa hâta le rythme et, quand elle arriva à son tour au sommet, elle comprit ce que Gus avait voulu dire en parlant de la vue fantastique : devant ses yeux, un immense paysage s'étalait à perte de vue, comme un désert sans fin de collines de velours sombre. Mais le plus extraordinaire n'était pas cette immensité. Car ce qui coupait le souffle de tous les Sauve-Qui-Peut qui le découvraient, c'était le mouvement des collines. Les collines bougeaient ! De manière régulière et hypnotique, elles ondulaient comme les vagues d'une mer végétale dans un bruissement puissant. Les bruyères qui les recouvraient miroitaient à chaque remous et paraient chacune d'elles de reflets soyeux d'une beauté envoûtante.

— Waouh… s'exclama Oksa, éberluée. On dirait la mer ! Ça donne envie de plonger…

— Non ! l'exhorta Gus en la retenant par le bras alors qu'elle s'avançait vers l'étrange étendue. Je ne sais pas trop ce qui se passerait mais, à mon avis, il ne vaut mieux pas…

— Il a raison, approuva Tugdual, captivé par l'incroyable spectacle dont il n'arrivait pas à détacher le regard. J'ai comme l'impression que si tu sautais, tu serais avalée comme une mouche par une plante carnivore !

Oksa frissonna et se recula, impressionnée. Gus jeta un regard noir à Tugdual qui lui adressa en retour un sourire faussement innocent.

— Regarde, Oksa ! reprit Gus en pointant son doigt en l'air. Le ciel !

Oksa leva la tête et resta bouche bée : le ciel, aussi mauve que les portions qu'elle avait entraperçues quand elle était dans la Forêt du Non-Retour, était constellé de planètes qui effectuaient des révolutions accélérées autour de celle qui semblait faire office de soleil, un énorme disque qui irradiait d'un milliard de rayons violets.

— Mais où sommes-nous ? murmura Oksa, fascinée.

— Désirez-vous des précisions ? proposa le Culbu-gueulard.

— Si tu en as, je suis preneuse ! lui répondit Oksa, l'air sceptique.

— Je suis catégorique, reprit le Culbu-gueulard. Nous sommes toujours en Grande-Bretagne, au centre-centre-ouest de Londres. Mais notre localisation a évolué : nous voici maintenant à Bigtoe Square, dernier étage, dans la pièce nommée atelier-strictement-personnel de la Vieille Gracieuse, mur sud, un mètre vingt du sol, trois mètres vingt-cinq du coin ouest, trois mètres quarante du coin est. J'ajouterai que nous sommes posés sur une tablette et que trois paires d'yeux nous observent.

Les Sauve-Qui-Peut suivirent le regard du Culbu-gueulard qui fixait le ciel mauve.

— Comment peut-il savoir tout ça ? murmura Gus en plissant les yeux.

— Je ne le sais pas, Jeune Maître, répondit la petite créature conique en se balançant sur la bruyère. Je le vois !

— Mais il a raison ! cria soudain Oksa d'une voix suraiguë. Regardez ! On voit des ombres qui bougent dans le ciel !

Tous examinèrent à nouveau le ciel avec une attention redoublée. Des ombres animaient l'étrange ciel, comme des nuées instables qui se déplaçaient ou se rapprochaient en intensifiant la sensation de présence.

— Les ombres ne sont pas dans le ciel, Jeune Maîtresse, précisa le Culbu-gueulard. Elles sont *derrière* le ciel ! Tenez ! Regardez… L'une d'elles nous observe !

Juste au-dessus du petit groupe, un cercle sombre et imparfait obscurcissait le ciel. Les contours d'un visage se dessinèrent soudain et tous reconnurent Dragomira.

— Baba ! se mit à hurler Oksa. BABA ! ON EST LÀ !

Mais les yeux de la Baba Pollock scrutaient l'intérieur du tableau sans que rien attire son attention. Les cris et les gestes désespérés des Sauve-Qui-Peut se perdaient dans le ciel mauve sans atteindre ni les yeux ni les oreilles de Dragomira… Le visage de la vieille dame finit par s'effacer, plongeant les occupants du tableau dans un abattement cruel.

— Actuellement, nous sommes roulés en un tube de huit centimètres de diamètre et liés par un cordon en cuir de quarante-trois centimètres de long, lança soudain le Culbu-gueulard en rompant le silence de mort. La Vieille Gracieuse a roulé le tableau et l'a placé dans un étui de bois, du hêtre me semble-t-il. Nous sommes maintenant à l'abri dans une cache secrète de l'atelier-strictement-personnel, derrière le portrait du fils de la Vieille Gracieuse.

— La niche aux Granoks ! s'exclama Oksa. Alors c'est bon, on est en sécurité ! Hé ! Regardez là-bas, on dirait le papillon de la forêt !

Les Sauve-Qui-Peut scrutèrent le ciel et aperçurent le somptueux papillon noir qui grossissait de seconde en seconde à mesure qu'il s'approchait de la colline.

— C'est l'Éclaireur de l'Émissaire du Fouille-Cœur ! précisa Gus.

— Tu l'as déjà vu ? s'étonna Oksa. Tu connais l'Émissaire ?

Gus expliqua alors sa rencontre avec le corbeau et communiqua aux Sauve-Qui-Peut les précieuses − et alarmantes − indications que ce dernier lui avait données.

— Bon… On sait qu'on n'est pas seuls, au moins ! fit remarquer Oksa après avoir raconté à Gus ce qu'elle savait sur les mystères de l'Entableautement.

Le papillon avait rejoint le groupe et écoutait avec attention ce que les deux amis se disaient en hochant de temps en temps la tête. Soudain, il se positionna en vol stationnaire devant Oksa.

— Vous devez fuir, Jeune Gracieuse ! retentit sa voix, gutturale et impressionnante de puissance. Fuyez, Sauve-Qui-Peut ! répéta-t-il à l'intention du groupe. Fuyez avant que le Vide ne s'empare de vous ! Il faut sauver la Jeune Gracieuse !

— Regardez là-bas ! intervint soudain Pavel d'une voix blanche. Qu'est-ce que c'est ?

— C'est le Vide ! répondit le papillon. Il approche, dépêchez-vous !

Au loin, une énorme masse ténébreuse s'avançait dans un fracas angoissant en absorbant tout sur son passage, ciel, planètes, collines mouvantes.

— Courez ! cria le papillon d'un air pressant en voletant vers le bas de la colline.

Comprenant à contrecœur ce qui était en train de se passer, les Sauve-Qui-Peut dévalèrent la colline, affolés. Le papillon précédait leur course en les guidant vers la grotte dont l'entrée se trouvait au pied d'une autre colline, à quelques dizaines de mètres.

— Foncez dans la caverne ! résonna la voix de l'Éclaireur. Le Vide n'y entrera pas !

— L'Insufflant ! cria soudain Oksa en jetant un regard en arrière. On a oublié l'Insufflant !

Pavel s'arrêta net et, sans réfléchir, se mit à gravir à nouveau la colline qu'il venait juste de descendre.

— Papa ! hurla Oksa. Non ! N'y va pas !

Mais Pavel était déjà parti. Abakoum saisit la main d'Oksa et l'entraîna avec lui vers la grotte alors que Pavel arrivait tout juste au sommet de la colline. L'Insuffisant n'avait pas bougé, fidèle à sa réputation d'indolente créature. Pavel le saisit sans ménagement dans ses bras. Mais avant de rebrousser chemin, il ne put s'empêcher de jeter un coup d'œil vers le paysage et blêmit aussitôt, saisi par l'horreur de ce qu'il voyait : les collines aux doux mouvements maritimes étaient maintenant agitées comme si une monstrueuse tempête les tourmentait. Des vagues de terre mêlée de végétation giclaient vers le ciel qui s'obscurcissait affreusement à mesure que le Vide gagnait du terrain, comme si la nature voulait opposer toute la résistance dont elle était capable contre cette fatalité morbide. Une lutte désespérée qui se révélait vaine : le Vide s'avançait, impitoyable, avalant toute forme de vie dans un grondement monstrueux.

— Papa ! Vite !

Le ton suppliant d'Oksa sortit Pavel de la fascination horrifiée qui le paralysait. Les yeux écarquillés, il sursauta et arracha son regard de ce spectacle apocalyptique. Ses forces décuplées par l'épouvante, il fit volte-face et dévala la colline en rebondissant, volant au-dessus de la bruyère. Les Sauve-Qui-Peut étaient maintenant tous à l'abri dans la grotte et l'attendaient à l'entrée, éperdus d'angoisse.

— Papa ! Dépêche-toi ! hurlait Oksa en se tordant les mains.

Le Vide gagnait du terrain, talonnant Pavel et l'Insuffisant. Dans un dernier effort, le père d'Oksa s'élança. Son dos cuisait et paraissait près de s'embraser. Oksa gardait les yeux fixés sur son père, au supplice, quand soudain elle crut avoir une hallucination : de longues ailes de dragon venaient d'émerger du dos de son père et se déployaient, flamboyantes. Quatre battements suffirent, puis Pavel atteignit la grotte sous les yeux stupéfaits de sa fille et, ses ailes reprenant leur forme d'encre, il s'engouffra à l'intérieur dans un dérapage brutal. Quelques secondes plus tard, l'entrée de la grotte disparut dans l'obscurité. Le grondement s'arrêta net et un souffle froid, glacé et cruel envahit le refuge des Sauve-Qui-Peut.

20

Une discussion édifiante

Dragomira poussa un profond soupir et referma la petite niche dissimulée dans le mur après y avoir déposé avec soin un rouleau de bois. Deux semaines plus tôt, Pavel et Oksa s'étaient laissé entableauter en compagnie de leurs fidèles amis pour porter secours à Gus. Une aventure pleine de périls et d'incertitudes dont nul ne pouvait prédire l'issue.

— Comme c'est long… soupira de nouveau la Baba Pollock. Comme ils me manquent…

Le Foldingot s'approcha et se planta devant sa maîtresse en se balançant d'un pied sur l'autre.

— La Vieille Gracieuse doit maintenir la confiance dans son cœur, lui dit-il de sa petite voix aigrelette. La Jeune Gracieuse va connaître d'intenses péripéties, mais la compagnie des Sauve-Qui-Peut lui procurera la protection et le secours. Et c'est le père de la Jeune Gracieuse – *alias* le fils de la Vieille Gracieuse – qui engendrera la force la plus inédite et la plus influente.

— Mon cher Pavel… souffla Dragomira en regardant son Foldingot d'un air sceptique. Il accepte tous nos choix tellement à contrecœur !

— Le contrecœur n'empêche pas la conviction d'être solidement amarrée, lança le Foldingot.

Dragomira le regarda avec attention et, d'un sourire triste, acquiesça.

— J'aime tes observations, mon cher Foldingot. Elles sont toujours énigmatiques, mais, quand on les a décryptées, on se rend compte qu'elles ne manquent jamais de justesse.

— Les Foldingots possèdent la perception de la vérité résidant en tout cœur Gracieux, la Vieille Gracieuse peut appuyer toute sa confiance sur sa domesticité foldingote.

— C'est entendu, je n'y manquerai pas… assura Dragomira.

— Néanmoins, la Vieille Gracieuse doit avoir l'information que la félonie rôde autour d'elle. Le danger n'est pas seulement localisé à l'intérieur du tableau, mais aussi à l'extérieur. Des amis leurrent la Vieille Gracieuse et veulent avoir la possession du tableau pour s'emparer de la Jeune Gracieuse dès sa sortie.

— Des amis ? s'étonna Dragomira en pâlissant. Qui ?

— La Vieille Gracieuse a la connaissance que son Foldingot ne sait pas. Le Foldingot ne sait pas, il sent. Le tableau va subir la convoitise brutale des Félons, il est impérieux de le protéger.

Dragomira jeta un coup d'œil inquiet vers la niche camouflée dans le mur.

— Mais personne ne peut accéder à cette cache… Personne ! affirma-t-elle en tremblant.

— Les Félons possèdent la ruse, rebondit le Foldingot. La ruse et la férocité qui les rendent plus puissants que les Sauve-Qui-Peut et que la Vieille Gracieuse.

Dragomira se laissa choir dans un fauteuil de velours violet et se mit à réfléchir, la tête inclinée sur le côté, les yeux mi-clos. Elle gémit, très affectée par les révélations du Foldingot. Les créatures et les plantes qui se trouvaient dans son atelier-strictement-personnel interrompirent leurs activités et retinrent leur souffle afin de ne pas perturber la réflexion de la vieille dame. Seuls les Ptitchkines — les minuscules oiseaux dorés — voletèrent jusqu'à elle pour se poser sur son épaule où ils se tinrent dans une parfaite immobilité. Une heure plus tard, Dragomira sortit de sa torpeur en se redressant brusquement. La Goranov qui l'observait depuis le début sursauta, faisant bruisser ses feuilles sans ménagement.

— Je suppose que le danger est immense pour que la Vieille Gracieuse soit dans cet état ! fit remarquer la plante stressée. Nous allons tous mourir !

— Arrête de faire peur à tout le monde, la flippée ! la taquina une créature échevelée.

— Tais-toi donc, Gétorix ! rétorqua la Goranov. Je suis en première ligne, moi !

— En première ligne de quoi ? rigola la créature hirsute. En première ligne pour les lamentations, oui !

— Tu oublies que je suis une plante précieuse ! s'énerva la Goranov, le feuillage frémissant. Sans moi, pas de Crache-

Granoks, pas de Coffreton, pas de Crucimaphila, et pas d'Élixir de Murmou !

Dragomira tressaillit.

— Qu'est-ce que tu viens de dire ? demanda-t-elle, fébrile, en se penchant vers la Goranov.

— Sans moi, pas de Crache-Granoks, pas de Coffreton, pas de Crucimaphila et pas d'Élixir de Murmou ! répéta la Goranov en tremblant de plus en plus fort. C'est la fabrication de cette infâme potion qui a causé le plus grand sacrifice de Goranovs de tous les temps, ne l'oubliez jamais ! Les Murmous n'ont pas pris toutes les précautions des Granokologues qui, eux, ont toujours pratiqué notre traite avec délicatesse et prévenance. Non ! hurla la Goranov en s'ébrouant de rage. Au lieu de nous traire, ces monstres de Murmous ont fait des incisions sur nos branches ! Des incisions profondes dont certaines de nous ne se sont jamais remises ! Je ne veux pas connaître ça de nouveau ! Jamais !

Et la malheureuse s'évanouit, laissant tomber toutes ses feuilles le long de son tronc. Dragomira alla chercher un petit pulvérisateur avec lequel elle aspergea chacune des feuilles de la pauvre plante.

— Un nouveau remède, Vieille Gracieuse ? demanda le Gétorix en soulevant négligemment une feuille qui retomba aussitôt.

— Oui… confirma Dragomira. Du Haltocollapsus, très efficace pour lutter contre les évanouissements de notre chère Goranov.

— Vous avez l'air inquiète, Vieille Gracieuse… poursuivit le Gétorix en plongeant son nez dans le petit flacon.

Dragomira opina de la tête.

— Je le suis, Gétorix, je le suis. La Goranov n'est jamais un exemple de modération, mais il y a toujours un fondement à ses excès. Et ce qu'elle vient de dire est très sensé : elle représente un ingrédient primordial pour nos recettes secrètes. Et pour celles de nos ennemis, c'est là tout le problème… Cette histoire d'Élixir de Murmou est également une donnée que je n'avais pas envisagée. La Goranov est le plus puissant catalyseur de particules qui existe. Comprends-tu ce que cela signifie ?

— Tout à fait, Vieille Gracieuse… répondit le Gétorix, les cheveux dressés sur sa petite tête.

— Nous avons dans cette maison quatre trésors d'une importance sans nom : le tableau, le Foldingot, Gardien du Repère Absolu, le médaillon de Malorane et la Goranov. Leur puissance est considérable, mais c'est aussi ce qui nous rend extrêmement vulnérables…

Sur ce, elle se précipita vers l'étroit escalier qui menait à son appartement, un étage plus bas. Elle franchit l'étui de contrebasse, plaqua sa main contre le fond de contreplaqué, et l'étui se referma sur les marches en colimaçon, dissimulant l'accès à l'atelier-strictement-personnel. D'un geste impatient, elle repoussa tout ce qui encombrait l'immense table installée au fond de l'appartement et se mit au travail.

21

Culbu, au rapport !

Calée dans son fauteuil, face à la fenêtre, Dragomira fixait le square avec l'acuité d'un faucon. Et ce qu'elle prévoyait ne tarda pas à arriver : trois silhouettes traversèrent la rue pour se diriger droit vers la maison. La nuit était déjà bien avancée et les réverbères éclairaient le trottoir d'une faible lumière, laissant la façade dans l'obscurité.

— Vous n'avez pas perdu de temps... murmura la Baba Pollock.

Elle se leva, ouvrit l'étui de contrebasse dans lequel elle pénétra, un étrange sourire aux lèvres.

— Tel est pris qui croyait prendre... fit-elle en refermant l'étui sur elle.

Les trois silhouettes se faufilèrent furtivement entre les buissons qui parsemaient le parterre devant le petit perron et se plaquèrent contre le mur.

— Tu es sûr que Dragomira n'est pas là ? murmura l'un des intrus, un homme long et fin.

— Absolument certain ! lui répondit celui qui avait l'allure la plus corpulente. Elle est chez Abakoum et Marie Pollock passe la nuit chez Jeanne Bellanger. N'oublie pas que mes renseignements sont de première main...

— Nous ne pouvons rêver de meilleure informatrice ! renchérit la troisième personne à la voix et aux courbes féminines. Qui, à part elle, peut être plus proche du noyau ?

— Et si tout se passe selon nos plans, cette chère Dragomira n'y verra que du feu !

Tous les trois partirent d'un petit rire méchant plein de satisfaction.

— Allons, cessons de nous moquer de la toute proche infortune de cette pauvre Dragomira et de ses amis si naïfs, reprit celui à l'allure massive. Il est temps d'y aller, maintenant ! N'oublions pas que notre avenir dépend de cette mission !

Les deux hommes et la femme sortirent alors de leur poche une petite boîte d'où ils tirèrent une gélule d'un blanc nacré qu'ils avalèrent. Quelques secondes plus tard, ils grimpaient comme des araignées le long de la façade de pierre, pieds et mains plaqués sur les briques rouges. Arrivés au niveau du troisième étage, ils s'immobilisèrent et l'homme le plus maigre s'accroupit sur le rebord de la fenêtre. Puis, comme par magie, son corps traversa la vitre et disparut à l'intérieur de l'appartement.

À travers un minuscule interstice, Dragomira observait l'intrusion des trois personnages en jubilant. Son piège fonctionnait à merveille !

— Vous avez trouvé quelque chose ? fit l'un des hommes.

— Ma mère m'a parlé d'un tube en bois dans lequel la toile serait roulée. Une quarantaine de centimètres de long sur dix centimètres de diamètre, ce n'est pas si facile à cacher, nous devrions pouvoir le trouver…

Les trois cambrioleurs furetèrent dans tous les coins et recoins de l'appartement surchargé, soulevant les coussins, ouvrant les tiroirs, glissant leurs mains en dessous et derrière les meubles. Mais c'est une lame du parquet particulièrement grinçante qui attira toute leur attention.

— Mes amis, je crois que j'ai trouvé… exulta la femme dans un murmure.

— Sous le parquet ? s'étonna le grand homme fin. Ce n'est pas très original !

— Oui, on aurait pu s'attendre à mieux de la part d'une femme comme Dragomira… Ce doit être ce qu'on appelle les ravages de la sénilité ! ricana l'homme robuste. Allons, soulevons cette lame et voyons ce qu'elle nous cache.

Tous les trois s'affairèrent sur le sol pour en exhumer quelques instants plus tard un long tube en bois.

— Bingo ! s'exclama la femme dans un souffle après avoir vérifié le contenu. Ou bien nous sommes très forts, ou bien la réputation de Dragomira est largement surestimée !

— En tout cas, tout cela est du meilleur augure pour nous ! conclut le grand homme. Quoi qu'il en soit, ne traînons pas ici...

Et tous les trois se dirigèrent vers la fenêtre d'où ils repartirent en empruntant le même chemin qu'à l'aller, mains et pieds collés à la façade de pierre. Depuis sa fenêtre, Dragomira regarda les trois silhouettes disparaître dans le square et poussa un long soupir de satisfaction en faisant mine d'applaudir.

Le surlendemain, le Culbu-gueulard toquait à la lucarne de l'atelier-strictement-personnel de sa maîtresse. La vieille dame repoussa sa chaise et se leva pour le laisser entrer.

— Te voilà déjà, mon cher Culbu ? l'accueillit-elle en le caressant avec chaleur.

Le Culbu-gueulard, essoufflé, se laissa faire avec un plaisir évident en ronronnant comme un petit chat.

— Je suis si heureuse de te voir de retour ! lui dit Dragomira. Tu dois avoir beaucoup de choses à me dire, n'est-ce pas ?

— Beaucoup est le terme, ma Vieille Gracieuse, confirma la petite créature. Mais je crains que les nouvelles ne soient pas bonnes.

— Je m'en doute, mon Culbu, je m'en doute... confirma Dragomira, le visage assombri.

— Voici mon rapport, ma Vieille Gracieuse. Les intrus, au nombre de trois, étaient composés de deux hommes et une femme. J'ai pu saisir le prénom des hommes : le plus grand s'appelle Gregor et le plus trapu, Oskar. Nous avons quitté Londres et nous avons parcouru en voiture six cent vingt-trois kilomètres, direction nord-nord-ouest, pour arriver sur les côtes de la mer des Hébrides, au large de l'Écosse. Nous avons alors pris le bateau pour nous rendre sur une île qui se trouve à dix-huit kilomètres de la côte, latitude cinquante-sept degrés nord, longitude sept degrés ouest. Je dois préciser à ma Vieille Gracieuse que j'étais enfermé dans le tube volé par les intrus et que, par conséquent, je ne saisissais que des bribes des conversations que ces trois lascars entretenaient. De plus, ma Vieille Gracieuse sait que je souffre du mal des transports... Cette longue route en voiture, puis la traversée en bateau dans cette mer des Hébrides aux courants nord-sud bien affirmés ont provoqué de violentes nausées. J'ai bien peur d'avoir vomi dans le tube, ma Vieille Gracieuse...

Dragomira explosa de rire et caressa le Culbu-gueulard sans afficher la moindre rancune.

— Mais comment t'es-tu débrouillé pour ne pas te faire remarquer ? lui demanda-t-elle.

— Quand le roulis a enfin cessé, reprit la petite créature, l'affreux trio a marché jusqu'à une bâtisse de pierre construite à sept cent quarante-trois mètres de l'endroit où le bateau avait accosté. La femme, qui portait le tube dans lequel je me trouvais, a gravi trois marches, puis traversé une entrée longue de six mètres vingt et large de trois mètres quatre-vingt-cinq. Nous sommes arrivés dans une pièce et j'ai senti qu'un feu brûlait dans une cheminée de deux mètres dix de hauteur sur deux mètres trente de largeur. Il y avait une autre femme qui attendait en compagnie de trois hommes. Je n'entendais pas très bien ce qu'ils disaient car j'étais écœuré à cause de ces transports maudits. Mais ils avaient tous l'air très contents ! Ils ont ouvert le tube et j'ai eu très peur de voir ma dernière heure arriver. L'odeur de mes déjections vomitives s'est aussitôt échappée du tube et ils se plaignaient tous que c'était une infection. Mais ce qui les intéressait, c'était le tableau. Ils l'ont retiré du tube en faisant très attention. Ils étaient si absorbés par ce qu'ils allaient trouver que j'en ai profité pour sortir du tube que la femme avait déposé sur la table : je me suis caché dans un coin de la pièce, aveuglé par mes nausées encore très fortes, et je dois dire que je l'ai échappé belle car Oskar a saisi le tube pour essayer de comprendre d'où pouvaient provenir les salissures toutes fraîches qui souillaient le tableau. Aussitôt, ils ont commencé à chercher autour d'eux. « Il y a forcément quelque chose ! Regardez bien partout ! » disait la femme. Moi, je restais caché derrière un rideau, je ne voyais rien mais j'entendais tout, et cela en cherchant une issue pour sortir de cette maison. Puis, soudain, il y a eu un grand cri. J'ai entendu la femme dire : « Qu'est-ce qu'il y a, Mère ? » Alors, la deuxième femme a hurlé : « Elle nous a eus ! Dragomira nous a piégés ! Ce n'est pas le tableau ! » Oskar, qui se trouvait sans le savoir à quarante-deux centimètres de moi, a rugi : « Qu'est-ce que tu veux dire ? » La femme a alors répondu : « Regardez, c'est une copie ! C'était évident, tout s'était déroulé trop facilement ! Cette vieille harpie se doutait que les choses allaient se passer comme ça… Elle nous a devancés… Argh ! » Et de rage, elle a pris le tube de bois et l'a balancé à trois mètres vingt-quatre vers le coin nord de la pièce.

Soudain, le rideau qui me protégeait s'est ouvert et je me suis trouvé face à face avec Gregor, le grand homme maigre. Je n'ai écouté que mon courage et j'ai foncé vers la porte, à plus de cinq mètres quarante de l'endroit où je me trouvais. « Attrapez-le ! Il ne faut pas qu'il s'échappe ! » a braillé la deuxième femme. Ils se sont tous lancés à mes trousses. Alors j'ai volé comme un forcené, mes ailes me faisaient terriblement mal et je sentais une affreuse nausée monter. Je me suis retrouvé dans le hall d'entrée et j'ai perçu un courant d'air, ouest-sud-ouest, quarante-cinq kilomètres à l'heure, qui venait d'une autre pièce. Dans le même temps, mes horribles hôtes me lançaient des Granoks et la femme qui semblait être leur chef a bien failli m'avoir avec un Knock-Bong qui m'a projeté contre le mur sud du hall d'entrée. Je crois que c'est la peur d'être pris et la fidélité que je dois à ma Vieille Gracieuse qui m'ont sauvé. Je me suis précipité dans la pièce d'où provenait le courant d'air et j'ai trouvé une bouche d'aération juste assez grande pour que je puisse m'y glisser, soit environ sept centimètres de diamètre. Juste au moment où je faisais entrer tout mon corps à l'intérieur, j'ai senti un souffle d'une grande violence, au moins deux cent trente kilomètres à l'heure : la femme ignoble venait de me lancer une Granok de Tornaphyllon ! Par bonheur, j'étais déjà dans la gaine d'aération, d'où je suis sorti douze secondes plus tard. Alors j'ai pris mes ailes à mon cou et je suis revenu aussi vite que je l'ai pu auprès de vous, ma Vieille Gracieuse. J'ai conscience que ma mission est bien incomplète, j'en suis honteux. Me pardonnerez-vous mes approximations, ma Vieille Gracieuse ?

— Bien entendu, mon Culbu, approuva Dragomira, un étrange sourire aux lèvres. Tu as été parfait, absolument parfait. Mais dis-moi, as-tu pu voir qui était cette femme ?

— Ma Vieille Gracieuse, malgré mon état nauséeux, l'identité de la Félonne ne m'a pas échappé, confirma la petite créature.

— Me confieras-tu son nom ?

Le Culbu-gueulard regarda autour de lui, observa un instant toutes les créatures qui étaient suspendues à ses lèvres et fit dodeliner son gros corps conique avec embarras. Il sembla réfléchir intensément, ses petits yeux brillants tout plissés, et se décida enfin. Il voleta jusqu'à l'épaule de Dragomira sur laquelle il se posa avec délicatesse et murmura un nom, un seul nom, à son oreille. La Baba Pollock pâlit et, portant la main à son cœur, elle poussa un gémissement rauque.

22

La vieille amie de Dragomira

Le vaillant Culbu-gueulard venait à peine de livrer le secret de son aventure dans la mer des Hébrides que trois personnes forçaient en silence la porte d'entrée de la maison des Pollock. Dragomira n'en fut pas surprise : elle s'attendait à cette visite, d'autant plus que, depuis le milieu de l'après-midi, elle avait observé de sa fenêtre toutes les personnes qui s'étaient relayées pour surveiller Bigtoe Square. Quand la nuit était tombée, les espions avaient abandonné tout effort de discrétion et trois personnes s'étaient postées devant l'entrée, empêchant quiconque d'entrer ou de sortir. Depuis la fin de l'après-midi, Dragomira se trouvait seule dans la maison, avec Marie qui dormait dans sa chambre au deuxième étage. Quant à Zoé, il avait été convenu qu'elle aiderait Jeanne au restaurant. La jeune fille se trouvait donc à l'abri... Dragomira avait éteint toutes les lumières pour mieux distinguer les trois silhouettes plantées sur le trottoir, tournées vers la maison. Puis elle avait descendu l'étroit escalier en colimaçon et fermé avec soin l'étui de la contrebasse fixé au mur. Dragomira avait allumé une bougie de cire noire. Enfin, elle s'était installée dans un fauteuil de satin vieil or et, jambes croisées, mains posées à plat sur les accoudoirs, elle avait attendu avec une détermination décuplée par la colère qu'elle ressentait.

Deux femmes ne tardèrent pas à surgir dans l'appartement de la Baba Pollock, suivies par un homme grand et maigre au visage sec. Tous trois clignèrent des yeux, surpris par la pénombre qui régnait. La pièce était si encombrée de meubles, guéridons, tables basses, fauteuils, tableaux et objets qu'ils ne savaient où poser leur regard. Cette sensation confuse se trouvait accentuée par le faible éclairage de la bougie dont la flamme vacillait et rendait le décor encore plus déstabilisant. L'homme sortit sa Crache-Granoks.

— Je vais éclairer ce fatras, annonça-t-il.

— Ne vous donnez pas cette peine ! retentit la voix de Dragomira, les faisant sursauter malgré eux.

Une Trasibule se mit à étinceler de ses onze tentacules, cernant et éclairant les trois visiteurs tout en maintenant la maîtresse des lieux dans une obscurité protectrice.

— Ainsi, c'est donc toi… prononça Dragomira d'une voix d'outre-tombe à l'intention de la femme qui se tenait au milieu du trio. Toi, ma vieille amie de toujours… Je ne voulais pas le croire, je voulais te laisser une dernière chance d'échapper à cette terrible réalité. Pourquoi, Mercedica ? Pourquoi ?

La grande dame brune à l'allure sévère redressa le menton d'un air plus hautain que jamais et regarda vers l'endroit d'où provenait la voix de Dragomira, tout au fond de la pièce.

— Ma chère Dragomira… assena-t-elle avec sécheresse. Tu me parles de réalité, mais as-tu seulement idée de ce que cela veut dire ? Tu es si naïve parfois… Tu crois encore que la vie n'est faite que de douceur et d'amour ?

— Il y a longtemps que mes illusions se sont envolées, ma chère Mercedica, rétorqua Dragomira. Depuis que j'ai treize ans, très exactement. Depuis le jour où j'ai vu ma mère massacrée par Ocious…

— Tiens, à propos d'Ocious, lança méchamment Mercedica, laisse-moi te présenter son petit-fils Gregor, le fils aîné d'Orthon !

Du fond de sa pénombre, Dragomira se décomposa. Ses mains se crispèrent sur les accoudoirs du fauteuil et elle sentit son échine parcourue de frissons. Les images d'Orthon McGraw se désintégrant dans la cave sous l'effet du Crucimaphila lui revinrent en mémoire, ravivant de vieilles douleurs aussi physiques que mentales. Gregor la fixait avec une froideur cruelle qui présageait des moments à venir bien difficiles. Il ressemblait terriblement à son père : la même prestance glaciale, la même longue silhouette sombre, la même impression de force et de puissance. La vieille dame tressaillit et essaya tant bien que mal de contenir le fort ressentiment qui l'envahissait.

— Et même si tu ne l'as pas vue depuis longtemps, continua la terrible Espagnole, tu auras certainement reconnu ma fille Catarina…

Dragomira regarda la jeune femme qui se tenait à côté de Mercedica. Elle avait bien changé depuis leur dernière rencontre, deux ou trois années plus tôt. Son visage dur et impitoyable tranchait avec son allure très féminine, ses immenses yeux ombrés de cils épais, sa splendide chevelure qui tombait en cascade sur ses épaules et son élégance naturelle, héritée de sa mère, sans aucun doute.

— Elle te ressemble. Dans tous les sens du terme, j'imagine… fit remarquer Dragomira d'un ton acide. Mais je suppose que ta présence ici n'a rien à voir avec une visite de courtoisie… ajouta-t-elle en ne s'adressant qu'à celle qui était devenue son ennemie.

— Tu peux en effet voir les choses ainsi, rétorqua Mercedica avec un petit rire aigre. C'est néanmoins avec la plus extrême politesse que je te demanderai de bien vouloir me donner le tableau, Dragomira !

Sur ces mots, elle s'avança vers le fond de la pièce où Dragomira se raidissait dans son fauteuil, toujours plongée dans la pénombre. La Baba Pollock bouillonnait de fureur contre sa vieille amie et contre elle-même. Comment avait-elle pu ignorer à ce point la traîtrise de Mercedica ? Depuis quand la dupait-elle ? Quelles que soient les réponses, il était évident que l'Espagnole avait bien caché son jeu : personne n'avait rien vu. Ni Léomido le sceptique, ni Abakoum l'intuitif.

— Pourquoi fais-tu cela, Mercedica ? Pourquoi ? gémit Dragomira, submergée par la violente déception que provoquait cette trahison.

Mercedica soupira d'un air exaspéré qui blessa encore davantage Dragomira. Elle plissa ses grands yeux noirs lourdement maquillés et répondit avec provocation :

— J'ai choisi un autre camp, Dragomira. Le camp des vainqueurs.

— Que veux-tu dire ? renchérit la Baba Pollock.

— Je n'ai pas les mêmes ambitions que toi et tes amis, c'est tout ! lança Mercedica avec mordant.

— Mes amis étaient encore les tiens, il y a peu…

— Est-on encore amis quand on a si peu en commun ? rétorqua l'Espagnole. Mes amis — mes *vrais* amis, permets-moi d'insister — sont ceux avec lesquels je partage une même ambition et une même vision du monde. Et ce ne sont pas celles que je partageais avec toi, ni avec aucun de ceux qui t'entourent. Te souviens-tu de la réponse si pertinente que tu as donnée à notre chère petite Oksa quand elle t'a demandé pourquoi les Sauve-Qui-Peut ne se mettaient pas immédiatement en route pour Édéfia ? Elle ne comprenait pas votre attente, et ton principal argument était votre manque de préparation physique dû à votre âge. Je suis persuadée que tu pensais à un autre aspect, beaucoup plus essentiel : vous avez tous cet espoir insensé qui vous porte et vous enflamme, mais tu sais au fond de toi combien il est dérisoire… Car tu sais que l'espoir ne suffit pas. Tu sais que vous ne ferez pas le poids contre ce qui vous attend à Édéfia. Et tu as raison ! Moi, je préfère me ranger du côté des plus forts. Ainsi, je suis sûre de gagner !

— DE GAGNER QUOI ? tonna Dragomira.

— De gagner quoi ? Tu poses encore la question ? Mais, ma chère Dragomira, la puissance et la richesse ! Le pouvoir, Dragomira, le pouvoir ! Te souviens-tu de ce que nous avons laissé à Édéfia ? Te rends-tu compte du potentiel que nous avons en nous ? As-tu déjà réfléchi à notre immense supériorité ?

— Tu es comme eux… murmura Dragomira.

— Mais oui ! cria Mercedica. Et j'en suis fière ! Je suis fière d'appartenir à ce peuple si puissant !

— Mais pourquoi vouloir plus ? Ce que tu as ne te suffit pas ?

— La vie à Du-Dehors m'a appris à ne jamais me contenter de ce que j'ai, répondit Mercedica d'un ton sec en s'approchant.

— Et moi, c'est exactement l'inverse ! répliqua Dragomira en se redressant. N'avance pas, Mercedica !

Malgré cet avertissement, la redoutable Espagnole continua sa progression d'un pas ferme, bras tendu en avant. Le bout de ses doigts crépita et de fins éclairs bleutés s'apprêtaient à jaillir en direction du fauteuil vieil or. Mais Dragomira fut plus rapide et, à la grande surprise de ses trois indésirables hôtes, elle lança un Knock-Bong d'une violence inattendue sur Mercedica, qui se retrouva projetée contre le mur, à l'opposé de la pièce. Le choc fut si fort que les épingles à cheveux qui maintenaient le chignon parfait de l'Espagnole virevoltèrent dans tous les sens. De longues mèches noir corbeau s'échappèrent, cachant une partie du visage de Mercedica. Stupéfaite, Catarina se précipita vers sa mère inconsciente tandis que Gregor bondissait avec la souplesse prodigieuse d'un félin vers le coin obscur où se tenait Dragomira. La Baba Pollock n'eut pas le temps de réagir et reçut de plein fouet

126

l'assaut du fils d'Orthon McGraw. Entraînés par la vitesse et par leur poids, ils tombèrent tous deux à la renverse. Ses cuisses faisant office d'étau, Gregor immobilisa Dragomira. Il se pencha sur elle pour serrer ses poignets et lui souffla au visage d'un air mauvais :

— Mercedica a raison, vous ne ferez pas le poids et vous le savez fort bien ! Alors, donnez-nous le tableau, le vrai cette fois-ci ! Epargnez-vous des douleurs inutiles et, qui sait, une mort absurde…

Dragomira ne put s'empêcher de frémir. De peur autant que de dégoût devant cet homme cruel qui ressemblait tant à son père. La vision d'Orthon jeune s'imposa devant ses yeux. Le souvenir du garçon tendre et vulnérable qu'il avait été surgit comme un mirage fugace, puis s'effaça.

— Vous n'oserez pas… risqua-t-elle.

Gregor laissa échapper un ricanement inquiétant.

— Et pourquoi donc, je vous prie ? Vous avez bien osé, vous, ordonner à votre larbin de tuer mon père ! lança-t-il, le ton encore plus dur.

— Comment… s'étrangla Dragomira. Comment savez-vous…

— Comment je sais que ce n'est pas vous qui l'avez tué ? compléta le Félon en murmurant à son oreille. Je vous laisse deviner, c'est plus drôle ainsi, n'est-ce pas ? Dites-vous bien que nous n'avons pas besoin de vous. C'est la jeune fille qu'il nous faut, pas une vieille sorcière dont les pouvoirs restent un vague souvenir…

Folle de rage, Dragomira fit un effort surhumain pour pivoter sur elle-même malgré le poids et la poigne de Gregor. Le Félon, surpris, se retrouva propulsé sur le plan de travail, entraînant dans sa chute bon nombre de pots en verre et d'ustensiles en métal. Dragomira se remit prestement debout et, saisissant sa Crache-Granoks, elle lui lança une Granok dont les effets provoquèrent chez Gregor un gémissement d'effroi : la main du Félon venait de recevoir un Putrefactio ! À peine s'en rendit-il compte que le processus de pourrissement était déjà en marche.

— De la part de la vieille sorcière ! exulta Dragomira.

Pendant que Gregor se tordait de douleur sur le sol et que Mercedica revenait peu à peu à elle, Catarina avait décidé de passer à l'offensive : Dragomira reçut en plein cœur une Granok de Tornaphyllon qui lui souleva l'estomac. Le souffle coupé, elle se mit à tourner sur elle-même, entraînée par la mini mais puissante tornade qui l'emprisonnait et la faisait se cogner partout. Les meubles, les murs, le moindre objet devenaient une arme retournée contre elle. Sans pouvoir empêcher le mouvement furieux du vent, elle se heurtait au coin des tables, se coupait aux débris des tableaux qu'elle explosait sur son passage, se blessait en voulant se retenir à ce qui se présentait sous ses mains. Rassemblant toutes ses forces, elle se concentra pour contrer le sens du vent violent qui s'enroulait autour d'elle en balançant son corps dans le sens inverse. « La toupie humaine... » se dit-elle en pensant à Oksa dont c'était là une des figures préférées. Les effets de la Tornaphyllon s'estompèrent vite mais, par malheur, Mercedica en avait été le premier témoin : elle fondit sur Dragomira et la plaqua au mur avec une telle force que la Baba Pollock eut l'impression que son corps allait s'enfoncer dans la cloison. Tous ses os étaient atrocement douloureux et elle gémit sous l'effet dévastateur de la souffrance et de l'impuissance à laquelle elle se trouvait réduite. Mercedica bloqua ses mains contre le mur et accentua encore davantage la pression de son corps contre celui de Dragomira, comme si elle voulait l'écraser. La pauvre Baba Pollock vit alors s'approcher Catarina, l'air plus glacial que jamais, et Gregor, méprisant et sinistre. C'est ce dernier qui souleva en elle des plus intenses paniques qu'elle ait jamais connues : la plaie causée par le Putrefactio quelques instants plus tôt était en train de disparaître ! Il ne restait qu'une vague cicatrice ourlée de croûtes sur le bras du Félon, qui affichait une satisfaction inquiétante. Il colla son bras sous le nez de Dragomira et susurra :

— Surprise !

Et, plongeant son regard d'encre dans les yeux bleus de Dragomira, il ajouta :

— Je dois reconnaître que vous m'avez fait terriblement mal en me lançant cette Granok, mais votre désarroi et la panique que je lis sur votre visage valent bien ces quelques secondes désagréables ! Ah ! Dragomira Pollock... Ne me dites pas que vous avez oublié qui je suis ! Le sang de mon ancêtre Témistocle coule dans mes veines, vous savez ce que cela signifie et quel incomparable avantage cela me donne, à moi et à tous les miens, sur le moindre d'entre vous ! En tout cas, vous ne pouvez plus l'ignorer...

Les yeux fixés sur Dragomira, il ricana avec jubilation. Soudain, un grincement se fit entendre. Tous tournèrent la tête : l'étui de contrebasse venait de s'ouvrir, laissant passer la tête ronde du Foldingot. Dragomira se raidit sous la pression de Mercedica et ne put s'empêcher de crier :

— NON !

— Mais si, très chère Dragomira ! répliqua Gregor.

Devant l'immobilité forcée de sa maîtresse, le Foldingot surgit alors de sa cachette, ses petits poings en avant.

— La Vieille Gracieuse a attribué un ordre, vous n'avez pas le pouvoir de le contourner ! brailla-t-il, son drôle de visage blême.

Pour toute réponse, Gregor lança sa main en avant et lui envoya un Knock-Bong d'une dureté impitoyable. Le Foldingot fut projeté contre un guéridon, sa tête heurtant violemment le pied en acier. Il étouffa un cri et s'affaissa sur le sol, inconscient.

— Il faut l'emmener avec nous, Gregor… précisa Mercedica. Il est le Gardien du Repère Absolu !

Dragomira se débattit, hors d'elle. Mais peine perdue. . L'entrave de Mercedica était trop puissante. Gregor s'approcha du Foldingot. À peine se penchait-il pour s'emparer de la petite créature que les deux Ptitchkines surgirent du fond de l'appartement et foncèrent droit sur le Félon. Se postant chacun devant une oreille, ils introduisirent leur minuscule corps dans le pavillon en piquant sans pitié de leur bec le conduit auditif. Gregor se mit à grogner en portant ses mains à ses oreilles, en proie à une douleur insupportable. Revenant à lui, le Foldingot se redressa et, profitant de la situation quelque peu chaotique, bondit sur ses pieds et s'enfuit de l'appartement.

— Argh ! pesta Mercedica. Tant pis… Nous n'avons plus le temps de le chercher, les Knut ne vont pas tarder à revenir et je préfère en avoir terminé avant leur retour… Mais à défaut du Gardien du Repère, nous aurons au moins cela ! exulta-t-elle en arrachant du cou de Dragomira le médaillon de Malorane.

— Il ne te servira à rien ! enragea la Baba Pollock en grimaçant de douleur.

Mercedica laissa échapper un petit rire cruel qui lui tordit le visage.

— Ne t'inquiète pas, ma chère Dragomira, je saurai l'utiliser à bon escient ! Et maintenant, je te le demande une dernière fois, donne-nous le tableau !

— JAMAIS ! hurla Dragomira.

— Eh bien, nous le trouverons sans ton aide, tu peux me croire ! menaça l'Espagnole.

— Vous ne le trouverez pas ! continua Dragomira. Il n'est plus ici !

Les trois Félons parurent décontenancés par cette éventualité. Mercedica regarda Gregor, le front plissé. Puis, relevant une mèche de ses doigts aux ongles laqués de rouge, elle défia sa prisonnière :

— Tu bluffes ! Nous surveillons tous tes gestes depuis l'Entablement. Le tableau n'a pas quitté cette maison, j'en suis certaine…

— Aucune certitude n'est définitive… lui fit remarquer Dragomira en la mitraillant des yeux.

— Dragomira ? Que se passe-t-il ? retentit soudain une voix. Dragomira ?

À l'étage du dessous, bloquée dans son fauteuil roulant, Marie Pollock appelait sa belle-mère. Dragomira croisa le regard de Mercedica et se décomposa en lisant dans ses yeux la monstrueuse idée qui venait de traverser l'esprit de la Félonne.

— Catarina, s'il te plaît, veux-tu bien aller rassurer notre amie Marie pendant que Gregor récupère ce que nous cherchons ? demanda Mercedica avec jubilation.

Et Dragomira eut juste le temps de voir Gregor traverser le fond de l'étui de la contrebasse avant de recevoir un coup de poing magistral qui la plongea dans les ténèbres.

23

Une cachette insoupçonnable

Alors que le Félon Gregor mettait à sac l'atelier-strictement-personnel de Dragomira, Merlin Poicassé jetait des coups d'œil nerveux au tube de bois hermétiquement clos que lui avait confié la grand-mère de son amie Oksa Pollock. L'objet, posé sur le bureau du jeune garçon, était d'une neutralité irréprochable et personne ne pouvait se douter de l'importance capitale de son contenu. Et pourtant... De la toile qui était roulée à l'intérieur dépendait la vie de plusieurs personnes ! Y compris celle d'Oksa, cette fille fabuleuse qui faisait accélérer les battements de son cœur dès qu'elle posait ses yeux gris ardoise sur lui... C'était la plus jolie fille qu'il ait jamais vue. La plus jolie, la plus fougueuse et, surtout, la plus magique. Il y avait de fortes probabilités pour qu'il n'en rencontre pas deux comme elle de toute sa vie... Depuis le premier jour où il l'avait vue, mal à l'aise dans son uniforme de collégienne, il avait compris qu'elle n'était pas comme tout le monde. À force de l'observer du coin de l'œil, il s'était persuadé qu'elle détenait des pouvoirs. Ce qu'elle avait fini par lui confirmer, de mauvais gré. Mais malgré les mises en garde de Gus, elle n'avait jamais eu à regretter de lui avoir confié le secret des Pollock : il était resté muet comme une tombe. Jamais aucune allusion en public, jamais aucun sous-entendu douteux. Et cette discrétion lui avait valu la confiance d'Oksa et celle de sa famille. Il en avait eu la preuve quelques heures plus tôt quand le téléphone avait sonné. Il avait décroché et reconnu avec surprise la voix de Dragomira Pollock, la grand-mère hallucinante d'Oksa. La vieille dame semblait très perturbée, elle respirait précipitamment et elle parlait très bas, comme si elle craignait que quelqu'un ne surprenne leur conversation. Et pourtant, ils n'avaient rien échangé de bien compromettant, juste quelques banalités d'usage.

— J'ai retrouvé quelques livres t'appartenant en rangeant la chambre d'Oksa, lui avait dit Dragomira. Me permets-tu de venir te les rendre ? Tu pourrais en avoir besoin pendant l'été et Oksa est déjà partie en vacances…

— Des livres qui m'appartiennent ? avait demandé Merlin en se souvenant qu'Oksa n'avait pas parlé de partir où que ce soit pendant les vacances.

— Oui ! avait insisté Dragomira d'un ton pressant. Puis-je te les rapporter ? Je dois voir une amie qui habite tout près de chez toi…

— Euh… oui, si vous voulez, avait acquiescé Merlin en se doutant que Dragomira avait quelque chose de très important à lui dire.

Une demi-heure plus tard, la vieille dame buvait avec nervosité une tasse de thé, assise dans le salon des Poicassé. Les parents de Merlin étaient au travail. Le garçon était seul en compagnie de la géniale apothicaire qui lui raconta en détail le déroulement des derniers jours, de la disparition de Gus à la révélation du Culbugueulard. En passant bien sûr par l'Entableautement d'Oksa et des courageux Sauve-Qui-Peut… Merlin avait été affolé par ces terribles nouvelles, mais c'est sans aucune hésitation qu'il avait accepté de cacher la Claquetoile roulée dans le tube de bois que lui tendait la Baba Pollock.

— Tu es le seul parmi nous à être insoupçonnable, mon cher garçon… lui avait-elle affirmé.

— Vous êtes sûre que personne ne vous a suivie ? avait demandé Merlin en tremblant devant la responsabilité colossale qui venait de lui tomber dessus comme le ciel sur sa pauvre petite tête.

— Certaine ! lui avait assuré Dragomira.

Et pourtant, quelques heures après le départ de la vieille dame et malgré son assurance, Merlin ne pouvait s'empêcher de douter de son anonymat. Il tira à peine le rideau de sa chambre et jeta un coup d'œil à l'extérieur, vers la terrasse du salon de thé qui se trouvait juste en face, de l'autre côté de la rue. L'homme était toujours là. Depuis deux heures, il n'avait pas bougé d'un centimètre, avalant des tasses de café l'une après l'autre, les yeux rivés sur l'entrée de la maison des Poicassé. C'était peut-être un hasard, un effet de l'imagination de Merlin exacerbée par la confession des derniers secrets des Pollock. Mais le garçon n'y croyait pas vraiment : cet homme surveillait sa maison. Il savait que Dragomira était venue. Alors qu'est-ce qu'il attendait, assis là, à siroter son café ? S'il voulait lui voler la Claquetoile, il pouvait le faire, c'était facile ! Il suffisait d'entrer, de monter dans sa chambre, de lui flanquer un coup sur la tête ou de le ligoter sur une chaise – ou même de le tuer ! – et voilà…

– Aaaaahhhhhh !

Merlin sursauta en étouffant à grand-peine un cri de stupeur : la sonnette de la porte d'entrée venait de retentir ! Jamais elle n'avait paru aussi sinistre aux oreilles du garçon. Par réflexe, il regarda par la fenêtre.

– Oh non… C'est pas vrai !!!

L'homme n'était plus là ! Évidemment ! Il se trouvait *derrière la porte*, le doigt appuyé sur la sonnette, c'était certain ! En tout cas, Merlin n'en doutait pas. Il s'engagea avec précaution sur le palier et risqua un coup d'œil vers la porte d'entrée ornée de verre opaque. Une silhouette massive en occupait toute la surface ! Le garçon sentit ses jambes flageoler et son front se couvrir de sueur. Il ne devait rester là à aucun prix ! Il fit alors volte-face, s'empara du tube de bois qu'il fourra dans son sac à dos et se précipita dans la salle de bains, au fond de la maison. Debout sur le rebord de la baignoire, il ouvrit la petite fenêtre qui donnait sur la cour arrière et l'enjamba, les dents grinçant de nervosité. Le vide sous lui l'impressionnait, mais son appréhension se porta vite sur un problème beaucoup plus grave que quelques mètres de vide : l'homme venait de pénétrer dans la maison ! Merlin entendait ses pas lourds monter l'escalier. S'il le trouvait, il lui prendrait le tableau et Oksa serait perdue à jamais ! Alors Merlin s'agrippa à la gouttière et, les pieds en appui sur les briques, il descendit le long de la façade avec l'aisance d'une grosse araignée.

– Mon fils ? Vous êtes sûre, Meredith ?

– Oui, monsieur, il est là, à l'entrée.

– Je descends !

Edmund Poicassé se fraya un passage parmi les touristes qui se pressaient dans les escaliers de la célébrissime tour de Big Ben. Le père de Merlin était un homme imposant au caractère très vif. En quelques années, sa passion pour Londres avait fait de lui un vrai Londonien, à tel point qu'il en avait presque oublié qu'il était français. Seules quelques rares intonations trahissaient encore ses origines et ne faisaient qu'accentuer la sympathie qu'avaient pour lui ses collègues et amis. C'est d'ailleurs en anglais qu'il s'adressa à son fils qui l'attendait à l'accueil, ce qui ne dérangeait pas le moins du monde Merlin, en parfait bilingue qu'il était.

— Que fais-tu là, mon garçon ? s'étonna Edmund Poicassé.

— Eh bien, je viens voir mon vieux père sur son lieu de travail ! répondit Merlin d'un air faussement enjoué. Crois-le ou non, mais je m'ennuyais un peu et j'ai soudain ressenti une incontrôlable envie de voir Big Ben ! Ça fait un moment que je ne suis pas venu...

— Je me retenais de t'en faire le reproche, figure-toi ! lança son père en ébouriffant sa chevelure bouclée.

— Tu m'emmènes voir l'horloge ?

— Bien volontiers, jeune homme !

Et avec un grand sourire, Edmund Poicassé entraîna son fils dans le dédale des escaliers qui montaient à la cloche. Merlin était encore sous le choc de sa fuite forcée, il lui semblait que son cœur avait été pressé comme un citron. Par les fenêtres étroites, il apercevait des bribes de Londres, le Parlement, Westminster, St James Park au loin. Et quelque part dans ces rues, il y avait un homme qui le cherchait... Il tâta le tube de bois dissimulé dans son sac à dos. C'était une énorme responsabilité que lui avait confiée Dragomira. Il pensa à Oksa qui était là, enfermée dans la Claquetoile. Jamais elle n'avait été aussi près de lui... Et c'est sur lui que reposait son destin ! Un bref vertige lui fit tourner la tête. Il interrompit son ascension vers le sommet de Big Ben et se cramponna à la rampe de l'escalier.

— Ça va, fiston ? lui demanda son père.

— Oui, merci, Papa !

Il avait répondu d'un air dégagé et insouciant. Quel excellent comédien il faisait... Car au fond de lui, il se sentait en pleine confusion. En quittant la maison, il avait couru comme un marathonien, d'un pas rythmé et régulier, tout en réfléchissant avec fièvre. Où pouvait-il bien cacher la Claquetoile ? À St Proximus ? Pas question ! L'endroit était trop évident pour les Félons. Dans une consigne de la gare ? Pas mal... Mais trop facile peut-être. Il ne devait prendre aucun risque. « Mais oui ! Bien sûr ! » s'était-il soudain écrié. Il était alors revenu sur ses pas et s'était dirigé droit sur le Parlement. Arrivé au pied de Big Ben, il avait regardé en l'air, un sourire satisfait aux lèvres.

— T'inquiète, Oksa ! avait-il murmuré en tapotant son sac à dos. Ici, personne ne te trouvera !

Big Ben était certes l'un des lieux les plus fréquentés de Grande-Bretagne, mais Merlin avait un avantage sur les centaines de touristes qui passaient là chaque jour : son père était maître horloger et venait d'accéder depuis quelques mois au titre convoité de gardien de la cloche. Ce qui impliquait qu'il avait accès à des salles dans lesquelles nul autre que lui et les deux autres gardiens ne pouvait entrer…

— Je te laisse un moment, mon garçon, j'ai juste une petite chose à voir avec James !

— D'accord, Papa, à tout de suite !

Merlin se trouvait maintenant dans la salle de l'horloge, envahie par le monstrueux mécanisme de roues dentées. Des petites fenêtres de verre coloré laissaient voir en transparence les aiguilles de la pendule la plus célèbre du monde. Merlin en ouvrit une et pencha la tête : la grande aiguille n'était pas loin. Il se hissa sur la pointe des pieds pour ouvrir la fenêtre qui se trouvait face à l'aiguille. « Argh ! » enragea-t-il. Il était trop petit ! Et non seulement il était trop petit mais, en plus, il fallait faire vite ! Son père allait revenir et l'aiguille lambinait ! Le pauvre garçon commença à trembler, paniqué. Il se pencha à nouveau par la fenêtre qui était à sa hauteur : l'aiguille était presque à son niveau. Encore quelques secondes… Il sortit l'étui de bois et défit le lacet de sa chaussure. L'aiguille en fer forgé, énorme, s'apprêtait à apparaître dans l'encadrement de la petite fenêtre. Merlin attacha l'étui contre l'aiguille qui poursuivait sa course lente et fit un nœud en serrant le lacet de toutes ses forces. Puis, éreinté et haletant, il regarda le tube s'éloigner au rythme des secondes qui s'égrenaient.

— Voilà, Oksa ! Personne ne viendra jamais te chercher là… murmura-t-il en refermant la petite fenêtre. Ça, je peux te l'assurer !

24

L'étendue des dégâts

Quand Naftali et Brune Knut garèrent leur voiture devant Big-toe Square, ils comprirent dans l'instant que quelque chose s'était passé. En effet, déjouant toutes les règles de sécurité auxquelles il s'était astreint depuis plus de cinquante ans, le Foldingot les attendait, penché à la fenêtre du troisième étage, en se lamentant avec si peu de discrétion que n'importe quel piéton passant par là n'aurait pu éviter de le remarquer. Naftali et Brune froncèrent les sourcils et se précipitèrent vers la maison. La porte d'entrée était entrouverte, ce qui était totalement inhabituel. Surtout en ces temps troubles…

— Les amis suédois de la Vieille Gracieuse font une arrivée attendue ! lança le Foldingot en dévalant les escaliers. L'impatience et l'alarme faisaient l'invasion de la domesticité de la Vieille Gracieuse…

— Que se passe-t-il, Foldingot ? lui demanda Naftali avec gravité. Tu as l'air retourné !

Brune prit la petite créature dans ses bras. Le Foldingot tremblait et claquait des dents. Il mit ses longs bras autour du cou de la vieille dame et s'y accrocha avec fermeté.

— Les Félons ont fait l'instauration de la terreur dans cette maison ! gémit-il de sa voix suraiguë. Ils ont provoqué le cataclysme dans l'appartement de la Vieille Gracieuse. Leur volonté de s'emparer de la Claquetoile a été déjouée car la Vieille Gracieuse débordait de soupçons, elle a organisé la fuite.

— Dragomira ! Dragomira ! Qu'as-tu fait ? se lamenta Naftali en se parlant à lui-même.

— La cachette de la Claquetoile contient la sécurité extrême puisque seule la Vieille Gracieuse a la connaissance de l'identité de son gardien. Mais le drame de cette maisonnée est complet, bouhouhou… sanglota le Foldingot. Les Félons ont montré la cruauté qui étreignait leur cœur, la Vieille Gracieuse a rencontré la blessure, les amis suédois doivent monter à la rescousse !

Naftali s'élança aussitôt dans l'escalier qui menait aux étages. Entravée par le Foldingot qu'elle tenait toujours dans ses bras, Brune lui emboîta le pas, plus prudente.

— Et Marie ? demanda-t-elle à la petite créature.

Le Foldingot fondit en larmes et enfouit sa grosse tête ronde dans le cou de Brune.

— La mère de la Jeune Gracieuse a subi la tragédie…

— Quoi ? s'alarma Brune. Ne me dis pas qu'elle est… *morte* ?

— Non ! s'écria le Foldingot. La mère de la Jeune Gracieuse n'a pas rencontré la mort. Mais les Félons ont pratiqué le kidnapping ! La mère de la Jeune Gracieuse a été emportée !

Brune poussa un cri de stupeur.

— Ce n'est pas vrai ! Dis-moi que ce n'est pas vrai, Foldingot ! se lamenta-t-elle en regardant la petite créature avec désespoir.

— Ma bouche ne fait que la transmission de la vérité. Si la Vieille Gracieuse a la connaissance de l'événement, son cœur risque d'interrompre ses battements. Bouhouhou… le drame ensevelit les Sauve-Qui-Peut… Grâce au secours des Ptitchkines, le Foldingot Gardien du Repère Absolu a pratiqué la fuite avec succès, mais il l'a échappé laide…

— Belle… Tu l'as échappé belle ! piaillèrent les petits oiseaux dorés en voletant autour de Brune.

Sonnée par ces nouvelles, Brune rejoignit son mari dans l'appartement de Dragomira. Le grand salon était dévasté, jonché de débris de verre et de meubles cassés. Après la fouille vigoureuse des Félons, il n'y avait plus un seul objet intact, plus un seul fauteuil en état. Sur l'un des canapés éventrés, Dragomira gisait, une vilaine marque rouge autour du cou, le visage contusionné et un œil poché. Mais, surtout, le regard lourd de désolation… Naftali se trouvait à ses côtés, l'air abattu.

— Brune… murmura la Baba Pollock en tendant le bras vers sa vieille amie. Mercedica… C'est Mercedica…

Intriguée et inquiète, Brune regarda Dragomira, puis Naftali. Que voulait dire Dragomira ? Non ! Ce n'était pas Mercedica qui était à l'origine de ce chaos ! Mais Naftali acquiesça de la tête, confirmant la terrible vérité.

— Mercedica de La Fuente fait partie de la félonie ! témoigna le Foldingot. Avec la compagnie de sa filiation prénommée Catarina et de celle du Félon Orthon McGraw prénommée Gregor, ils ont fait l'agression de la Vieille Gracieuse et commis le vol de son médaillon et de la Goranov !

Naftali enfouit son visage dans ses mains et Brune, prise d'un vertige, se laissa tomber sur un siège branlant.

— Les ordures… gronda Naftali. Ils ont bien préparé leur coup !

— Si seulement j'avais été plus vigilante ! déplora Dragomira. Mercedica a toujours été assez rigide, ses convictions étaient souvent inflexibles et j'avais remarqué qu'elle s'était encore durcie ces derniers mois. Elle semblait plus tendue et, à plusieurs reprises, elle a fait preuve d'une rudesse que je ne lui connaissais pas. J'aurais dû être plus attentive et me poser des questions…

— Ne te reproche rien, Dragomira ! lança Brune. Comment aurais-tu pu deviner qu'elle était une Félonne ? C'était ton amie de toujours, celle aux côtés de qui tu as traversé tant d'épreuves, celle qui avait juré fidélité à ta mère Malorane !

— Oui ! reconnut Dragomira d'un ton amer, brisée par la peine. J'aurais dû voir ! J'aurais dû comprendre que quelque chose se préparait !

— Mercedica savait que nous devions aller chez Abakoum ce soir pour renforcer les sécurités… ajouta Brune. Elle en a profité pour faire entrer ses « amis » ! Elle nous a trompés en beauté !

— Si je croise son chemin, je ne donne pas cher de sa peau, je te le garantis ! tonna Naftali, ses yeux verts brillants de rage.

— Je suis désolée, mes amis… dit Dragomira dans un souffle.

— Ce n'est pas ta faute ! répéta Brune en se précipitant pour lui prendre la main.

— Et Marie ? demanda Dragomira d'une toute petite voix.

Brune se mordit la lèvre et jeta un regard désespéré à Naftali. Elle serra encore davantage la main de son amie entre les siennes.

— Ils l'ont enlevée, n'est-ce pas ? dit Dragomira d'une voix cassée.

Les larmes aux yeux, Brune la regarda sans pouvoir dire un seul mot. Dragomira gémit et son visage acheva de se décomposer. Le dernier espoir, infime, venait de s'évanouir. Toute résistance sembla abandonner la Baba Pollock. Les forces quittaient son corps et son cœur. Sa tête tomba avec lourdeur contre le bras de Brune et elle se mit à pleurer, submergée par l'angoisse et le remords.

— C'est ma faute ! bredouilla-t-elle entre deux sanglots. J'ai cru que je pouvais les affronter seule... Je ne suis qu'une vieille et pitoyable folle...

Retenant ses larmes Brune l'interrompit :

— Le Foldingot m'a tout expliqué, tu as eu le bon réflexe : en cachant la Claquetoile, tu as évité une énorme catastrophe. Mais tu ne pouvais pas tout empêcher. J'aurais fait comme toi, tu sais...

— Mais où est-il, Dragomira ? Où est le tableau ? intervint Naftali avec autant de douceur qu'il pouvait malgré l'immense fureur qui l'envahissait.

— Naftali, Dragomira ne nous le dira pas, lui répondit Brune.

Naftali et Dragomira la regardèrent avec étonnement.

— Mais il ne faut pas qu'elle nous le dise ! continua Brune. C'est la garantie pour elle de ne pas être tuée. Si elle est la seule à le savoir, les Félons ne pourront rien contre elle et, de plus, c'est une façon de préserver notre sécurité.

— Tu as tout à fait raison, ma chère Brune... murmura Dragomira.

— En revanche, je crains que Marie ne serve de monnaie d'échange maintenant, dit Naftali. Ces ordures ont le meilleur moyen de pression dont ils pouvaient rêver. Et nous savons ce qu'ils vont exiger.

— Marie contre Oksa... gémit Dragomira en plongeant son visage dans ses mains.

— Mais c'est mal nous connaître ! gronda Naftali. Les Félons ont un avantage sur nous aujourd'hui, un avantage de taille, j'en conviens. Mais tant qu'Oksa est à nos côtés, les cartes sont entre nos mains. Nous sommes affaiblis, certes. Mais c'est nous qui sommes en position de force. Oksa représente le pouvoir ultime et même le Félon le plus féroce est impuissant face à notre Inespérée. Ancre bien cela au fond de ton esprit, Dragomira...

25

Confidences dans la grotte

Un silence de mort régnait dans la grotte. L'entrée était désormais bouchée par une masse sombre agitée par des mouvements mous et inquiétants. Les yeux rivés sur l'étrange phénomène, les Sauve-Qui-Peut étaient sous le choc de ce qu'ils venaient de vivre.

— Si on m'avait dit qu'un jour je serais poursuivie par le Vide… lâcha Oksa dans un souffle. Brrrr, ça fait froid dans le dos. Je déteste ce *truc* !

Elle chercha son père des yeux. Il s'était recroquevillé dans le coin le plus obscur de la grotte, les bras enroulés autour des genoux, le visage caché. Il laissa échapper un faible gémissement qui parvint aux oreilles de chacun des Sauve-Qui-Peut. Tous les regards se dirigèrent vers Oksa. Abakoum posa sa main sur l'épaule de la jeune fille et murmura :

— Va le voir, Oksa. Va voir ton père.

Oksa lui jeta un coup d'œil plein de doute, mais finit par s'approcher. Elle se laissa glisser le long de la paroi rugueuse de la grotte, à ses côtés. Sans la regarder, Pavel mit son bras autour de ses épaules et la serra fébrilement, l'invitant à poser sa tête contre lui.

— Papa… Qu'est-ce qui t'arrive ? chuchota-t-elle au bout d'un long moment. C'était ton Dragon d'Encre, c'est ça ?

Pavel se crispa, étonné qu'Oksa parle de manière aussi ouverte de ce qu'il avait caché pendant des années. Mais Oksa était très forte pour découvrir les secrets. Une vraie championne… Il poussa un soupir.

— Mon Dragon d'Encre a toujours été là, dit-il d'un ton résigné en resserrant son étreinte. Pendant toutes ces années, je l'ai étouffé et il a fini par se tapir au fond de moi, silencieux et immobile. Mais aujourd'hui, je ne peux plus le contenir.

— Mais… c'est un vrai dragon ? demanda Oksa.

— Tu l'as vu de tes propres yeux… lui signala son père. Quand j'étais en Chine, tu sais qu'un vieux moine m'a initié aux secrets des arts martiaux. Pendant des mois, j'ai vécu à ses côtés dans la montagne. Il était mon maître, j'étais son élève. Mes origines et la profondeur de mes douleurs ne lui ont jamais échappé et, depuis le premier jour, j'ai compris qu'il savait. Je me suis longtemps demandé s'il était lui aussi un Sauve-Qui-Peut, mais nous n'avons jamais eu besoin d'en parler, cela n'aurait rien changé. Après une période éprouvante pendant laquelle je ne parvenais pas à trouver la moindre réponse à la multitude de questions que je me posais, le vieux moine a proposé de me faire un tatouage. J'étais étonné et je lui avouai n'en avoir pas très envie. Bien entendu, il s'agissait d'un tatouage spécial, ce que je pouvais facilement concevoir étant donné le caractère magique de l'enseignement de mon maître. Ce tatouage devait permettre à mes tourments de se concentrer en moi et surtout d'évoluer d'une façon moins douloureuse, au lieu de se diluer dans mes veines et dans mon cœur en m'empoisonnant comme ils l'avaient fait jusqu'alors. Tu peux voir cela comme une sorte de domptage de mes maux les plus noirs, une manière de rester maître de soi en transformant la douleur en une forme d'énergie mêlée de volonté et de puissance. Toi, ma fille, tu es beaucoup plus forte que je ne l'étais alors : tu maîtrises tes pouvoirs…

— Euh… pas toujours ! l'interrompit Oksa en se souvenant de certains épisodes.

— Mais surtout, et à la grande différence du jeune homme que j'étais, reprit Pavel, tu ne les crains pas. Être une descendante de Sauve-Qui-Peut ne t'effraie pas. Tu sais qu'en ce qui me concerne, c'est plus un problème qu'une… comment dire… *motivation* ?

Ce n'était pas la première fois que les tourments de son père étaient évoqués. Et pourtant, Oksa ne put s'empêcher de lui poser la question :

— Tu as peur de ce que tu es ?

— Je ne suis pas certain d'être prêt à en parler, lui répondit son père d'un air embarrassé. Disons que je le crains de moins en moins… La révélation de mon Dragon d'Encre en est la preuve.

– Ça veut dire aussi que tu deviens un grand sage, Papa ! renchérit Oksa en lui donnant un coup de coude.

– Un monstre, oui ! répliqua Pavel avec un petit rire amer.

– Oh ! arrête ! Moi, je suis super fière d'avoir un père comme toi ! s'écria Oksa. T'imagines un peu : « Oui, mon père est un descendant direct de la Gracieuse d'Édéfia et un dragon vit en lui… Vous verriez sa *mâ-gni-fique* paire d'ailes ! Oui, je sais, il est assez *extrâ-ôrdi-naire*… » ajouta-t-elle en prenant un air snob.

Pavel rit franchement cette fois-ci et ébouriffa les cheveux emmêlés de sa fille. Pour sa part, Oksa était enchantée de le voir enfin se détendre.

– C'est vrai qu'avec une fille de ton envergure, il faut que j'assure ! lui lança-t-il en lui faisant un clin d'œil. Je ne peux pas me permettre d'être médiocre sans risquer d'être renié par ma propre enfant. Alors j'ai choisi quelque chose d'un peu spectaculaire, j'en conviens. Mais quand on veut être à la hauteur, il ne faut jamais avoir peur d'en faire trop…

– La dérision est éternelle dans la bouche du père de la Jeune Gracieuse, souligna la Foldingote en applaudissant.

– La dérision est un mode de survie, précisa Pavel, un sourire aux lèvres mais le regard grave. Chacun ses armes…

Sur ces mots, il se leva sans regarder qui que ce soit. Comprenant qu'il ne voulait pas insister sur son mystérieux Dragon d'Encre, Oksa prit la main qu'il lui tendait et tous les deux rejoignirent le groupe des Sauve-Qui-Peut qui se tenait au centre de la grotte. Le papillon noir voletait au-dessus de leurs têtes en battant des ailes avec frénésie. Dès qu'il vit Oksa, il s'approcha d'elle, suscitant chez la jeune fille un mouvement de recul.

– Excuse-moi, Éclaireur ! Je n'ai jamais été très à l'aise avec les insectes… se sentit-elle obligée de préciser.

– La Jeune Gracieuse veut dire qu'elle a horreur des insectes ! intervint la Devinaille avec moins de diplomatie qu'Oksa. Ils la dégoûtent ! Elle les trouve répugnants, immondes, écœurants, abjects…

– C'est bon, la Devinaille ! la coupa Tugdual. On a tous bien compris que tu avais beaucoup de vocabulaire !

– Oh ! ça va, vous ! lui lança la petite poule vexée. Vous feriez mieux de trouver une issue à cet endroit sordide et frigorifié ! La température a chuté d'une bonne vingtaine de degrés, on se croirait dans une chambre froide !

142

Oksa regarda autour d'elle : la grotte était sombre, éclairée par les seuls tentacules lumineux de la Trasibule qu'avait fait émerger Abakoum de sa Crache-Granoks. Ses parois couvertes de grosses pierres grises montaient jusqu'à un plafond irrégulier qui culminait à deux mètres au-dessus de leur tête. Dans l'entrée, le Vide aux reflets inquiétants semblait monter la garde et, à l'opposé de cette ouverture, un mince passage s'enfonçait vers l'inconnu.

— C'est vrai qu'il ne fait pas très chaud, reconnut Oksa, donnant raison à la Devinaille qui s'était réfugiée dans la veste d'Abakoum. Où sommes-nous, Éclaireur ?

Le papillon noir se positionna en vol stationnaire devant elle et répondit de sa voix étonnamment grave :

— Nous sommes dans le Médius, Jeune Gracieuse.

— Qu'est-ce que c'est ?

— Avant de parvenir au Fouille-Cœur et au Sanctuaire qui recèle l'Histoire, il vous faudra traverser plusieurs strates. J'ai entendu le Culbu-gueulard de votre Jeune Gracieuse évoquer des poupées russes : le principe est le même. Le Fouille-Cœur représente la plus petite poupée, celle qui se trouve au centre de toutes les autres.

— Et... il y a beaucoup de poupées ? interrogea Oksa, les sourcils froncés.

— Je l'ignore, Jeune Gracieuse, admit le papillon sans cesser de voleter. Vous avez déjà passé deux strates : la Forêt du Non-Retour et les Collines Maritimes. Entre chaque strate, nous nous trouverons dans une zone de transit comme celle-ci : c'est le Médius qui nous conduira à la prochaine strate. Chaque fois, des épreuves se présenteront.

— Quel genre d'épreuves ? demanda à nouveau Oksa, inquiète mais curieuse.

— Les épreuves ont pour but de parfaire l'individu. C'est la fonction originelle de l'Entableautement. Elles sont destinées à améliorer celui qui a été entableauté. Malheureusement, le Fouille-Cœur est dans le coma et les épreuves peuvent avoir, je le crains, un aspect beaucoup plus incertain. Le Félon Orthon possédait une Claquetoile qu'il avait emportée avec lui lors du Grand Chaos. Il a lui-même exposé ses méfaits et il a soufflé sur la Claquetoile. Le Fouille-Cœur a reçu le détail des forfaits et le souffle de celui que nous détestons tous. Bien entendu, vu la gravité de ce qu'Orthon avait commis, le Fouille-Cœur ne pouvait que décider de l'entableauter. Cependant, comme vous le savez, Orthon avait d'autres intentions et il s'est bien gardé de déposer la goutte de sang qui aurait permis son Entableautement. Et c'est sa sœur jumelle Réminiscens qui l'a été à sa place...

Léomido grimaça en se passant les mains sur le visage. À ses côtés, Réminiscens posa une main sur son épaule et baissa avec pudeur les yeux. Puis elle prit le relais du papillon d'une voix émue :

— Quand il a compris que pour moi il était devenu un fou sans scrupules et que je risquais de dévoiler ses monstrueuses ambitions, je n'ai plus été qu'un danger potentiel à ses yeux. Oubliée, la sœur jumelle ! Oublié, le respect familial ! Tout s'est passé très vite. Mais il faut dire qu'il avait bien préparé son coup... précisa la vieille dame, amère. Nous nous sommes disputés, une fois de plus, et il a soudain déroulé la Claquetoile sur laquelle il a soufflé. Des reflets noirs comme un ciel d'orage ont aussitôt envahi la toile blanche, c'était stupéfiant. Je ne comprenais pas ce que mon frère projetait de faire. Mais quand il a sorti un couteau et qu'il s'est approché de moi avec un regard froid comme l'acier en m'intimant l'ordre de me laisser faire, toutes les histoires d'Entableautements que j'avais entendues quand j'étais jeune me sont revenues à l'esprit. J'ai alors saisi ce que mon frère comptait faire et j'ai tenté de fuir. Mais j'ai été stoppée net par une Granok d'Arborescens et je me suis retrouvée ligotée. Orthon a saisi ma main et, d'un coup de couteau, il a fait couler le sang dans ma paume. Je me débattais, muette et horrifiée, mais je ne pouvais rien contre l'Arborescens. Ni contre mon frère, d'ailleurs... Ce monstre m'a regardée droit dans les yeux et m'a dit d'une voix glaçante : « Adieu, ma sœur. Dommage que tu n'aies pas voulu comprendre... » Et malgré ces mots qui sonnaient comme un verdict définitif, j'avais en moi la certitude qu'il pouvait changer d'avis. Je l'ai regardé à mon tour avec l'espoir qu'il y ait encore quelque part au fond de lui une part d'humanité ou de compassion, et j'ai senti un frémissement dans ses yeux. J'ai vu l'ombre du doute tendre son visage et mon cœur s'est affolé. Pendant quelques secondes, tout aurait pu basculer. Mais la nature de mon frère a repris le dessus : il a saisi ma main blessée et a trempé son doigt dans le sang qui couvrait l'intérieur de ma paume. Puis il a déposé le sang sur la Claquetoile dont les reflets se sont enroulés en forme de spirale. Alors, Orthon m'a poussée et j'ai immédiatement été aspirée. Le Fouille-Cœur venait de m'entableauter à la place de mon frère jumeau…

— Cette première erreur a beaucoup perturbé le Fouille-Cœur, continua le papillon. C'était la première fois qu'il se trouvait confronté à une telle méprise. Le principal problème était d'ajuster les épreuves : elles avaient toutes été conçues pour Orthon et non pour Réminiscens, toute sœur jumelle soit-elle. La tâche était d'autant plus complexe que Réminiscens ne pouvait être accusée d'aucun méfait passible d'Entableautement. En un mot, elle n'était pas entableautable ! Et pourtant… Le Fouille-Cœur a fait son possible pour réparer sa faute et pour désentableauter Réminiscens. Mais seule une Gracieuse en a le pouvoir. Et les Gracieuses ne courent pas les rues, si je peux me permettre cette liberté de ton. Quand il a senti la présence de la Jeune Gracieuse dans la salle de sciences de St Proximus, l'espoir est revenu. Le Fouille-Cœur a tout fait pour essayer d'attirer son attention. Mais elle n'était jamais seule, ce qui rendait son Entableautement impossible. Cependant, un jour, il a senti qu'elle était là, seule, accessible. Il a fallu quelques secondes pour l'aspirer…

— C'est sympa de m'avoir confondu avec Oksa ! marmonna Gus en faisant la grimace. Il doit vraiment être détraqué, votre Fouille-Cœur !

— Ce n'est pas vous qu'il a détecté, expliqua le papillon, mais les outils Gracieux. Ce sont la Crache-Granoks et le Coffreton de la Jeune Gracieuse qui vous ont trahi, si je puis dire. Et c'est cette deuxième confusion qui a été fatale au Fouille-Cœur.

Le papillon battit des ailes avec frénésie, puis se posa sur l'épaule d'Oksa. La jeune fille sentit dans son cou le souffle rapide de l'insecte et frissonna.

— Tiens, Oksa, si tu veux bien reprendre tes affaires… lança Gus en tendant le petit sac à son amie. Désolé… J'ai cru bien faire en le sortant de ton sac de voyage. Tout ça est ma faute ! Je n'aurais pas dû, j'ai été vraiment nul…

— Ooohhh ! s'emporta Oksa, les yeux brillants de colère. Ça faisait longtemps que tu ne nous avais pas fait ton quart d'heure du misérable-et-navrant-garçon-à-cause-de-qui-tout-arrive ! Tu veux peut-être un fouet pour t'autoflageller ? Si le Fouille-Cœur pouvait t'aider à régler ce problème et te convaincre que tout ça n'est pas ta faute, ça ferait du bien à tout le monde, je t'assure !

Sur ce, elle mit ses mains en porte-voix et lança d'une voix forte :

— Fouille-Cœur, si tu m'entends, fais quelque chose, s'il te plaît ! On n'en peut plus !

Écarlate de rage et de honte, Gus balança la sacoche par terre et tourna le dos pour s'enfuir vers le fond de la grotte. Pierre s'élança à sa suite pendant qu'Oksa, stupéfiée par le geste de son ami, se mordait la lèvre inférieure. Elle était peut-être allée trop loin... Mais Gus était horripilant parfois ! Quand aurait-il enfin confiance en lui ? Tremblante de colère, elle se baissait pour ramasser son sac en évitant le regard amusé – et exaspérant – de Tugdual quand un terrible cri retentit depuis le couloir sombre dans lequel s'étaient engagés Gus et son père, tout au fond de la grotte.

26

Les Sirènes Aériennes

Les Sauve-Qui-Peut s'entreregardèrent et, en un éclair, ils foncèrent tous vers le couloir d'où était parvenu le cri. Abakoum, accompagné par la Trasibule qui éclairait la voie, s'avança le premier d'un pas ferme. Un nouveau cri résonna, terrifié.

— Laissez-nous tranquilles ! Partez !

Quand Oksa reconnut la voix de Gus, son sang se glaça dans ses veines. « Qu'est-ce qui lui arrive encore ? ne put s'empêcher de penser la jeune fille. Ce garçon a vraiment du génie pour se mettre dans le pétrin... » Mais ces remarques ironiques ne l'empêchaient pas de ressentir une immense inquiétude pour son ami. Elle attrapa la main de l'Insuffisant qui était resté planté au milieu de la grotte et s'avança pour rejoindre le groupe dans l'étroit couloir. Tugdual l'attendait.

— Tu ne dois pas rester seule ! lui dit-il avec un regard lourd de reproches. C'est très imprudent. Ne t'éloigne jamais de nous.

Oksa le dévisagea et, malgré la pénombre, elle surprit son air tourmenté. Pendant de longues secondes, elle ne put détacher ses yeux du regard intense du jeune homme.

— Vous n'avez pas entendu quelque chose ? intervint l'Insuffisant en interrompant cet échange muet. On aurait dit un cri. Un cri humain... précisa-t-il.

Tugdual et Oksa tressaillirent et s'engagèrent dans le couloir avec une certaine appréhension. Le passage s'élargit, prenant les proportions et l'aspect peu attrayant d'un tunnel ferroviaire. Grâce à la lumière dégagée par la Trasibule, ils repérèrent aussitôt à une vingtaine de mètres les Sauve-Qui-Peut qui entouraient Gus et Pierre.

— Ouf ! souffla Oksa, soulagée de voir son ami sain et sauf. Mais... qu'est-ce que c'est ? ajouta-t-elle d'une voix inquiète.

Elle avait du mal à distinguer ce qui flottait au-dessus des têtes des Sauve-Qui-Peut. Des chauves-souris ? Des papillons de nuit géants ? Elle fit un pas en avant, mais Tugdual la retint par le bras.

— Attends… murmura-t-il. Ne t'approche pas.

— Qu'est-ce que c'est ? répéta Oksa, peu rassurée.

— Génial… J'ai toujours cru que c'était un mythe ! Je n'en reviens pas… dit-il, les yeux plissés fixés sur l'essaim qui flottait toujours. Tu as ta Crache-Granoks, P'tite Gracieuse ? ajouta-t-il sans quitter l'étrange nuée du regard.

— Euh… oui ! bredouilla Oksa.

— Tu ne nous ferais pas une petite Reticulata ? lui suggéra-t-il.

— Oui, bien sûr !

Oksa sortit sa petite sarbacane ouvragée et chuchota la formule :

Reticulata, Reticulata
Et le loin plus près sera.

Aussitôt, une bulle émergea de la Crache-Granoks et prit l'aspect d'une grosse méduse. Tugdual se rapprocha d'Oksa et effleura du bout des doigts la main tremblante de la jeune fille pour orienter la membrane grossissante vers le mystérieux essaim. La jeune fille frémit à ce contact inattendu, mais, quand elle distingua la nature de ce qui flottait au-dessus des Sauve-Qui-Peut, elle ne put s'empêcher de saisir le bras du jeune homme.

— Aaaahhhh ! cria-t-elle.

Aussitôt, tout sembla se figer. Les Sauve-Qui-Peut, alertés par ce cri, se retournèrent et la regardèrent avec anxiété. Et par malheur, les affreuses créatures dont elle venait juste de voir l'horrible apparence ne semblaient ni sourdes ni aveugles : elles dardèrent sur elle leurs yeux angoissants et, instantanément, elles se retrouvèrent devant elle, en suspension. Stupéfaite, Oksa laissa tomber sa Crache-Granoks. La Reticulata se dégonfla au contact du sol dans un claquement mouillé.

— N'aie pas peur… murmura Tugdual en lui glissant dans la main la Crache-Granoks qu'il venait de ramasser.

Il s'avança d'un pas dans un geste de protection. Mais les créatures les entourèrent en formant un cercle parfait autour d'eux, sans leur laisser la moindre échappatoire.

— C'est… monstrueux… lança Oksa, captivée par ce qu'elle voyait.

La scène, incroyable, était empreinte d'une magie terrifiante. À quelques centimètres d'Oksa, une quinzaine de têtes sans corps flottaient dans l'air. Leurs longs cheveux ondoyaient autour d'elles dans un mouvement doux et léger, encadrant les visages délicats qui contrastaient avec la dureté des regards. L'une d'entre elles s'approcha d'Oksa et la fixa. La jeune fille l'observa avec un sentiment mêlé d'écœurement et de fascination. Elle était d'une grande beauté, l'ovale de son visage était admirable, les contours de sa bouche parfaits. Seuls ses yeux trahissaient une puissante cruauté et une férocité impitoyable qui choquèrent Oksa plus que toute autre chose. Elle eut le plus grand mal à soutenir le regard de la créature et finit par baisser les yeux, désarçonnée.

— Les Sirènes Aériennes… chuchota Tugdual sans quitter des yeux la ronde des impressionnantes têtes flottantes. J'ai toujours cru que c'était un mythe…

— Tu parles d'un mythe ! rétorqua Oksa en grimaçant. Et qu'est-ce qu'elles sont censées faire, ces Sirènes Aériennes ?

— Nous endormir pour nous enlever et nous posséder à jamais… lui répondit Tugdual dans un souffle.

— Tu veux rire ? rebondit Oksa en tournant la tête pour le regarder.

Mais le sombre jeune homme n'avait pas du tout l'air de plaisanter. Pâle et tendu, il ne bougeait pas d'un cil. Oksa toucha son bras : il était dur comme la pierre. Le garçon semblait en état de choc.

— Tugdual ? Tugdual ? Tu m'entends ?

De l'autre côté du cercle formé par les Sirènes, les Sauve-Qui-Peut fixaient la scène, effarés. À la surprise de tous, Pavel s'approcha. Les têtes s'écartèrent et le laissèrent passer, tout en continuant de flotter en silence, les yeux rivés sur chacun des membres du groupe. Pavel prit Oksa et Tugdual par la main, sans oublier l'Insuffisant qui contemplait béatement les créatures.

— J'ai l'impression qu'il leur manque quelque chose, fit-il remarquer avec son sens de l'observation hors du commun.

Oksa ne put s'empêcher d'avoir un spasme nerveux, non sans jeter un regard plein d'appréhension vers les têtes qui les suivaient de près.

— Non mais tu as vu ça, Gus ? lança-t-elle à mi-voix. C'est dingue, non ?

— Arrête… répondit ce dernier, décomposé. Je vais devenir complètement fou. On est en train de vivre un vrai cauchemar.

— Un cauchemar qui pourrait durer une éternité si les Sirènes parviennent à nous endormir… précisa Tugdual d'une voix sinistre.

— Qu'est-ce que c'est que cette histoire ? demanda Gus.

— Tugdual a raison, intervint Abakoum. Les Sirènes Aériennes sont issues d'une Fée Sans-Âge déchue qui a été bannie de l'Îlot des Fées.

— Pourquoi ? interrogea Oksa.

— Ne commence pas à l'interrompre ! s'énerva Gus en donnant un bon coup de coude à son amie. Essaie de te maîtriser pour une fois !

Oksa écarquilla les yeux, surprise par le ton autoritaire du garçon. Ce qui le fit sourire plus largement qu'il ne l'aurait voulu. Il laissa une longue mèche de cheveux cacher une partie de son visage et baissa les yeux vers le sol. Abakoum invita les Sauve-Qui-Peut à s'asseoir autour de lui. La Trasibule s'installa au milieu, leur procurant chaleur et lumière. Quant aux inquiétantes Sirènes Aériennes, elles continuaient de flotter au-dessus de leurs têtes sans prononcer un seul mot.

— Cette Sans-Âge déchue s'appelait Cremona, reprit Abakoum. Son cœur était perverti par la convoitise et la soif de puissance – car même les Fées ne sont pas à l'abri de ces penchants dévastateurs… Cremona avait préparé une conspiration visant à prendre la tête des Sans-Âge afin de régner sur les Du-Dedans et de les soumettre à la moindre de ses volontés. Ses plans furent déjoués à temps et les Sans-Âge ont fini par l'exclure de leur communauté, non sans lui jeter un sortilège la dépossédant de son corps. Depuis ce jour, se sentant incomprise et bafouée, Cremona voua une rancune terrible à ses anciennes consœurs. Au fil des siècles, elle rallia à sa cause plusieurs Sans-Âge perverties et elles formèrent le clan des Sirènes Aériennes.

— Elles sont dangereuses ? demanda Pierre.

Abakoum le regarda avec gravité.

— Très dangereuses, admit-il. Ce qu'a dit Tugdual est tout à fait exact : les Sirènes cherchent à endormir les êtres vivants et à les dépouiller de leur âme. Autrement dit, elles cherchent à nous tuer car, sans âme, nous ne sommes que des enveloppes vides. Nous n'avons pas encore été confrontés à leur attraction fatale, mais ce n'est qu'une question de temps. Il nous faut rester sur nos gardes et lutter contre le sommeil dans lequel elles ne vont pas manquer d'essayer de nous entraîner.

— Aurez-vous la volonté d'écouter une précision considérable qui est inscrite dans ma connaissance ? intervint la Foldingote.

— Bien sûr, Foldingote ! acquiesça Abakoum. Que sais-tu ?

— L'endormissement n'est pas inévitablement l'état de sommeil, annonça la Foldingote. L'endormissement peut être un mirage qui poursuit le but d'égarer l'esprit de celui qui abandonne sa conscience pour le suivre. Le mirage est puissant et les Sirènes ont le cœur garni de ruse et de séduction, elles sont les maîtresses des pièges pétris par l'illusion.

Tous restèrent silencieux, concentrés sur les mises en garde de la Foldingote.

— Il faut que les Sauve-Qui-Peut se protègent contre le pouvoir de l'illusion ! ajouta la petite créature. L'illusion est un appât destiné à endormir et à subtiliser les âmes !

— Je vois tout à fait ce que tu veux dire, affirma Abakoum, soucieux. C'est beaucoup plus subtil que ça n'en a l'air, tu as bien fait de nous alerter, Foldingote.

— Est-ce qu'elles nous entendent ? le coupa Oksa en regardant les créatures aux longs cheveux.

— Les Sirènes Aériennes n'ont pas l'intérêt pour les mots qui sortent de nos bouches, lui indiqua la Foldingote. Elles puisent leurs informations dans le cœur…

— Mes amis, reprit Abakoum en hochant la tête, il faut que nous ayons la plus grande vigilance. Je propose que nous nous surveillions afin de prévenir le groupe dès que l'un de nous semblera céder à l'attraction des Sirènes. Procédons avec méthode et restons groupés. Je propose de marcher en tête. Réminiscens veillera sur moi et Léomido sur Réminiscens, Tugdual sur Léomido, Oksa sur Tugdual et ainsi de suite. Pavel, je te confie l'Insuffisant. Et toi, Foldingote, tu resteras près de moi. Au moindre doute, il faut donner l'alerte. Vous êtes tous d'accord ?

— Oksa doit veiller sur Tugdual ? marmonna Gus, contrarié. Est-ce que ce n'est pas un peu…

— Un peu quoi ? renchérit Tugdual avec une nonchalance amusée qui agaça Gus au plus haut point.

— Un peu dangereux ! cracha Gus. Parce qu'on ne peut pas dire que tu sois vraiment net comme garçon !

Pour toute réponse, Tugdual croisa ses doigts et les fit craquer en fixant Gus avec ironie.

— Vous êtes pénibles, vous deux… les blâma Oksa. Bon, on y va ? se reprit-elle en regardant son père. On ne va pas rester dans ce tunnel toute notre vie, non ?

Pavel approuva, non sans jeter un regard méfiant vers les Sirènes qui se tenaient en vol stationnaire au-dessus des Sauve-Qui-Peut. Puis il entoura de son bras les épaules de sa fille et, sans dire un mot, tous s'engagèrent dans le tunnel obscur.

27

Pas de quartier !

Le tunnel paraissait sans fin et donnait la très inquiétante impression de s'enfoncer vers le centre de la Terre. Qui plus est, le sol, en légère pente, était jonché de cailloux aux contours tranchants qui rendaient pénible la marche des Sauve-Qui-Peut. Réminiscens souffrait plus que quiconque avec ses sandales légères dont les fines semelles n'offrirent bientôt plus aucune protection à ses pieds endoloris. Et, bien qu'elle soit chaussée de baskets robustes et confortables, Oksa fut vite excédée de se tordre les pieds et de pester à chaque pas. C'est elle qui trouva rapidement une solution astucieuse digne de la Jeune Gracieuse qu'elle était : tous les dix ou vingt mètres, elle lançait une Granok de Tornaphyllon qui dégageait aussitôt le chemin de tous ses obstacles de pierre ! Un souffle violent se levait et les roches voltigeaient pour aller s'amonceler sur les côtés dans un fracas assourdissant.

— On ne va quand même pas se laisser enquiquiner par de sales petits cailloux ! jubila-t-elle en rengainant sa Crache-Granoks.

Éclairés par la Trasibule et toujours escortés par les angoissantes Sirènes, les Sauve-Qui-Peut progressèrent ainsi pendant un long moment, avec l'étrange sensation que le temps n'existait plus. Les montres s'étaient figées sur l'heure de leur Entableautement, impossible de déterminer si deux heures étaient passées ou bien deux jours depuis leur entrée dans le funeste tableau. Néanmoins, la fatigue commençait à se faire sentir. D'un œil, ils surveillaient leurs amis et de l'autre, les Sirènes, et cette double concentration se révélait épuisante. À mesure que le groupe progressait dans le tunnel, Oksa sentait sa résistance s'amenuiser. Ses jambes semblaient peser une tonne chacune et une puissante envie de s'assoupir commençait à l'envahir. Tugdual marchait sur sa gauche avec la souplesse d'un guépard et, contrairement à elle, il ne semblait pas éprouver la moindre faiblesse. Ou alors il n'en montrait rien… Soudain, il se retourna et parut surpris de voir le masque de fatigue qui tendait les traits de la jeune fille.

— Je te relaie pour les Tornaphyllons, proposa-t-il en dégainant sa Crache-Granoks.

Les Sauve-Qui-Peut continuèrent leur marche pendant un moment dans un silence ponctué par le seul bruit des pierres qui s'entrechoquaient le long du tunnel. Le rythme était de plus en plus lent, mais chacun semblait mettre un point d'honneur à résister et à ne rien montrer de sa faiblesse. Jusqu'à ce que Réminiscens flanche la première : livide, elle s'accroupit sur le sol poussiéreux en soupirant.

— Je n'en peux plus… souffla-t-elle.

— Peut-être pourrions-nous faire une pause ? proposa Abakoum au grand soulagement de ses amis. Mais ne relâchons pas la garde.

Tous s'entreregardèrent, inquiets et harassés.

— Pourquoi sommes-nous aussi fatigués ? demanda Réminiscens. Il n'y a pas si longtemps que nous marchons…

— Les Sirènes ? suggéra Oksa. Elles tentent de nous endormir, c'est ça ?

À ces mots, une des créatures s'approcha et, plantée à quelques centimètres d'Oksa, elle plongea dans ses yeux un regard d'une cruauté qui glaça la jeune fille. Ses longs cheveux ondoyèrent et frôlèrent son visage dans un mouvement caressant. Oksa frémit violemment tout en se sentant enveloppée par des images inattendues : elle n'était plus dans le tunnel, mais tout en haut de ce qui ressemblait à… la Colonne de Verre d'Édéfia ! Par-delà le balcon qui surplombait la ville, une foule clamait son nom. Des hommes faisaient des figures devant elle, en plein ciel. Elle tourna la tête, le cœur plein d'un formidable sentiment de bonheur. À ses côtés et malgré les quelques années supplémentaires dont ses traits étaient marqués, elle reconnut son père. Un homme entra dans la pièce et Oksa tressaillit en le voyant : lui aussi avait vieilli. Ou plutôt *grandi*. C'était Gus ! Les contours de son visage s'étaient affirmés et ses épaules étaient plus carrées, mais il était toujours aussi beau. Il releva d'une main ses cheveux noirs qui tombaient et dégagea ses yeux bleu marine pour la dévisager avec intensité. Il s'approcha d'elle et elle sentit ses lèvres se poser sur les siennes.

— Tu es heureuse ? lui murmura-t-il en la serrant contre lui et en lui caressant le dos.

Béate, Oksa acquiesça en sentant contre sa joue le menton mal rasé de l'homme qu'était devenu Gus. Son regard fut alors attiré par une femme qui s'avançait en souriant, et sans hésiter elle reconnut sa mère. Elle paraissait plus vieille, oui... Mais surtout, elle se tenait sur ses deux jambes !

— Maman ! Tu es guérie ! murmura-t-elle.

Aussitôt, Pavel bondit et assena à la Sirène un coup de poing magistral qui la fit voltiger contre la paroi du tunnel. L'image subliminale de Marie, debout et alerte, s'effaça de l'esprit d'Oksa. Stupéfaite, la jeune fille regarda les Sauve-Qui-Peut qui la dévisageaient d'un air anxieux.

— J'ai complètement halluciné ! s'exclama-t-elle, effarée par la puissance de sa vision.

— Attention, Pavel ! hurla soudain Pierre, les yeux exorbités.

La Sirène Aérienne que venait d'assommer Pavel avait recouvré ses esprits ! La bouche grande ouverte dans un cri muet, elle fonçait sur le père d'Oksa. Ce dernier se mit aussitôt en position de combat et, du tranchant de la main, frappa violemment la créature. Mais la Sirène s'était préparée à cette réaction : elle reçut le coup, mais resta figée à quelques centimètres de Pavel. Ses yeux se rétrécirent et le toisèrent avec férocité, juste avant que de sa bouche ne sorte une autre tête parfaitement identique et tout aussi angoissante !

— Qu'est-ce que ça veut dire ? bredouilla Oksa, éberluée.

— Vous m'avez tellement manqué... résonna en écho la voix pâteuse d'Abakoum.

Tous se retournèrent pour constater avec effarement qu'une Sirène caressait de ses cheveux le visage de l'Homme-Fé dont le regard perdu trahissait la force de l'illusion qu'il subissait.

— Seigneur ! s'écria Réminiscens. Je l'ai laissé sans surveillance !

— Mes chers parents... murmura Abakoum d'un ton traînant. J'aurais tellement aimé... J'aurais tellement aimé *vous aimer*...

N'écoutant que son cœur, Oksa bondit et attrapa la Sirène par les cheveux. Revenant à lui, Abakoum la vit lancer de toutes ses forces la tête contre un tas de cailloux en hurlant :

— Saleté ! Laisse Abakoum tranquille !

La tête se fracassa comme une pastèque, faisant grimacer de dégoût la Jeune Gracieuse. Mais le répit fut de courte durée : du crâne éclaté surgirent deux nouvelles têtes, intactes et très motivées pour venger leur consœur. Elles foncèrent vers les autres Sirènes et le cercle flottant se rapprocha des Sauve-Qui-Peut avec des éclairs menaçants dans les yeux.

— Sortez vos Crache-Granoks… murmura Abakoum. Pas de quartier, mes amis…

Dans les secondes qui suivirent, ce fut un déferlement ininterrompu de Granoks qui s'abattit sur les Sirènes. Pierre, Abakoum et Tugdual commencèrent avec une pluie de Putrefactios et de Colocynthis. Pavel, lui, avait opté pour les arts martiaux. Courant contre les parois de pierre du tunnel, il éclatait à grands coups de pied toutes les têtes qui se trouvaient sur son passage. Quant à Oksa, elle s'essaya d'abord à l'Arborescens, prenant les immondes Sirènes dans un filet de lianes gluantes. Mais l'habileté des créatures leur permettait de se libérer trop rapidement et, à l'instar de Réminiscens et de Léomido, Oksa se décida pour le feu. Le trio, dont la maîtrise du Feufoletto était implacable, fit des ravages dans les rangs des Sirènes. L'attaque des Sauve-Qui-Peut fit jaillir une violente odeur de pourri et de brûlé. Bientôt, plus aucune tête ne flottait dans l'air : affreusement touchées, elles gisaient toutes sur le sol. Certaines étaient en pleine décomposition, leur peau pourrissant à vue d'œil, pendant que d'autres, fendues en deux, se tortillaient dans tous les sens. Les pires étaient celles qui avaient été la cible des Feufolettos : leurs cheveux grésillaient sous l'effet des flammes et produisaient une fumée âcre qui piquait la gorge. Le spectacle était apocalyptique et écœurant. Un silence écrasant enveloppa le tunnel, tétanisant les Sauve-Qui-Peut. Tout le monde retenait son souffle avec le terrible pressentiment que les Sirènes, malgré leur défaite, n'allaient pas en rester là. Les yeux fixés sur les têtes qui achevaient de se décomposer, Oksa prit la main de son père et la serra avec force. Et ce que tous soupçonnaient ne tarda pas à arriver : de chaque tête surgirent deux têtes absolument semblables, hargneuses et menaçantes ! Les Sauve-Qui-Peut ne purent s'empêcher de reculer de quelques pas devant ce prodige effrayant, Crache-Granoks à la main, sur la défensive. Oksa se baissa et ramassa une grosse pierre qu'elle lança sur une des têtes. Touchée de plein fouet, la tête se fendit dans un bruit d'explosion mouillée. Mais quelques secondes plus tard, deux nouvelles têtes émergeaient de la précédente, augmentant le nombre des Sirènes qui devaient désormais approcher les cinquante spécimens.

— Ne faites plus rien ! avertit Abakoum en levant la main. Ne faites plus rien, mes amis ! La violence ne sert qu'à aggraver notre situation ! Il nous faut trouver un autre moyen…

— Vite, alors… murmura Oksa à nouveau prise pour cible par une Sirène.

Elle était si fatiguée… Et la caresse des cheveux de la Sirène sur son visage lui faisait tellement de bien… Impossible de résister à l'attrait du sommeil. Ainsi qu'à l'envie de retrouver la merveilleuse vision qu'elle venait d'avoir… Tout son corps se ramollit et elle se sentit glisser dans une somnolence délicieuse, envahie par les sensations d'un bonheur intense. Depuis combien de temps n'avait-elle pas connu un tel bien-être ? Mais, soudain, elle revint à elle avec une violence qui lui coupa le souffle. Devant elle, une immense langue de feu décimait toutes les Sirènes, y compris celle qui venait de l'entraîner vers ce mirage irrésistible. Un cri déchirant résonna : son père se tordait de douleur à quelques mètres d'elle. De son dos émergeait son Dragon d'Encre qui crachait avec rage de longues flammes dévastatrices.

— Papa ! Arrête ! C'est bon, je suis réveillée ! hurla Oksa.

Aussitôt, tout s'arrêta. Le Dragon d'Encre se rétracta et réintégra le corps de Pavel qui se précipita vers Oksa.

— Ma chérie… J'ai cru qu'elles t'emportaient !

Il la serra dans ses bras avec une force décuplée par la peur qu'il avait ressentie. Oksa se laissa faire, impressionnée.

— Je n'ai pas pu me contenir, je suis désolé… ajouta Pavel à l'intention des Sauve-Qui-Peut.

— Aucun père ni aucune mère ne l'aurait pu, Pavel ! rétorqua Réminiscens d'un ton saccadé. Tu as agi selon ton cœur et aucun de nous ne peut te le reprocher. Mais maintenant, il va nous falloir faire face à ÇA…

Les cinquante têtes carbonisées avaient terminé leur combustion. Et devant les Sauve-Qui-Peut horrifiés se dressait désormais une masse énorme d'une centaine de Sirènes au regard plus féroce que jamais.

28

Un sacrifice déchirant

— COUREZ ! résonna la voix du papillon noir. Courez aussi vite
que vous le pouvez !

L'Éclaireur se mit à battre frénétiquement des ailes et
s'enfonça vers les profondeurs du tunnel. Pavel attrapa la main
d'Oksa et se précipita derrière le papillon, les Sauve-Qui-Peut à
sa suite. Aussitôt, les Sirènes s'ébrouèrent et les encadrèrent, les
cernant par l'arrière et sur les côtés. Bien qu'entraînée par son
père dans une course affolée, Oksa ne put s'empêcher de leur
jeter un coup d'œil et sentit aussitôt une torpeur envoûtante
prendre le contrôle de son esprit. Son rythme se ralentit, les
mouvements de ses jambes s'espacèrent, ainsi que les battements de son cœur. Pavel la regarda et grogna de rage en
constatant que ses yeux se vidaient de toute expression. Oksa,
quant à elle, alternait entre deux mondes : celui où son esprit la
portait – un monde lumineux dans lequel elle se trouvait avec
ses parents, dans les bras de Gus, sans aucun sentiment de souffrance ni de peur – et celui, hostile et brutal, où elle se débattait
en ce moment même contre la puissance maléfique des Sirènes.
Le premier monde, celui du mirage magnifique, l'attirait avec
une force contre laquelle elle luttait de plus en plus mollement.
Car comment lutter contre ce que l'on souhaite avec tant
d'ardeur au fond de soi ? Pavel, conscient de l'abandon de sa
fille, la saisit dans ses bras et continua sa course effrénée dans le
tunnel en la serrant contre lui.

— Écoute-moi, Oksa ! dit-il d'une voix forte. Écoute bien ce
que je vais te dire ! Concentre-toi uniquement sur mes paroles,
d'accord ?

Avachie dans les bras de son père, Oksa acquiesça et fixa son
attention sur la voix.

— Tu es éveillée, Oksa ! prononça-t-il avec fermeté. Tu te trouves avec tes amis dans un tunnel perdu quelque part dans les profondeurs d'un tableau. Des Sirènes très malveillantes sont à nos trousses, elles essaient de piéger les plus tendres d'entre nous. Contre moi elles ne peuvent rien, car j'ai ce Dragon d'Encre en moi qui étouffe mes désirs les plus profonds afin que ces créatures affamées ne les utilisent pas contre moi. Tu ne peux pas lutter, ma chérie, car ton cœur est un livre ouvert. Surtout, éloigne de ton esprit les mensonges des Sirènes. Les Sirènes mentent, Oksa. Ce qu'elles te montrent n'est pas la réalité. Ce qu'elles te montrent, c'est ce que tu veux voir ! Concentre-toi sur la réalité du moment que nous sommes en train de vivre. Regarde les pierres qui tapissent les parois du tunnel ! Regarde les cailloux qui voltigent autour de nous ! Regarde le papillon qui ouvre le chemin ! Pense à tes amis... Pense à Gus, à Tugdual... Dis-moi tout ce que tu vois ! Vas-y, Oksa, dis-moi ce que tu vois autour de toi ! Où sommes-nous, Oksa ? Où sommes-nous ?

Malgré les assauts psychiques des Sirènes et la terrifiante somnolence qui menaçait de la dévorer à tout moment, la jeune fille redoubla d'efforts et suivit les conseils de son père. Toujours accrochée à lui, elle regarda autour d'elle et, pour éviter de sombrer à nouveau, elle se mit à prononcer d'une voix très forte les noms des Sauve-Qui-Peut qui couraient, serrés les uns contre les autres.

— Nous sommes dans un tunnel, commença-t-elle presque en criant. Il y a ces affreuses têtes qui volent autour de nous et nous courons pour leur échapper. Je vois Réminiscens derrière nous, Abakoum lui tient la main droite et Léomido la main gauche. Réminiscens a l'air épuisée, ses yeux sont bizarres, on dirait qu'elle a du mal à résister aux Sirènes. Tugdual est juste à côté, il porte la Foldingote sur ses épaules. La pauvre Foldingote... Elle a les yeux fermés, elle est presque transparente, je crois qu'elle est morte de trouille. Tugdual a l'air d'aller bien, il paraît très lucide...

Sa voix s'amollit subitement. Une Sirène venait de frôler son visage de ses longs cheveux soyeux. Oksa laissa tomber sa tête sur l'épaule de son père.

— Continue Oksa ! hurla-t-il en la secouant. Continue ! Que vois-tu encore ?

Oksa eut un soubresaut, comme si elle venait d'être réveillée en plein sommeil, et obtempéra devant le ton impérieux de son père.

— Je vois Pierre ! répondit-elle en hurlant aussi fort que lui. L'Insuffisant est accroché dans son dos et il porte Gus dans ses bras. Oh non ! Gus a l'air complètement parti !

Elle se tut, horrifiée par ce qu'elle voyait. En effet, Gus gisait dans les bras de son père qui courait, les joues luisantes de larmes. Cinq Sirènes l'encadraient et couvraient de leurs cheveux une partie du visage du garçon, dont Oksa ne pouvait apercevoir que le regard vide, atrocement inexpressif.

— Maman ! ânonnait-il. J'ai toujours *tellement* voulu te rencontrer…

— Elles ont eu Gus, Papa ! s'alarma Oksa. Il voit sa mère ! C'est horrible ! Aaahhhhh ! Mais qu'est-ce que fait la Foldingote ?

Pavel stoppa aussitôt sa course, imité par l'Éclaireur, les autres Sauve-Qui-Peut et les Sirènes. Tous se tournèrent vers la Foldingote qui venait de sauter des épaules de Tugdual vers Pierre et son fils inconscient, victime du mirage des têtes volantes. Le temps sembla se suspendre dans un silence douloureux jusqu'à ce que la petite créature Gracieuse prenne la parole.

— Le regret garnit mon cœur d'arriver à cette extrémité, commença-t-elle en promenant sa main sur le visage de Gus pour en écarter les cheveux des Sirènes.

Elle renifla et reprit, en plongeant ses gros yeux globuleux dans ceux d'Oksa qui tressaillit d'appréhension :

— Les Sirènes poursuivront leur chasse dans les cœurs les plus béants jusqu'à ce qu'elles parviennent à la possession de l'un d'eux. L'Homme-Fé a montré une faille qui manqua d'être fatale, mais il a pu rendre son esprit imperméable comme du béton. La Jeune Gracieuse, son ami et Réminiscens sont les cibles les plus accessibles et leur résistance a un poids trop léger face à la virtuosité des Sirènes. Le grand malheur est inévitable : les Sirènes produiront un acharnement perpétuel jusqu'à ce qu'un cœur cède. Le jeune ami de la Jeune Gracieuse n'a pu procéder à la lutte, il a amorcé l'abandon de son cœur…

— Non ! hurla Oksa, dévastée de tristesse. Pas lui !

La Foldingote s'approcha d'elle et posa sa main potelée sur son épaule.

— Votre domesticité possède la solution, dit-elle d'un ton abattu mais décidé.

— Qu'est-ce que c'est ? hoqueta Oksa en essuyant ses yeux noyés de larmes.

La petite créature s'approcha encore et engagea Oksa à se pencher vers elle pour lui chuchoter quelques mots à l'oreille. La jeune fille blêmit et mit sa main devant sa bouche pour étouffer un cri tandis que les larmes coulaient à nouveau sur ses joues. Elle regarda Gus, puis la Foldingote d'un air effondré. Comme s'ils avaient compris, Abakoum et Léomido s'approchèrent et, à tour de rôle, prirent la Foldingote dans leurs bras pour la serrer contre eux avec tristesse et reconnaissance.

— Les Sirènes veulent un cœur noble et tendre, dit la petite créature à l'intention des autres Sauve-Qui-Peut. Celui que je possède est vibrant du désir profond de pratiquer le sauvetage de l'ami de la Jeune Gracieuse. Ce désir détient une force plus ardente que le moindre des désirs que chacun de vous peut renfermer en lui et les Sirènes ne peuvent pas connaître de résistance face à cet attrait. Je prononce ma détermination et mes adieux...

Et sans attendre que les Sauve-Qui-Peut réagissent, elle bondit vers la nuée de têtes flottantes et se jeta parmi les chevelures ondoyantes qui l'engloutirent avec frénésie.

Tous rassemblés autour du petit monticule de terre fraîchement retournée, les Sauve-Qui-Peut gardèrent les yeux baissés pendant qu'Abakoum prononçait un hommage déchirant à la Foldingote.

— Jamais notre reconnaissance ne s'éteindra, dit-il d'une voix brisée. Tu peux compter sur notre mémoire : le souvenir de ton dévouement restera aussi éternel qu'une pierre précieuse...

Oksa ravala un sanglot dans un bruit de gorge plus bruyant qu'elle ne l'aurait voulu. Elle se sentait épuisée et terriblement triste. Du bout des doigts, elle envoya un baiser en direction de la petite tombe improvisée et rejoignit Gus assis sous un arbre quelques mètres plus loin. Le garçon paraissait brisé par le chagrin. Ses cheveux noirs tombaient devant ses yeux noyés de larmes. Il était pâle et décomposé, la tête enfouie entre ses mains. Quand Oksa s'assit à côté de lui, il se détourna, lui offrant son dos voûté. Pendant quelques minutes, Oksa garda le silence, puis posa une main sur son épaule. Gus tressaillit et se renfrogna davantage encore.

— C'est moi qui aurais dû faire ça… énonça-t-il entre ses dents.

En entendant ces mots, le sang d'Oksa ne fit qu'un tour. Elle bondit sur ses pieds pour venir s'agenouiller juste devant Gus. Saisissant son menton, elle releva la tête de son ami avec une brutalité qui la surprit elle-même.

— T'en as pas assez de proférer des stupidités pareilles ? cracha-t-elle avec fureur. Tu devrais avoir honte de ce que tu viens de dire ! Par respect pour la Foldingote…

Sa voix se cassa et elle tourna la tête en se mordant les lèvres. Elle se redressa, puis, son regard ardoise droit sur Gus, elle reprit :

— Par respect pour *elle*, tu devrais tout faire pour montrer… que tu méritais son sacrifice ! Sinon, c'est comme si elle avait donné sa vie pour *rien* !

Choquée par les mots qui venaient de sortir de sa bouche, Oksa resta plantée devant Gus, les mains sur les hanches, le regard plein de défi malgré la violence de son discours. Gus la dévisagea à son tour. Elle se sentit alors complètement déstabilisée par le regard à la fois plein de douleur et de colère de son ami. Aussitôt, elle s'en voulut d'être allée si loin. Une fois de plus… Gus essaya de parler, mais aucun mot ne put franchir ses lèvres. Il continua à la fixer et l'intense souffrance que trahissait son regard finit par décontenancer Oksa. Elle hésita, puis se résolut enfin à poser la main sur son bras avec une pudeur délicate.

— Excuse-moi, Gus… souffla-t-elle. Je ne suis qu'une grosse brute épaisse, parfois…

— Souvent, tu veux dire… lui répondit-il en reniflant. Je ne voulais pas qu'on en arrive là, tu sais… ajouta-t-il en revenant à la Foldingote.

— Personne ne le voulait, précisa Oksa. Personne ne le voulait et personne ne s'attendait à ça. Mais nous étions tous piégés dans ce tunnel, qu'est-ce qui pouvait arriver d'autre qu'un drame ? L'un de nous devait y rester. La preuve : dès que la Foldingote s'est jetée sur les Sirènes, tout s'est envolé autour de nous ! Le tunnel, ces têtes immondes, tout a disparu !

Comme pour s'en convaincre, Gus regarda autour de lui le paysage qu'Oksa lui montrait, bras grands ouverts. En effet, le sacrifice de la Foldingote avait eu l'effet instantané d'effacer le décor et les occupantes malfaisantes de la strate maudite. Les Sauve-Qui-Peut s'étaient aussitôt retrouvés sur un îlot de verdure luxuriante, un véritable jardin d'Éden dans lequel on n'entendait que le chant délicieux d'oiseaux invisibles et le bruissement de la cascade qui terminait sa chute dans une lagune limpide. Ébahis, ils s'étaient regardés avec désarroi, stupéfaits d'être encore en vie. Réminiscens s'était laissée tomber sur le sable fin et doux, épuisée par l'impitoyable bataille avec les Sirènes Aériennes. Ses pieds étaient sérieusement écorchés et une entaille barrait sa joue d'un trait sanglant. Abakoum et Léomido s'étaient précipités vers elle et l'Homme-Fé avait sorti de sa besace une fiole contenant des Fil-follias – les incroyables araignées brodeuses –, sous le regard sombre de Léomido. Quant à Pierre, il tenait toujours dans ses bras Gus qui, quelques secondes plus tôt, se trouvait sous l'emprise fatale des Sirènes. Il s'était effondré à son tour et dans ses yeux luisait encore le désespoir intense qu'il avait ressenti en voyant la vie s'échapper de son fils. Pavel avait déposé Oksa sur le sable doux pour porter aussitôt ses mains à son dos qui semblait le faire souffrir atrocement. Il s'était cambré comme pour étirer sa colonne vertébrale qui avait laissé échapper un craquement impressionnant. Constatant que son père allait bien, le regard d'Oksa avait alors cherché Tugdual. Le jeune homme était agenouillé près du corps de la Foldingote. De ses longs doigts bagués d'anneaux en argent, il caressait d'un air sombre le crâne décoloré de la courageuse petite créature. Ils étaient tous restés là, dans un lourd silence, à fixer la Foldingote sans vie jusqu'à ce que Tugdual se lève enfin. Sans un mot, il avait alors ramassé une grande pierre plate pour creuser la terre sous un arbre au feuillage touffu… Et maintenant, hébétés de fatigue et de tristesse, tous attendaient avec appréhension la suite du périple en évitant de poser leur regard sur la tombe de la Foldingote. Seule Oksa s'y risqua, le cœur gros et les yeux rougis. Elle ravala ses pleurs et détourna les yeux en inspirant pour tenter d'étouffer un sanglot qui menaçait d'exploser. Son attention fut alors attirée par de splendides fleurs qui s'épanouissaient au bord de la lagune. Leurs pétales étaient d'un rouge si vif que de petites flammes semblaient s'en échapper. Oksa s'approcha, intriguée. Les plantes, longues et élégantes comme des roseaux, tanguaient mollement malgré l'absence totale de vent. Et sa première impression se confirma : des flammèches s'échappaient des pétales comme si un minuscule incendie embrasait le cœur même de chaque fleur.

— Incroyable… souffla Oksa, émerveillée.

Elle s'approcha encore et attendit que la combustion s'achève. Mais rien ne vint : les pétales qui constituaient la corolle flamboyante de ces fleurs superbes n'étaient pas en flammes, ils *étaient* des flammes !

— Je suis sûre qu'elle aurait adoré… murmura Oksa en jetant un coup d'œil douloureux vers la tombe nue de la Foldingote.

Et elle tendit la main pour cueillir une des fleurs. Un geste naturel sur terre, mais beaucoup moins dans un tableau ensorcelé, comme elle ne tarda pas à s'en rendre compte…

— Mais qu'essayez-vous de faire, malheureuse ? s'indigna la fleur qu'Oksa s'apprêtait à cueillir. Lâchez-moi, vous m'étranglez !

Oksa obtempéra aussitôt, moins impressionnée par le fait d'entendre la plante parler – elle commençait à avoir l'habitude… – que par l'espèce de nuée ardente qui s'échappait des pétales pour foncer droit sur elle. Elle écarquilla les yeux et recula de quelques pas en voyant le petit nuage incandescent s'approcher dangereusement.

— C'est quoi ce truc ? bredouilla-t-elle en mettant ses mains devant elle. Aïe ! Ça brûle ! cria-t-elle en agitant ses doigts à peine effleurés par le nuage.

— C'est une Incendiante, l'informa Abakoum. Elle fonctionne comme un volcan miniature et je crois bien que tu as provoqué son éruption… Regarde !

Après avoir expulsé la nuée ardente qui avait atteint Oksa, la plante était en pleine explosion volcanique. Elle crachait des étincelles et une substance orangée qui ressemblait à du magma en fusion.

— Cette plante a l'air très en colère, fit remarquer l'Insuffisant.

Tout en regardant ce spectacle étonnant, il saisit la main d'Oksa et la jeune fille sentit aussitôt une fraîcheur délicieuse apaiser la morsure du feu.

— Vous avez beau être la Jeune Gracieuse, il ne faudrait pas vous croire tout permis ! éructa l'Incendiante à grand renfort de postillons de lave brûlante.

— Excusez-moi, rétorqua Oksa en chassant une étincelle de son tee-shirt. Vous êtes si jolie… Je voulais juste vous cueillir pour vous mettre sur la tombe de la Foldingote…

— Juste me cueillir ? Juste me cueillir ? s'énerva de nouveau la plante. Mais on ne vous a donc rien appris ? Une Incendiante *ne se cueille pas* !

— Excusez-moi, répéta Oksa en grimaçant.

— Une Incendiante ne se cueille pas, reprit la plante, mais elle se multiplie ! Voilà, vous ne pourrez pas dire que je n'y mets pas de la bonne volonté, pfft ! conclut-elle en projetant de la lave au-dessus de la tête d'Oksa.

— Regarde, Oksa… l'invita Tugdual en lui montrant du doigt la tombe de la Foldingote.

Sur le petit monticule de terre où avait atterri une goutte de lave, une magnifique Incendiante venait de s'épanouir, accompagnée quelques secondes plus tard d'une brassée de consœurs toutes plus embrasées les unes que les autres. Tugdual fit un clin d'œil à Oksa pendant que l'Insuffisant murmurait :

— Ça pète le feu ici…

Oksa ne put s'empêcher de sourire. Elle se pencha pour prendre l'Insuffisant dans ses bras, jeta un dernier regard à la tombe couverte d'Incendiantes et tourna les talons.

— Bon… lança-t-elle en essuyant une larme. Alors, voyons un peu où nous sommes…

29

Points d'interrogation en pagaille

La Devinaille émergea de la veste d'Abakoum et son petit bec frétilla de satisfaction.

— Enfin ! s'exclama-t-elle. Voilà le cadre qui convient à mon extrême sensibilité ! Je suis heureuse que quelqu'un ait fini par me comprendre. Trente et un degrés centigrades, un taux d'humidité de soixante-dix pour cent, vent nul, luminosité vive sans être aveuglante, c'est parfait !

— Où sommes-nous ? demanda Oksa en se tournant vers le Culbu-gueulard qui s'était perché sur un rocher surplombant le lagon.

Le Culbu-gueulard dodelina de la tête et répondit d'un air concentré :

— En ce qui concerne les repères de notre environnement actuel, ils sont effacés par le sortilège du Fouille-Cœur car, comme je l'ai dit, il n'existe aucun des points cardinaux, aucune altitude ni aucune profondeur. Toutes les mesures de distance et de temps ont disparu ici, à l'intérieur. Mais notre localisation extérieure a évolué, Jeune Gracieuse. Nous sommes désormais décalés vers le centre-centre-sud de Londres. La Tamise est à nos pieds et nous nous trouvons à quatre-vingt-seize mètres d'altitude, contre une paroi de verre multicolore ayant la forme d'un cercle de sept mètres de diamètre orienté vers le sud.

Abakoum et Léomido cillèrent, étonnés par cette révélation.

— Tu es sûr de ce que tu dis ? demanda l'Homme-Fé tout en sachant combien sa question était inutile.

— J'en suis certain, vous pouvez compter sur mon infaillibilité, lui répondit le Culbu-gueulard en s'inclinant avec respect.

— Le tableau est donc à quatre-vingt-seize mètres de hauteur ? reprit Abakoum, soucieux.

— C'est exact ! confirma le Culbu-gueulard.

— Mais nous n'habitons pas si haut ! releva Oksa. À moins que Londres ne se trouve à cette altitude… C'est l'altitude au-dessus du niveau de la mer dont tu veux parler, Culbu ?

— Pas du tout, Jeune Gracieuse. C'est l'altitude au-dessus du niveau du sol.

— Bizarre… Même dans l'atelier-strictement-personnel de Baba, je suis sûre qu'on n'arrive pas à une telle hauteur. Il doit y avoir une trentaine de marches depuis le rez-de-chaussée, pas plus.

— Nous avons gravi exactement quatre cent trente-sept marches, précisa le Culbu-gueulard.

— Il a dû se passer quelque chose… murmura Abakoum d'un air inquiet.

Réminiscens lui jeta un regard interrogateur puis tourna la tête vers Léomido.

— Il doit y avoir une explication, dit avec sagesse le grand-oncle d'Oksa. Je pense que nous devons faire confiance à Dragomira et nous concentrer sur notre avenir proche.

— Tu as raison, approuva Abakoum. Éclaireur, que sais-tu de l'endroit où nous sommes ?

Le papillon noir s'approcha et se positionna en vol stationnaire au centre du cercle formé par les Sauve-Qui-Peut.

— Nous avons franchi trois strates : celle de la Forêt, celle des Collines Maritimes et celle du Tunnel des Sirènes, commença l'Éclaireur. Nous sommes dans un Médius qui nous permettra de nous ressourcer avant d'intégrer une nouvelle strate.

— Avant d'*affronter* une nouvelle strate, tu veux dire… siffla amèrement Oksa.

— Vous avez raison, Jeune Gracieuse, opina le papillon. Chaque strate est une épreuve qu'il faut affronter et, surtout, surmonter.

— Et le Fouille-Cœur va faire mourir l'un de nous chaque fois ? continua Oksa avec colère.

Le papillon se dirigea vers elle et se posta à quelques centimètres de son visage.

— Non, Jeune Gracieuse. Vous n'avez pas compris. Le Fouille-Cœur n'y est pour rien. Il ne vous veut aucun mal pour la simple raison que, dans l'état où il se trouve, il en est bien incapable.

-- Ah ! ça, on ne dirait pas… lança Gus en tremblant de rage.

— Le malheur qui survient ne vous est pas adressé, expliqua l'Éclaireur. Vous n'êtes pas les destinataires des épreuves qui jalonnent votre route !

— Mais hélas ! c'est à nous de les surmonter… renchérit Réminiscens.

Le papillon laissa échapper un minuscule soupir.

— Les Sirènes Aériennes n'ont pas été envoyées pour ou contre vous : elles ne sont que la manifestation de l'esprit du Mal qui gouverne désormais ce tableau. N'oubliez pas que c'est Orthon McGraw qui devait être entableauté…

Oksa réfléchit quelques secondes et continua :

— Et qu'est-ce qu'elles étaient censées lui faire ? demanda-t-elle avec défi.

— L'entraîner vers un passé qu'il a effacé et qui fait de lui ce qu'il est devenu. Les Sirènes explorent ce que nous avons de plus profond en nous. Elles savent extirper les désirs et les regrets dont nous n'avons même pas conscience. C'est ainsi qu'elles nous attirent dans leur piège pour nous capturer.

— Mais tu nous as parlé de mirage et d'illusion ! fit remarquer Gus. Ce n'est pas la même chose !

— Faire croire que les désirs – ou les regrets – sont devenus une réalité sur laquelle nous pouvons avoir prise, n'est-ce pas le plus puissant mirage ? dit le papillon noir en se tournant vers le garçon.

— C'est redoutable… murmura Oksa.

Ainsi, parmi ses vœux les plus secrets se trouvaient la guérison de sa mère, Édéfia… et Gus. Elle jeta un coup d'œil à son ami et rougit aussitôt, troublée à l'idée d'avoir pu dévoiler aux autres un sentiment qu'elle-même ne voulait pas reconnaître. Elle tourna la tête et rencontra le regard non moins troublant de Tugdual qui la dévisageait avec curiosité. Elle eut l'impression de s'embraser comme une Incendiante et de fondre de confusion sous ces yeux terriblement perspicaces.

— Et toi, Gus, qu'est-ce que tu as vu quand les Sirènes ont capturé ton esprit ? demanda Tugdual sans quitter Oksa des yeux.

Gus hésita à répondre. Il passa la main dans ses cheveux et, le souffle court, lança à mi-voix :

— J'ai vu ma mère. Ma mère que je ne connais pas.

Pierre se redressa comme si une guêpe venait de le piquer et le regarda, bouleversé.

— Moi aussi, cher Gus… renchérit Abakoum. J'ai vu ma mère que je ne connais pas et que je ne connaîtrai jamais. Ma mère et mon père… On peut dire que ces Sirènes maudites savent s'y prendre : elles sont allées droit au but !

Pierre serra les poings et Gus lui jeta un regard craintif.

— Pourquoi ? marmonna le Viking. Pourquoi maintenant ?

— Je ne me rendais même pas compte que j'avais *ça* en moi, Papa… bredouilla-t-il, honteux.

— Mais ce n'est pas ta faute, Gus ! s'écria Oksa. Tu ne vas quand même pas être honteux d'avoir eu envie de voir celle qui t'a donné la vie ! C'est dingue, mais pas grave… Il ne manquerait plus que ça !

— Excuse-moi, Papa, continua Gus, toujours aussi confus. Je ne savais pas… Je ne voulais pas… Je vous aime tellement, Maman et toi !

Pierre s'approcha et l'écrasa contre lui, les yeux humides.

— Je le sais, mon fils, je le sais… lui murmura-t-il d'une voix rauque.

— Nos origines sont ce qu'il y a de plus important en nous, intervint Abakoum avec une extrême délicatesse. Sans elles, nous ne sommes rien. Une connaissance partielle de notre identité fait de nous des êtres incomplets à qui il manquera toujours quelque chose d'essentiel.

Le père de Gus détourna la tête et essuya ses yeux du revers de la main.

— Gus a été attiré par cette chimère, c'est normal, reprit Abakoum. C'est quelque chose qu'il aura en lui toute sa vie et qui ne l'empêchera pas de vous aimer, Jeanne et toi. Regarde-moi, Pierre ! Regarde ! J'ai plus de quatre-vingts ans, j'ai été élevé par des personnes admirables que j'ai aimées d'un amour profond et indestructible. Et pourtant, si je pouvais exaucer un souhait – un seul souhait ! –, ce serait de voir ceux qui m'ont donné la vie. Personne ne peut rien contre cela. Ce désir n'a rien d'une trahison car Gus vous aime, Jeanne et toi. Il vous aime plus que n'importe qui. Nous le savons tous. Alors ne gâche pas ce qui existe entre vous.

Un lourd sanglot explosa dans la gorge de Pierre. Il rugit comme un ours blessé et serra encore plus fortement Gus contre lui en lui murmurant quelque chose à l'oreille. Le garçon leva ses grands yeux bleus vers lui et esquissa un mince sourire plein de douceur.

30

Le Petit Paradis

— Bon ! lança Oksa avec sa vivacité habituelle. Et si on allait visiter ce Petit Paradis ?

D'un bond, elle se leva et se jucha sur le rocher où le Culbugueulard trônait en maître. Elle détourna la tête, émue. Le chagrin pesait plusieurs tonnes dans son cœur et le rongeait comme de l'acide. Le souvenir du visage rondouillard de la Foldingote s'imposa une fois encore, brouillant sa vue de larmes salées. Elle se demanda quel mirage était apparu devant la petite créature quand les Sirènes avaient jeté leur dévolu sur elle. Les appartements de la Colonne de Verre où elle vivait aux côtés de Malorane ? Les fantastiques forêts de Vert-Manteau ? Pauvre Foldingote… Oksa ravala un sanglot et inspira profondément pour étouffer les pleurs qui s'apprêtaient à éclater. Elle regarda autour d'elle avec une attention forcée : il fallait à tout prix aller de l'avant pour ne pas se laisser engloutir par cette mélancolie. Et l'endroit où se trouvaient maintenant les Sauve-Qui-Peut, après ce sinistre tunnel, avait tout pour les y aider. D'une beauté tropicale et onirique, il semblait tout droit sorti des songes les plus fabuleux d'un créateur de génie.

— C'est fantastique ! s'exclama-t-elle en espérant que son enthousiasme soit communicatif. Vous avez vu cette eau ? Comment peut-elle être si bleue et si transparente à la fois ? C'est vraiment… magique ! fit-elle remarquer avec un petit rire nerveux.

Autour du lagon, les arbres ployaient sous le poids de fruits énormes tous plus appétissants les uns que les autres. Comme s'il pouvait lire dans ses pensées, l'un d'eux s'inclina jusqu'à ce que sa branche la plus fournie arrive au niveau d'Oksa. La jeune fille se rendit alors compte combien elle était affamée. Elle tendit la main et cueillit le fruit qui lui paraissait le plus juteux, une sorte d'abricot démesuré, et croqua dedans. Un nectar savoureux se répandit aussitôt dans sa bouche, lui apportant un réconfort immédiat. Elle le dévora goulûment et plongea de nouveau son regard dans la verdure opulente. Dans le feuillage luisant des arbres, de minuscules oiseaux dorés pépiaient et voletaient avec vivacité, leurs petites ailes étincelant sous les rayons de l'étrange soleil mauve.

— J'y crois pas ! s'écria Oksa. Des Ptitchkines !

Elle tendit le bras et l'un d'eux, grand de quelques millimètres, vint se poser avec docilité sur la paume de sa main.

— Salut, Ptitchkine ! lui dit-elle en le caressant avec précaution.

— Que mes hommages les plus obligeants soient acceptés par la Jeune Gracieuse ! lui répondit l'étonnant volatile en abaissant sa tête microscopique.

Oksa pouffa de rire, gênée comme chaque fois qu'on s'adressait à elle avec une telle grandiloquence. Elle regarda son père avec un large sourire, puis les autres Sauve-Qui-Peut, Gus, Tugdual…

— Qu'est-ce que tu es mignon, Ptitchkine ! reprit-elle. Tu sais que ma grand-mère possède deux de tes compagnons ? Elle les porte sur des perchoirs qui lui servent de boucles d'oreilles !

— Ce doit être un honneur immense pour mes compagnons d'orner les oreilles de la Vieille Gracieuse, quelle chance ! s'exclama le petit oiseau d'une voix suraiguë. Sont-ils dignes de leur bienheureux sort ?

— Euh… pas toujours ! répondit Oksa en riant. Ils ont quelques problèmes de discipline, mais ils sont si adorables qu'on finit toujours par leur pardonner !

— Tiens, ça me rappelle une certaine Jeune Gracieuse… lança Gus en jetant à son amie un regard en biais très appuyé.

— Oh, toi ! gronda Oksa en laissant s'envoler le Ptitchkine. Tu vas voir ce que tu vas voir !

Elle se précipita sur lui et tous les deux tombèrent à la renverse sur le sable doux aux pieds des Incendiantes qui laissèrent échapper quelques étincelles de surprise. Ils roulèrent jusqu'à la rive dans de grands éclats de rire pour finir leur chute dans le lagon translucide.

— Venez ! cria Oksa à l'intention des Sauve-Qui-Peut qui regardaient la scène en souriant. C'est génial !

— Eh bien, pourquoi pas ? répliqua Abakoum en retirant sa veste de kimono et ses bottines.

L'Homme-Fé grimpa sur le rocher qui surplombait le lagon de deux ou trois mètres et plongea dans l'eau tiède et limpide. En quelques brasses, il rejoignit Oksa qui s'ébattait en éclaboussant Gus.

— Tu parles d'une Jeune Gracieuse ! s'esclaffa le garçon, les yeux brillants de malice. On dirait plutôt un jeune chien fou !

— Argh ! grogna Oksa en se jetant sur lui. Tu sais ce qu'il te dit, le jeune chien fou ?

Hilare, elle tenta d'enfoncer Gus sous l'eau. Mais à chaque tentative, une résistance inattendue s'opposait.

— Tu refuses de couler, hein ? gronda-t-elle. Tu t'opposes à la volonté de la Jeune Gracieuse, espèce d'affreux ?

— Mais non, je t'assure, Jeune Gracieuse ! répondit Gus en pleurant de rire. Je voudrais bien obéir et couler à pic, mais regarde ! Je n'y arrive pas ! Je reste à la surface !

— Venez voir par là, mes enfants ! les invita Abakoum.

L'Homme-Fé se tenait au beau milieu du lagon, là où la profondeur était la plus grande. Il roula sur lui-même pour s'enfoncer sous l'eau, mais ne réussit qu'à faire une pirouette à la surface.

— On ne peut pas aller au fond, fit-il remarquer. L'eau est trop dense !

— Tu as raison ! constata Oksa en s'approchant de lui, de l'eau jusqu'au cou, le corps à la verticale. Il y a au moins dix mètres de profondeur et je ne fais aucun mouvement, je devrais couler ! C'est génial !

— Waouh ! s'extasia Gus en marchant jusqu'à Oksa. Papa, viens !

Pierre céda à la supplique de son fils et se jeta à l'eau, non sans avoir déposé sur la berge sablonneuse l'Insuffisant, qui l'avait choisi comme gardien.

— Je ne me souviens plus si j'aime les activités aquatiques, marmonna-t-il avec sa nonchalance habituelle. Est-ce que ça mouille ?

— Il y a des risques… lui répondit Tugdual en retirant son tee-shirt noir.

Le torse du jeune homme dont la pâleur éclatait à la lumière du jour attira le regard d'Oksa. L'ignorant, Tugdual plongea à son tour et s'approcha du petit groupe qui flottait au milieu du lagon.

— Ça va, P'tite Gracieuse ? lança-t-il d'un air faussement détaché.

— Tu m'étonnes ! Cet endroit est génial ! répondit-elle avec entrain.

Et afin de cacher son émotion, elle fit la planche à la surface de l'eau, le cœur battant, tandis que Tugdual nageait en tournant autour d'elle comme un requin.

— Il doit vraiment souffrir… dit-il en fixant Pavel.

Oksa se remit en position verticale et regarda son père accroupi au bord du lagon. D'une main, il laissait couler un filet d'eau sur les plumes de la Devinaille qui gloussait de joie. L'exaltation de la petite poule le faisait sourire, mais son visage crispé trahissait de bien vifs tourments.

— Papa ! appela Oksa, peinée de lire tant de souffrance. Viens te baigner ! Allez, viens !

Pavel se redressa et, les mains sur les reins, s'étira.

— J'arrive ! lança-t-il avec une grimace.

Il hésita un instant, puis se décida à retirer son tee-shirt en lambeaux. De face, personne ne pouvait soupçonner l'existence de son Dragon d'Encre, si ce n'étaient les griffes tatouées qui débordaient sur ses épaules. Pavel s'avança avec prudence malgré la tiédeur de l'eau et la douceur du sable qui tapissait le lagon. Il s'éclaboussa avec précaution le haut du corps et Oksa crut avoir une hallucination en voyant une fumée blanche s'élever de son dos, là où des gouttelettes venaient de retomber. Son père grimaça de nouveau et laissa échapper une plainte presque inaudible. Oksa ne le quittait pas des yeux et, non loin d'elle, Tugdual restait lui aussi aux aguets, intrigué. C'est alors qu'un phénomène singulier survint, confirmant ce qu'Oksa avait constaté un peu plus tôt : alors que Pavel s'enfonçait dans l'eau, un épais nuage de vapeur se dégagea de son dos en grésillant. Pavel ne put se retenir de hurler, les yeux révulsés.

— Papa ! s'écria Oksa en bondissant vers lui.

À la surface de l'eau, des volutes de vapeur s'évaporaient autour du père d'Oksa, qui semblait au bord de l'évanouissement.

— Papa ! répéta Oksa. Appuie-toi sur moi, je vais t'aider à sortir de là !

— Non, tout va bien, Oksa ! la rassura Pavel d'une voix hachée. L'eau m'apaise. Elle éteint tout ce feu en moi, quel soulagement… Si tu savais…

— Tu es sûr ? lui demanda Oksa, sceptique.

— J'ai cru que mon dos allait prendre feu, continua Pavel qui semblait recouvrer ses esprits de seconde en seconde. Je me sentais cuire.

— C'est atroce !

— Je crois qu'il faut juste que j'apprenne sérieusement à maîtriser mon Dragon d'Encre si je ne veux pas finir grillé… lança Pavel sur le ton pince-sans-rire qu'Oksa lui connaissait bien. À moins qu'un père sauce barbecue ne te tente ?

— Papa ! s'indigna Oksa en lui donnant une tape sur le bras. Comment peux-tu plaisanter avec *ça* ?

— Mieux vaut en rire, Oksa-san… murmura-t-il d'un ton amer. Mieux vaut en rire.

Rire pour ne pas souffrir ? Rire pour ne pas mourir ? Deux questions qui vrillèrent l'esprit d'Oksa alors qu'elle gardait les yeux rivés sur son père. Tous les deux restèrent ainsi, face à face, l'eau clapotant autour d'eux, jusqu'à ce que Pavel prenne sa main et l'entraîne sous les arbres fruitiers.

— Tu avais l'air de te régaler tout à l'heure… lui dit-il avec douceur, signalant ainsi que le sujet qui inquiétait tant Oksa était clos. Tu ne me ferais pas goûter un de ces succulents abricots ? Je crois que nous avons besoin de reprendre des forces, non ?

Oksa n'eut même pas à se lever : l'arbre sous lequel elle se trouvait avec son père s'inclina jusqu'à atteindre sa main et se laissa dépouiller de ses plus beaux fruits. Autour du lagon, tout le monde se reposait, détendu par le bain et apaisé par le cadre idyllique.

— Regarde Réminiscens, là-bas ! fit remarquer la jeune fille, la bouche dégoulinante de jus d'abricot. Léomido est aux petits soins pour elle…

Plus loin, entre deux arbres, Réminiscens se balançait nonchalamment dans un hamac que Léomido avait tressé pour elle grâce aux lianes fournies par un spectaculaire banian. Au-dessus d'elle, une grosse libellule d'un vert nacré l'éventait en vrombissant. Les Filfollias semblaient avoir bien travaillé : les pieds de la vieille dame étaient désormais intacts, sans aucune trace d'écorchures. Mais elle avait l'air épuisée. Les mains croisées sur la poitrine, elle s'était assoupie et les cernes violacés sous ses yeux trahissaient son abattement. À ses côtés, Léomido était adossé contre un arbre, le visage grave et le regard sombre. Tout en dégustant ce qui ressemblait à une grosse mangue, il ne quittait pas Réminiscens des yeux.

— Ça doit être dur pour lui… murmura Oksa. Retrouver la femme qu'il a aimée, après toutes ces années…

— Et surtout après avoir cru qu'elle était morte, ajouta Pavel.

— Tu crois qu'Abakoum était amoureux de Réminiscens, lui aussi ? demanda soudain la jeune fille en surprenant le regard de l'Homme-Fé assis plus loin, à l'écart.

Pavel se racla la gorge.

— J'en suis persuadé, répondit-il en suivant des yeux le regard d'Abakoum braqué sur Réminiscens. Mais n'oublie pas qu'Abakoum est un homme de devoir et, surtout, un homme de l'ombre. Depuis qu'il est né, il est dévoué à la famille Gracieuse : d'abord Malorane, puis ses enfants, Léomido et Dragomira. Et enfin nous, les descendants. Et bien qu'il soit plus puissant que nous tous, il s'est toujours effacé.

— C'est plus que du dévouement ! s'exclama Oksa.

— Abakoum est ainsi : c'est sa loyauté qui passe avant tout.

— Même avant l'amour… résonna la voix de Tugdual.

Oksa se retourna brusquement : le jeune homme était allongé de tout son long sur la branche la plus basse de l'abricotier.

— C'est ça, la vraie force ! continua-t-il. Être capable de dominer ce qui peut nous dominer.

— Qu'est-ce que tu veux dire ? demanda Oksa, perplexe, sous le regard amusé de son père.

Les yeux rivés sur le ciel, Tugdual se gratta la tête avec désinvolture.

— Être dominé, c'est courir à sa perte, répondit-il. Si l'on contrôle ce qui est susceptible de nous asservir, alors on est plus fort que tout.

Oksa fronça les sourcils.

— Je sens que la P'tite Gracieuse veut des exemples, poursuivit Tugdual avec le sourire ravageur de celui qui s'amuse terriblement. Prenons un sentiment au fort potentiel dominateur : l'amour. S'abandonner à un tel sentiment est très dangereux car il est très difficile à maîtriser. Si on peut le surmonter, c'est-à-dire passer au-dessus pour continuer à avancer, alors là, bravo ! On est l'homme le plus invincible qui existe !

— Peut-être… admit Oksa. Mais qu'est-ce que ça doit faire mal !

— Évidemment ! approuva Tugdual avec un rire éclatant. Sinon, ce serait trop facile ! La vie n'est pas un conte de fées...

— Avec toi, on ne risque pas de l'oublier ! marmonna Oksa avant de détourner la tête et ses pensées vers le papillon noir qui s'approchait d'elle.

— Jeune Gracieuse, Sauve-Qui-Peut, vous devriez venir voir, annonça l'Éclaireur ailé. Je crois que j'ai trouvé le passage qui va nous mener à la prochaine strate...

31

Réticences

Oksa se leva aussitôt, suivie par les Sauve-Qui-Peut intrigués. Le papillon longea le lagon et mena le petit groupe devant la cascade.

— C'est ici !

Abakoum s'avança et, le nez au ras de l'eau qui tombait, plissa les yeux.

— Je ne vois rien…

— Passez votre tête, lui conseilla le papillon. Vous ne risquez rien tant que votre corps reste de ce côté.

Retenu d'une main ferme par Léomido et Pierre, Abakoum suivit la recommandation de l'insecte et engagea sa tête sous la cascade. Des litres d'eau s'écrasèrent sur son dos, éclaboussant les Sauve-Qui-Peut. Quelques instants plus tard, il sortait la tête du rideau d'eau.

— Alors ? demanda Oksa sans pouvoir attendre une seconde de plus.

Abakoum s'essuya brièvement et, le visage défait, répondit :

— Je crois, mes amis, que nous allons devoir nous armer de courage et de force pour affronter la suite…

— Je peux voir ? implora aussitôt Oksa.

— Oui… acquiesça Abakoum avec résignation.

Fortement maintenue par son père et par Pierre, Oksa passa à son tour la tête à travers la cascade. Elle oublia vite le poids de l'eau qui chutait sur ses épaules quand elle vit l'effroyable paysage qui s'étalait à perte de vue devant elle : une vaste terre couverte de poussière grisâtre, presque noire, balayée par de violentes rafales de cendres. Au-dessus de cette étendue inhospitalière, le ciel marbré de veinures sombres laissait échapper des éclairs d'un noir d'ébène qui projetaient une lueur inquiétante sur de profondes failles dans le sol. Cet angoissant spectacle était accompagné d'un vacarme assourdissant, comme un violent roulement de tambour ponctué par des grincements lugubres. Choquée, Oksa repassa la tête à travers la cascade et cligna des yeux, éblouie par la douce luminosité du Petit Paradis qui méritait plus que jamais son nom.

— C'est terrible… bredouilla-t-elle.

— Ce sont les Limbes Arides, précisa le papillon.

À cette nouvelle, Réminiscens et Gus gémirent d'appréhension. Oksa les regarda avec inquiétude, consciente qu'ils étaient tous les deux – et pour des raisons très différentes – les plus vulnérables du groupe. Elle était peinée de voir la détermination de Réminiscens si durement altérée par sa longue errance solitaire dans le tableau. La grande dame semblait si fatiguée… Les traits tirés et les lèvres pincées, elle s'accrochait au bras de Léomido comme à une bouée de sauvetage. Comment allait-elle pouvoir avancer dans le monde hostile qui les attendait tous, là, derrière la cascade ? Et Gus ? En y réfléchissant bien, malgré l'avantage et la force que lui conférait sa jeunesse, c'est lui qui était le plus en danger. Réminiscens, sans aucun doute à bout de forces, restait malgré tout une Mainferme, doublée d'une Murmou. Gus, lui, était un Du-Dehors. Ce qui faisait une immense différence… Il n'avait aucun pouvoir magique et dépendait entièrement des autres pour échapper aux périls qui n'allaient pas cesser de se dresser sur leur route. Le regard d'Oksa se porta sur la petite tombe de la Foldingote. Un frisson l'ébranla et, comme s'il pouvait lire dans ses pensées, Abakoum s'approcha d'elle.

— Nous nous trouvons tous dans une situation bien périlleuse, lui dit-il avec une douceur triste. Mais nous devons tout faire pour éviter un nouveau drame et nous sortir de ce pétrin. Tu as peur et c'est normal. Mais n'oublie jamais que nous avons de sérieux atouts : ton père et son Dragon d'Encre, Léomido et le sang Gracieux qui coule dans ses veines, Réminiscens et Pierre, et leurs pouvoirs Mainfermes, Tugdual et ses multiples dons…

— Sans compter un boulet qui ne sert à rien d'autre qu'à gêner ses amis… l'interrompit Gus d'un air excédé.

— Sans compter Gus qui a prouvé à de nombreuses reprises combien il pouvait être important pour l'équilibre d'une jeune fille au tempérament parfois excessif, renchérit Abakoum d'une voix ferme. Chacun d'entre nous a son rôle à jouer.

— Surtout qu'on est tous embarqués dans la même galère… fit remarquer Tugdual en haussant les épaules.

— Tout à fait ! approuva Abakoum. Et permets-moi, cher Gus, de te faire remarquer que tu n'as pas été le seul à être la cible des Sirènes.

— C'est vrai ! s'exclama Oksa. Regarde ! Abakoum a beau être l'Homme-Fé et j'ai beau être la Gracieuse, elles n'ont fait aucune différence entre toi et nous !

Gus marmonna une vague approbation entre ses dents en grattant le sol du bout du pied.

— Clouer le bec à Gus, voilà qui est fait ! lança Oksa en se frottant les mains.

— Oh ! ça va, espèce de crâneuse… bougonna Gus, un sourire camouflé derrière une mèche de cheveux.

— Et toi, jeune fille, reprit Abakoum en plaquant ses mains sur les épaules d'Oksa, n'oublie pas le plus important : tu es la Jeune Gracieuse.

Oksa fronça les sourcils et se mordit la lèvre inférieure.

— Oui… peut-être… mais je n'ai pas l'impression que ce soit un avantage ! Je ne sais pas faire grand-chose à côté de vous.

— Et voilà la P'tite Gracieuse frappée par le virus de la « Gussonite aiguë »… ironisa Tugdual.

Abakoum plongea son regard gris dans les yeux de la jeune fille.

— Ce n'est pas ce que tu sais faire qui est important, assura-t-il. C'est ce que tu représentes et le potentiel que tu as en toi. Tu n'en as toujours pas conscience, mais tu es notre plus grand atout, Oksa.

Les Sauve-Qui-Peut baissèrent les yeux, pensifs.

— Est-ce que des informations sur la prochaine strate vous intéressent ? demanda soudain la Devinaille en rompant le silence.

— Tu vois, Gus, quand je te disais que chacun a un rôle à jouer… murmura Abakoum en faisant un clin d'œil. Bien sûr, Devinaille, nous t'écoutons ! ajouta-t-il en se tournant vers la petite poule.

— La strate offre des conditions climatiques extrêmes et donc très pénibles. Je me réjouis des températures que nous y trouverons − environ quarante-cinq degrés −, mais quand le taux d'humidité est inexistant, cette température idyllique risque d'engendrer de vives souffrances.

179

— Qu'est-ce que tu veux dire ? demanda aussitôt Oksa.

— Je veux dire qu'il n'y a aucune trace d'eau. C'est la séche-resse absolue, suprême, ultime ! s'exclama la Devinaille. Je n'ai jamais rien connu de tel, mais cela me semble du plus pénible augure, si vous voulez mon avis. D'après ce que je perçois, l'air est saturé de particules de poussière fine et volatile comme de la suie. Il faudra nous en protéger pour ne pas succomber à l'étouffement. J'espère que l'un de vous acceptera de m'offrir la protection d'une de ses poches, je ne tiens pas à trépasser…

Abakoum acquiesça et invita la Devinaille à continuer.

— Sinon, je dois vous adresser un avertissement concernant le sol : il est zébré de failles sans fond. Si l'un de vous tombe, il est perdu à jamais.

— Super… marmonna Gus.

— Comment ça, des failles sans fond ? questionna à nouveau Oksa.

La Devinaille roula des yeux et s'agita avec irritation.

— C'est pourtant clair ! s'excita-t-elle. Il n'y a pas de fond ! Une chute et pftttt, c'est l'infini qui vous attend ! Le vide ! Le néant !

— D'accord… dit Oksa d'une voix blanche. Eh bien, on fera attention à ne pas tomber…

— Si vous croyez que c'est aussi simple ! rétorqua la Devinaille. Cependant, le but n'est pas que vous tombiez, mais que vous évi-tiez de tomber.

— Bonjour la subtilité ! fit remarquer Tugdual.

— Bon, une fois que vous aurez traversé cette strate − si vous y parvenez ! −, vous arriverez au Sanctuaire du Fouille-Cœur.

— Le Sanctuaire constitue une épreuve en soi, ajouta le papillon noir. La plus importante, car c'est là que votre Désenta-bleautement se décidera.

— J'aurais deux mots à lui dire, à ce fichu Fouille-Cœur ! pesta Oksa. J'ai bien envie de lui offrir une belle Incendiante qui lui cra-chera quelques flammes au nez !

— Je suggère plutôt que nous préparions un maximum de vivres, lui dit Abakoum. Des fruits et surtout de l'eau, nous en aurons bien besoin… Quant aux poussières, je propose que nous utilisions des plantes que j'ai repérées là-bas, sous ces roches à l'ombre. Si ma mémoire est bonne, ce sont des Spongeax, une sorte d'éponges qui peuvent faire office de filtre à air grâce à leurs milliers de petites cavités. Je vais fabriquer des masques qui nous seront de la plus grande utilité, je le crains…

Gus le regarda avec effroi.

— Tu veux dire qu'on va aller dans cet enfer *maintenant* ? articula-t-il.

— À quoi bon attendre ? fit remarquer Tugdual.

— Pour toi, évidemment, c'est facile ! rétorqua Gus. Tu vas être dans ton élément ! Plus c'est glauque, plus ça te plaît !

Tugdual haussa les épaules et détourna la tête.

— À l'inverse de ce que tu peux penser, je ne me réjouis pas de ce qui nous attend… riposta-t-il avec gravité.

— Ce n'est pas le moment de vous disputer, intervint Pavel. Tugdual n'a pas tort : il ne nous servirait à rien d'attendre.

— On est si bien ici… murmura Oksa.

— Oui… approuva Pavel en cherchant sa main pour la serrer dans la sienne. Mais ce que nous voulons tous avant tout, c'est sortir de ce tableau, non ? Et ce n'est pas en restant ici que nous y arriverons.

L'argument était implacable. Pavel avait raison et tous le savaient. Solidaire des paroles de son ami, Abakoum sortit sa Crache-Granoks et prononça d'une voix sonore :

Reticulata, Reticulata
Et le loin plus près sera.

Il observa la grosse méduse qui venait d'émerger de la Crache-Granoks et la tendit vers la cascade. L'eau s'engouffra et emplit la Reticulata dont les parois translucides se bombèrent sous la pression. Suivant son exemple, les Sauve-Qui-Peut sortirent à leur tour leur Crache-Granoks et murmurèrent la formule consacrée avant de plonger chaque Reticulata sous l'eau de la cascade. Pendant ce temps, ravalant sa frustration, Gus s'était posté sous les arbres qui rivalisaient de souplesse pour incliner leurs branches chargées de fruits jusqu'à la main du jeune garçon. Une fois les sacs de chaque Sauve-Qui-Peut remplis à ras bord, il s'attarda un instant sur la tombe de la Foldingote, le cœur accablé. Il voulut exprimer quelque chose – un remerciement ? un regret ? une promesse ? –, mais les mots restèrent bloqués, l'étouffant à moitié. Alors, les yeux baissés, il rejoignit ses amis qui l'attendaient.

— Viens, mon garçon, lui dit son père. Tu te chargeras de mon sac de vivres, c'est à mon tour de porter l'Insuffisant, précisa-t-il en ajustant le harnais qui devait accueillir la créature.

Juché sur le dos de Pierre, l'Insuffisant regarda autour de lui d'un air ébahi.

— Où est donc passée cette si gentille dame avec des nattes nouées autour de la tête ? interpella-t-il. Je vivais avec elle avant d'emménager ici, il y a bien longtemps que je ne l'ai pas vue… Elle n'est pas morte, j'espère !

Pavel se passa la main sur le visage, déconcerté, pendant qu'Oksa regardait les Sauve-Qui-Peut avec un affolement stupéfait. Pourvu qu'il ne s'agisse pas d'une prémonition… Comme s'il lisait dans ses pensées, Abakoum la rassura aussitôt :

— L'Insuffisant n'a aucune intuition, affirma-t-il d'une voix qui se voulait ferme. C'est une créature qui a des qualités et des pouvoirs, mais qui est totalement dénuée d'instinct, ne t'inquiète pas.

Mais Oksa sentait bien que la remarque de l'Insuffisant avait ébranlé plus d'un Sauve-Qui-Peut, à commencer par son père. Même Abakoum semblait troublé malgré son apparente assurance. Enfonçant dans les cœurs le clou du doute, la Devinaille sortit sa minuscule tête de la veste de l'Homme-Fé où elle s'était installée et brailla :

— La félonie mène le jeu et chaque minute qui passe lui donne de la puissance !

Abakoum enfouit alors la petite poule dans sa veste et s'avança vers la cascade. Les Sauve-Qui-Peut, armés de leur boule d'eau dont les contours diaphanes miroitaient au soleil, se donnèrent la main pour suivre l'Homme-Fé qui s'engageait d'un pas décidé. Oksa ne put s'empêcher de jeter un dernier regard au petit monticule sous lequel reposait la Foldingote, lança un ultime baiser du bout des doigts et, entraînée par son père, traversa le rideau liquide.

32

La soustraction de la moitié

Alitée depuis deux jours, Dragomira récupérait tant bien que mal de la violente attaque des trois Félons. Ses talents d'apothicaire lui avaient permis de soigner les blessures physiques que lui avaient infligées ses ennemis, notamment les nombreuses coupures provoquées par la Granok de Tornaphyllon de Catarina et les effets dévastateurs du coup de poing magistral de Mercedica. Mais aucune potion ni aucun baume ne pouvait adoucir la douleur morale de la Baba Pollock. Rien de pire n'aurait pu arriver : non seulement les Félons avaient enlevé Marie – ce qui représentait une épouvantable tragédie –, mais encore ils avaient désormais en leur possession le médaillon et un pied de Goranov…

— Quelle pauvre folle je suis… soupira-t-elle pour la centième fois de la journée.

Allongée sur un canapé, elle regarda d'un œil humide Zoé appliquer des Filfollias sur les profondes entailles qui striaient ses bras.

— La Vieille Gracieuse ne doit pas s'accabler de tous ces reproches, objecta le Foldingot.

— J'ai été si imprudente, continua la vieille dame en tapotant son œil tuméfié. Tu vois, mon Foldingot, à cause de mon orgueil démesuré, je n'ai réussi qu'à aggraver les choses.

— La domesticité de votre Vieille Gracieuse n'a pas la compréhension de ce blâme, renchérit le Foldingot. L'orgueil n'est pas la cause de la tragédie : les Félons détiennent une responsabilité dont personne ne peut faire la négligence.

Dragomira soupira de nouveau. Elle se redressa tant bien que mal, le corps endolori. Silencieuse, Zoé se précipita pour l'aider à s'adosser contre des coussins et la dévisagea avec tristesse.

— Peut-être… Sans doute… continua Dragomira. Mais si je n'avais pas été à ce point convaincue d'être assez puissante pour faire face à ces traîtres, j'aurais prévu de l'aide et rien de tout cela ne serait arrivé. J'ai voulu prouver que j'étais plus forte qu'eux. Mais il faut se rendre à l'évidence : je ne suis qu'une vieille femme sur le déclin.

Le Foldingot s'approcha et la fixa de ses gros yeux bleus. Le teint décoloré et l'allure voûtée, il semblait décomposé.

— La sévérité est abusive, observa-t-il. La Vieille Gracieuse est avant tout la Vieille Gracieuse.

— Alors ça, c'est profond ! lança le Gétorix échevelé en sautillant sur le dossier du canapé de Dragomira. Bravo le majordome !

— Le sarcasme n'endommage pas le cœur du Foldingot, répliqua la créature rondelette. Il ne parvient même pas à sa périphérie…

— Pourquoi tu es tout décoloré, le serviteur ? continua le Gétorix d'un ton railleur.

Le Foldingot renifla et se laissa tomber sur le tapis.

— Le duo Foldingot est brisé, dit-il d'une voix éraillée.

Alarmée, Dragomira s'assit au bord du canapé et saisit les mains potelées de sa petite créature.

— Le double féminin a subi la perte de son esprit, reprit le Foldingot en se ratatinant sur lui-même. Les retrouvailles sont abolies.

— Ce n'est pas possible ! s'exclama la Baba Pollock, décomposée.

— C'est une bien affreuse nouvelle… résonna la voix grave de Naftali.

Le géant suédois se tenait à l'entrée de l'appartement de Dragomira en compagnie de sa femme. Tous deux s'approchèrent du Foldingot et s'agenouillèrent devant lui pour caresser sa grosse tête duveteuse.

— Tu veux dire que la Foldingote est… risqua Zoé sans oser prononcer le mot fatal.

— Des Sans-Âge bannies de leur communauté ont soustrait l'âme de la Foldingote bien-aimée, confirma le Foldingot en laissant couler de grosses larmes rondes sur ses joues.

— Ce n'est pas possible… murmura Brune en couvrant d'un regard plein de larmes la petite créature recroquevillée.

— Le risque de la perte a fait la fusion avec la réalité…

Le Gétorix compatissant bondit pour lui tendre un torchon. Attristé par cette révélation, il se posta devant lui et le serra dans ses bras.

— Je n'ai jamais pensé que tu étais un vulgaire domestique, tu sais ! lui lança-t-il abruptement pour cacher son émotion. Et je compte bien sur toi pour me faire un de tes succulents croque-monsieur ! ajouta-t-il pour faire diversion.

Aussitôt, le Foldingot se leva avec docilité et se dirigea vers la cuisine où il s'affaira dans un grand fracas de vaisselle. Le Gétorix, soucieux de réparer son indélicatesse, entreprit de soulager sa peine en lui racontant des blagues de son invention. Mais le cœur n'y était pas… Le Foldingot restait hermétique, muré dans son chagrin. Dragomira se leva en gémissant et s'appuya sur le bras que Zoé lui proposait pour rejoindre le malheureux.

— Tu le savais dès le départ, n'est-ce pas ?

— Les deux Foldingots avaient la connaissance de la soustraction de leur moitié avant l'arrivée dans le tableau, assena-t-il en regardant Dragomira. Leur cœur était préparé à la séparation sans fin, mais pas à la douleur…

— Et vous n'avez rien dit ? Ni l'un ni l'autre ? murmura Dragomira en le prenant dans ses bras.

— La Vieille Gracieuse ne doit pas faire l'oubli que les Foldingots ne pratiquent la communication de ce qu'ils savent que lorsque le questionnement est exprimé, répondit le Foldingot dans un sanglot. Une absence d'interrogation fait l'entraînement d'une absence de transmission.

— Bien sûr… Je suis impardonnable, j'aurais dû te demander ce que tu savais avant l'Entableautement.

— Savoir et dire ce que l'on sait n'empêche pas le Destin de frapper sans pitié ceux qu'il a choisis…

— Mais nous n'aurions pas fait entrer la Foldingote ! s'exclama la vieille dame, les larmes aux yeux.

— Ma Foldingote a reçu la désignation du Destin pour faire le sauvetage d'un Sauve-Qui-Peut entableauté. Son obéissance a été complète car le choix n'a pas d'existence.

— On n'échappe pas à son destin… murmura Zoé, très émue.

— L'amie de la Jeune Gracieuse possède l'exactitude dans son cœur, acquiesça faiblement le Foldingot.

Sa tête retomba sur l'épaule de Dragomira qui chancela sous le poids du petit intendant. Naftali se précipita pour aider Zoé à soutenir la Baba Pollock et tous les trois conduisirent le Foldingot sur un sofa où ils l'allongèrent de tout son long.

— J'espère qu'il s'en remettra, souffla Zoé.

Le Foldingot tourna les yeux vers elle.

— L'amie de la Jeune Gracieuse a l'espérance en bouche et son souhait rencontrera la satisfaction, annonça-t-il d'un ton épuisé. Le cœur du Foldingot restera déchiqueté jusqu'à l'issue de sa vie, mais sa longévité connaîtra la persistance.

— Je suis désolée d'avoir à te poser cette question, mon Foldingot… continua Dragomira d'un air tourmenté. Mais…

— Le Foldingot a la connaissance de l'inquiétude de la Vieille Gracieuse, l'interrompit la créature. Les Sauve-Qui-Peut feront un retour presque intégral, c'est une assurance.

— Presque intégral ? s'alarma Naftali alors que Dragomira perdait toute contenance.

— La disparition éternelle va se reproduire, répondit le Foldingot.

Dragomira poussa un cri déchirant :

— Qui ? Dis-moi qui ?

— Un Sauve-Qui-Peut entableauté va faire l'abandon de sa vie. Mais le Foldingot a l'ignorance de son identité. Le Foldingot n'est pas le Destin… conclut le petit être abattu en se roulant en boule sur son sofa.

Le choc de cette terrible perspective était rude pour les cinq Sauve-Qui-Peut qui se trouvaient là, impuissants, dans la maison de Bigtoe Square. Dragomira rejoignit en titubant son canapé. Elle inspira profondément et ferma les yeux pour s'enfoncer dans une sombre réflexion. Brune et Naftali s'assirent en face d'elle sur les fauteuils éventrés lors du passage des Félons dans l'appartement de la Baba Pollock. Un profond désarroi se lisait sur le visage des deux vénérables Scandinaves. Harassée par l'anxiété et par sa charge de travail au restaurant, Jeanne affichait une mine aussi ravagée que ses amis. Ses grands yeux bruns, agrandis par l'affolement, semblaient manger tout son visage. Quant à Zoé, un étrange sentiment de vide faisait le siège de son esprit. Un sentiment qu'elle avait connu quelques mois plus tôt lorsqu'elle avait perdu ses parents, puis sa grand-mère Réminiscens et, enfin, son grand-oncle, Orthon McGraw. Tous avaient disparu avec une brutalité impitoyable, emportant avec eux un morceau d'elle-même. C'était tout à fait ce qu'elle ressentait à cet instant précis : le vide s'installait là où la douleur menaçait de frapper et prenait la place de ce morceau d'elle-même qui lui avait été arraché. Les intenses souffrances subies par Zoé l'avaient peu à peu conduite à mettre au point ce mécanisme de défense très personnel : la survie par le vide. Étaient-ce ses origines Main-fermes qui l'y aidaient ? Son côté Murmou ? Ou bien sa part Gracieuse ? Peut-être un peu des trois, se disait-elle, étonnée de réagir si froidement. Assise à l'écart, elle regardait Jeanne, Naftali, Brune et Dragomira. Elle était consciente de l'inquiétude qui les rongeait. Les Knut devaient penser à leur petit-fils Tugdual et Jeanne à son mari et à son fils. Dragomira, quant à elle, avait son fils, sa petite-fille et son frère enfermés dans ce maudit tableau. Et elle ? À qui pensait-elle spontanément ? À sa grand-mère ? À Léomido, son tout nouveau grand-père ? À Gus ? Elle dut se forcer à réfléchir, prenant le risque de sombrer dans une douleur qui serait peut-être insupportable. Voire fatale… Ses efforts ravivèrent sa mémoire et le visage de sa grand-mère apparut…

33

Le poids des souvenirs

Elle se souvenait très bien de la dernière fois qu'elle avait vu Réminiscens. C'était un jeudi, il faisait un temps magnifique, à peine voilé par des bandes de nuages duveteux. Toutes deux se rendirent au collège d'un pas vif – Réminiscens l'accompagnait et venait la chercher quoi qu'il arrive. Elles s'embrassèrent en se souhaitant mutuellement une bonne journée et Zoé rejoignit sa classe. Mais ce soir-là, ce n'était pas sa grand-mère qui l'attendait à la sortie. C'était Orthon, son grand-oncle. Une lueur faisait briller ses yeux noirs d'une étrange tristesse lorsqu'il lui annonça que Réminiscens s'était noyée. Cette nouvelle, ajoutée à l'horreur d'avoir perdu ses parents dans un accident d'avion quelques mois plus tôt, acheva de vider le cœur de Zoé de tout bonheur.

À la suite de ce drame, Orthon l'avait alors accueillie dans sa famille. Tout le monde était très gentil avec elle. Sa grand-tante Barbara, douce et affectueuse, sombrait souvent dans la mélancolie. Son pays natal – les États-Unis – lui manquait terriblement. Son cousin Mortimer, lui, se comportait comme un vrai frère, protecteur et bienveillant. Quant à son grand-oncle Orthon, son caractère austère ne l'empêchait pas d'être attentif à ce qu'elle ne manque de rien et elle avait fini par s'habituer à son regard ténébreux qui l'observait avec une curiosité singulière. Les trois McGraw étaient sa seule famille et elle leur vouait un attachement plein de reconnaissance.

En entrant dans leur intimité, Zoé fut bientôt le témoin involontaire des disputes régulières qui éclataient entre Orthon et Barbara sur des sujets qui ne la concernaient visiblement pas – elle en ressentait d'ailleurs un certain soulagement. Il était toujours question d'une certaine Édéfia et d'Orthon qui serait allé trop loin. Elle avait du mal à tout saisir à cette époque, elle était même allée jusqu'à penser qu'Édéfia était une femme avec laquelle Orthon aurait une liaison ! Maintenant qu'elle connaissait tous les détails de l'histoire des Pollock et des Sauve-Qui-Peut – dont elle faisait partie –, elle comprenait pourquoi Barbara et Orthon se querellaient avec une telle violence. Mais à l'époque, c'était loin d'être le cas... Un soir, elle était rentrée du collège et avait surpris Mortimer et Barbara effondrés en larmes dans le salon. Barbara criait et Zoé n'avait pas tout compris. En revanche, elle avait saisi que quelque chose de grave était arrivé.

— Monte dans ta chambre, Zoé, ne t'inquiète pas... lui avait dit Mortimer en ravalant un sanglot. Je viens te voir tout à l'heure.

C'était la dernière fois qu'elle voyait son cousin. Elle avait attendu toute la soirée, puis elle s'était endormie, écrasée d'angoisse. À son réveil, la maison était vide. Désespérément vide. Zoé avait à nouveau attendu pendant plusieurs heures que quelqu'un revienne, passant de pièce en pièce, laissant des messages inquiets sur les portables d'Orthon et de Mortimer qui sonnaient dans le vide. Les heures avaient laissé place aux jours et à une sombre évidence qui grignotait sans pitié les derniers espoirs : Zoé était seule au monde, abandonnée, sans nulle part où aller. Le choc était sans commune mesure, inexorable et féroce.

Pendant des jours, la jeune fille meurtrie avait tourné en rond dans la maison vide. Par un matin glacial, deux semaines après la disparition des McGraw, elle s'était enfin décidée. Elle n'existait plus aux yeux du monde. Les placards et le réfrigérateur étaient vides, les meubles se recouvraient de poussière, chaque jour un peu plus, et des toiles d'araignées commençaient même à se former en haut des murs. C'était comme si la maison l'enfermait en devenant une véritable tombe et cette sensation lui fit l'effet d'un électrochoc. Elle prépara un petit sac contenant ce qui comptait le plus dans sa courte vie : l'album photo de ses treize premières années, les cartes d'anniversaire que ses parents lui avaient écrites jusqu'à ce qu'ils meurent, le foulard parfumé que sa mère portait si souvent, le lourd stylo plume de son père et l'étrange flûte de sa grand-mère. Et, sac à l'épaule, elle marcha jusque chez les Pollock, sans se retourner, le cœur en miettes.

Quand Dragomira ouvrit la porte, elle resta bouche bée en reconnaissant Zoé, maigre et sale, qui la dévisageait d'un regard humide cerné de désespoir.

— Madame Pollock, excusez-moi de venir vous trouver... Je ne sais pas où aller...

Et, sous le coup de l'émotion, elle s'effondra sur le palier de la maison. Dragomira, qui éprouvait alors les plus grandes difficultés à faire le moindre effort physique suite à « l'affaire de la cave », appela les Foldingots à la rescousse. Zoé se laissa faire, trop épuisée pour être effrayée par ces incroyables créatures. Ces derniers la portèrent jusqu'à l'appartement de leur maîtresse et l'allongèrent sur un canapé où elle s'assoupit aussitôt, harassée de tristesse.

— La méprise va connaître la réparation ! s'exclama le Foldingot, plus mystérieux que jamais.

— S'il te plaît, mon Foldingot, ce n'est pas le moment de lancer des énigmes ! le réprimanda Dragomira.

— Prenez garde au jugement repu d'erreurs et de rancune, notre Vieille Gracieuse, continua toutefois la petite créature. Une grande importance doit être attribuée à la jeune fille car elle contient un sang Gracieux...

La Vieille Gracieuse fronça les sourcils avant de se laisser tomber sur le canapé face à celui sur lequel les Foldingots avaient installé Zoé. Malgré son état de faiblesse et le reproche qu'elle venait d'adresser à son Foldingot, elle savait tout au fond d'elle que la présence de cette jeune fille à l'apparence si pitoyable allait bouleverser leur vie à tous...

Dragomira l'observait quand elle se réveilla et Zoé en était horriblement gênée. Mais il n'y avait aucune hostilité dans le regard de la Baba Pollock.

— Bonjour, Zoé, lui dit-elle d'une voix douce. Tu te sens mieux ?

Zoé répondit « non » dans un souffle presque inaudible. Dragomira se pencha alors vers elle et, prenant sa main avec délicatesse, lui murmura avec bienveillance :

190

— Tu as peur, je te comprends. Si j'étais à ta place, moi aussi j'aurais très peur. Je te dirai juste que je ne te veux aucun mal, bien au contraire. Tu peux avoir confiance en moi.

Zoé, un peu rassurée mais surtout pleine d'espoir, jeta un coup d'œil timide à Dragomira.

— Et si tu me racontais tout depuis le début ? lui proposa la vieille dame.

Après quelques secondes d'hésitation, Zoé se décida. Les mots jaillirent par centaines et se précipitèrent pour sortir d'elle en meurtrissant au passage son cœur déchiré en mille morceaux. Les sanglots l'étouffaient, les souvenirs faisaient très mal, arrachant tout sur leur passage. Mais Zoé parla, parla et pleura en même temps, sans pouvoir se retenir, pendant que Dragomira lui caressait la main en comprenant l'ampleur de la méprise annoncée par le Foldingot.

— Zoé, ton père n'est donc pas Orthon McGraw ? demanda enfin la Baba Pollock avec autant de tact que possible.

— Non ! Ma grand-mère était sa sœur jumelle. Elle m'a dit un jour que vous seule pourriez m'aider si j'avais besoin…

Saisie, Dragomira la regarda avec encore plus d'intensité.

— Elle avait beaucoup d'admiration pour vous, vous savez… J'ai des photos d'elle, si vous voulez les voir…

— Bien sûr ! souffla Dragomira, la voix étranglée par l'émotion.

Zoé sortit de son sac l'album photo qu'elle tendit à Dragomira. Cette dernière s'en saisit avec d'infinies précautions et, au fur et à mesure qu'elle tournait les pages, un vertige incontrôlable semblait l'envahir. Son regard ne cessa d'alterner entre Zoé et les photos, chaque page amplifiant sa stupéfaction.

— Ma grand-mère savait plein de choses sur tout, particulièrement les roches et les pierres précieuses, continua Zoé. Elle était diamantaire… Elle a toujours vécu avec mes parents et moi car elle adorait mon père. Il était son fils unique. Quand il est mort, je sais qu'elle a concentré toute son énergie et tout son amour sur moi. On se retenait souvent de pleurer pour ne pas ajouter de peine à l'autre et c'était très dur pour nous deux de faire comme si on était fortes. J'avais perdu mes parents mais elle, elle avait perdu son fils…

— C'est atroce… murmura Dragomira. Est-ce que c'est ton père sur ces photos ? demanda-t-elle en montrant une page de l'album grand ouvert.

— Oui.

— Il était très beau…

Dragomira resta un long moment à fixer les photos sur lesquelles apparaissait le père de Zoé. Le front plissé, elle blêmit alors qu'une pensée inouïe s'insinuait dans son esprit. Les yeux toujours fixés sur les photos, elle articula en tremblant :

— Je voudrais te demander quelque chose, Zoé… Comment s'appelait ton père ? Et connais-tu sa date de naissance ?

— Mon père est né le 29 mars 1953 et il s'appelait Jan Evanvleck.

Alors, Dragomira s'affaissa le long du canapé, en proie à une vive émotion. Toutes ces informations se télescopaient dans son esprit, l'entraînant dans un vertige mêlé de douleurs refoulées et de secrets enfouis depuis plus de cinquante ans.

Désormais, Zoé connaissait les liens qui l'unissaient aux Pollock tout en mesurant l'ampleur de la méprise qui avait rendu Oksa si hostile à son égard. Aujourd'hui, rien ne pouvait plus séparer les deux petites-cousines, liées par l'arbre généalogique complexe des Pollock et des McGraw, mais surtout par une solide affection. Et pourtant, gagner l'amitié d'Oksa n'avait pas été simple. Amplifiée par le don du savon empoisonné qui rendait Marie si malade, la rancune d'Oksa avait été terrible à affronter pour Zoé. Mais Oksa était intelligente. Elle ne tarda pas à comprendre que Zoé n'avait été qu'une marionnette aveugle au service d'Orthon. Et malgré les raisons différentes qui les motivaient, la Jeune Gracieuse s'avérait aussi haineuse qu'elle envers le Félon. Comme elle lui manquait… Depuis que son amie était entableautée, Zoé se sentait si seule…

Ses souvenirs la ramenèrent peu à peu vers sa grand-mère. Elle l'avait cru morte et voilà que lui était offerte la possibilité de la revoir. Vivante. Une infime possibilité mise en péril depuis les déclarations du Foldingot. Puis l'image de son grand-père Léomido jaillit à son tour. Elle le connaissait depuis peu, mais elle l'aimait déjà tant… D'autres visages se succédèrent : Pavel, si torturé, si attachant ; Abakoum, l'Homme-Fé, celui qui savait et qui comprenait tout ; Gus… son confident. Celui pour qui son cœur battait tendrement. Pleinement. Absolument. Il ne le savait même pas, mais il aimait Oksa, elle en était persuadée. D'ailleurs, comment ne pas aimer Oksa ? Soudain, les mots du

Foldingot s'imposèrent à nouveau. « Un Sauve-Qui-Peut entableauté va faire l'abandon de sa vie », avait dit la petite créature. Zoé se surprit à se poser une atroce question : si c'était elle qui devait décider, lequel choisirait-elle ? Aussitôt, le vide s'engouffra dans la partie de son esprit qui paniquait déjà et la referma d'un coup sec, la mettant à l'abri de l'épouvantable réponse. La jeune fille se tassa sur son fauteuil et s'obligea à retrouver une respiration normale.

34

L'île de la mer des Hébrides

— Nous ne pouvons rien faire pour les aider, de toute façon ! rugit soudain Naftali en lâchant la main de Brune. Nous sommes impuissants…

Dragomira sursauta.

— C'est pourquoi nous devons concentrer nos efforts pour limiter les dégâts ici ! continua le géant suédois, ses yeux vert émeraude brillants de colère.

— Mais le mal est fait, mon ami… remarqua Dragomira d'un ton résigné.

Naftali se leva et se posta face à la vieille dame.

— Mais qu'est devenue la Dragomira que je connais ? tonna-t-il. Où est passée la Gracieuse combattante, pleine d'assurance et d'élan, qui doit nous ouvrir la voie vers Édéfia ? Tu n'es pas de celles qui renoncent, pas toi !

Dépitée, Dragomira soupira, les yeux braqués sur les Filfollias qui continuaient leur fastidieux travail de dentellières sur ses bras.

— Que pouvons-nous faire ? lança-t-elle en se redressant.

— D'abord nous assurer que Marie est bien traitée, expliqua Naftali. Le Culbu-gueulard est-il revenu de son inspection dans la mer des Hébrides ?

— Pas encore…

— Il va arriver, assura le géant. Mais je n'ai aucun doute sur ce qu'il nous dira à propos de Marie : les Félons ne peuvent pas prendre le risque de la maltraiter. Je pense que nous ne tarderons pas à être contactés, c'est inévitable. Marie va leur servir d'otage pour exiger de nous certaines choses.

— Le tableau… murmura Dragomira.

— Réfléchissons… continua Naftali. Qu'est-ce qui est le plus important pour les Félons ? Quel est leur but ultime ?

Dragomira, Brune et Jeanne se concentrèrent quelques secondes et répondirent en chœur :

— Entrer à Édéfia !

— Exact ! confirma Naftali. Et de quoi – ou plutôt, de qui ? – ont-ils besoin pour pouvoir y arriver ? D'Oksa ! Il n'y a qu'elle qui puisse ouvrir le Portail, et c'est tout ce qui compte à leurs yeux : utiliser Oksa comme une clé. Les tentatives d'enlèvement dont elle a été la cible en sont la preuve. Regardons les choses en face : aujourd'hui, le tableau n'est qu'un moyen pour mettre la main sur notre Jeune Gracieuse. Grâce à toi, Dragomira, le tableau est à l'abri. Il doit le rester coûte que coûte. Pardonne-moi de te poser la question, mais tu es sûre qu'il est introuvable ?

— Certaine ! affirma Dragomira. Pour tout dire, au moment précis où je vous parle, j'ignore moi-même où il est.

Les quatre Sauve-Qui-Peut la regardèrent avec stupéfaction. Avait-elle perdu la tête ? Était-elle devenue sénile ? Naftali plissa les yeux, le front barré par une ride soucieuse, puis son visage s'éclaira d'un large sourire en comprenant enfin le sens des mots de sa vieille amie.

— Tu as fait appel à un intermédiaire secret ! lança-t-il avec soulagement. Sais-tu combien je suis heureux de te retrouver en pleine possession de tes esprits, Dragomira Pollock ?

— C'est très astucieux, renchérit Brune. Ton ignorance est la plus efficace des préventions, bravo !

Dragomira leur adressa un sourire humble et balaya l'air d'un geste de la main.

— Voici ma théorie, poursuivit Naftali. Tout comme nous, les Félons doivent attendre qu'Oksa soit désentableautée, ce qui la met pour l'instant hors de leur portée. Mais quand elle réapparaîtra, ils vont se servir de Marie comme moyen de pression pour qu'Oksa les conduise jusqu'au Portail. Et surtout, jusqu'à ce qu'elle l'ouvre pour eux.

— Tu oublies qu'Oksa n'est pas l'unique déclencheur de cette ouverture ! fit remarquer Dragomira. Nous avons besoin du médaillon et les Félons, du Gardien du Repère Absolu.

— Certes ! admit Naftali. La balle est dans leur camp car, avec Marie entre leurs mains, ils ont un sérieux avantage sur nous. Résisterons-nous à leurs exigences ? Je crains que non et tu le sais comme moi. Nous serons obligés, à un moment ou à un autre, de céder. Ou du moins de faire des concessions.

— Sauf si nous libérons Marie… résonna la toute petite voix de Zoé.

— Sauf si nous libérons Marie… confirma Naftali en hochant la tête.

— Mais nous ne sommes pas en mesure de le faire aujourd'hui ! s'exclama Jeanne. Nous n'en avons pas les moyens !

— Tu as raison… approuva Naftali. Nous devons patienter jusqu'au Désentableautement de nos amis pour mettre toutes les chances de notre côté. C'est l'union de nos forces qui nous donnera du poids. En attendant, il va falloir redoubler de vigilance car rien ne nous dit que les Félons vont attendre gentiment dans leur coin. Il vaut mieux nous préparer à les voir sortir l'artillerie lourde pour récupérer le tableau avant le Désentableautement plutôt que de compter sur leur patience.

— Il n'y a aucun risque qu'ils y parviennent ! s'exclama Dragomira, triomphante.

Naftali se tourna vers elle avec une expression beaucoup plus réservée.

— Attention, Dragomira ! Souviens-toi : sous-estimer nos ennemis peut nous mettre en position d'infériorité et faire notre faiblesse. Surtout qu'ils nous ont déjà prouvé qu'on pouvait craindre le pire… ajouta-t-il d'un air sombre.

Confuse, Dragomira baissa les yeux tout en acquiesçant en silence.

— Hé ! Regardez qui arrive ! s'écria soudain Zoé.

Elle se dirigea vers la lucarne et l'ouvrit pour laisser entrer le Culbu-gueulard essoufflé qui tapotait à la vitre. Le petit expert en repérages se percha sur un guéridon bancal avant de pousser un soupir fatigué. Zoé lui tendit un verre d'eau grand comme un dé à coudre. Il l'avala d'une traite, les yeux mi-clos, et reprit son souffle pendant que la jeune fille caressait son dos minuscule courbé par la longue course qu'il venait d'effectuer.

— Mmmhhh, ce massage est une bénédiction ! ronronna-t-il en se dandinant de gauche à droite.

— Culbu, est-ce que tu as vu Marie ? demanda Dragomira avec une impatience impossible à contenir.

— Culbu-gueulard de la Vieille Gracieuse, au rapport ! s'exclama la créature. Six cent quarante et un kilomètres séparent cette maison de l'endroit où est localisée la mère de la Jeune Gracieuse, sur l'île de la mer des Hébrides que j'ai déjà visitée. J'ai

196

parcouru quinze kilomètres entre la côte et l'île des Félons sur un bateau de pêche qui se déplaçait à la vitesse de vingt-six kilomètres à l'heure, puis deux kilomètres sur le dos d'un phoque bien aimable et le dernier kilomètre à la nage dans une eau à quinze degrés centigrades. Arrivé à l'île, j'ai couru sept cent quarante-trois mètres pour arriver à la bâtisse où demeure désormais Marie Pollock. Cette bâtisse a des dimensions importantes : vingt-deux mètres de longueur sur dix-huit mètres de largeur. Elle comporte un rez-de-chaussée surélevé, un étage et deux sous-sols creusés dans la pierre dans lesquels j'ai aperçu au moins quatre laboratoires.

— Deux sous-sols ? s'étonna Brune.

— Oui, confirma le Culbu. Un premier sous-sol de la taille du rez-de-chaussée et un second sous-sol situé sous le premier. J'ai du mal à évaluer la mesure du second sous-sol car je n'ai pu y pénétrer. Mais, d'après mes calculs, il est deux fois plus grand que le premier.

— C'est immense ! fit remarquer Naftali.

— La densité humaine y est forte, l'informa le Culbu. Mes observations m'ont permis de dénombrer vingt-huit personnes qui résident en ce lieu, en plus de la mère de la Jeune Gracieuse.

Dragomira fronça les sourcils.

— Vingt-huit ? s'exclama-t-elle en regardant ses amis d'un air alarmé. Cela voudrait dire qu'Orthon et Mercedica ont réussi à mettre en place un véritable commando… Sais-tu, mon Culbu, si tous ces gens sont des Sauve-Qui-Peut ?

— Des Sauve-Qui-Peut et leur descendance, oui ! lui garantit-il. J'ai repéré Mercedica de La Fuente et sa fille Catarina, ainsi que Gregor et Mortimer McGraw…

— Mortimer ! s'exclama Zoé, bouleversée.

— Oui, et également les deux fils et les trois petits-fils de Lukas…

— Attends, attends… l'interrompit Naftali en levant sa main devant lui. Tu veux parler de Lukas, le grand minéralogiste d'Édéfia ?

— C'est lui-même ! assura le Culbu.

— Vous le connaissez ? questionna Zoé.

— Oh oui !… soupira Naftali. Lukas était un formidable spécialiste des minéraux quand nous étions encore à Édéfia. Si je me souviens bien, il avait surtout orienté ses recherches sur le potentiel énergétique des pierres de Brûle-Rétine, c'est bien cela, Brune ?

La grande dame acquiesça, à regret.

— Il était aussi très féru de cristallochimie, se souvint-elle. Lukas était un Mainferme convaincu. Je veux dire par là qu'il avait tous les traits de caractère propres à cette tribu, mais puissance dix, notamment cet orgueil glacial qui a mené certains d'entre nous à se liguer contre le pouvoir Gracieux. Je n'oublie pas que cette tribu est la mienne, celle de mon mari et aussi un peu la vôtre, ajouta-t-elle en se tournant vers Jeanne et Zoé. Je la respecterai jusqu'à mon dernier souffle, mais sans jamais négliger la lourde responsabilité qu'elle porte dans le Chaos qui a consumé Édéfia. À cause d'hommes comme Ocious. Ou comme Lukas…

— Il était dangereux ? demanda Zoé.

— Très ! lui répondit Brune. C'est en tout cas ce que nous avons découvert quand le Chaos a commencé. Lukas a révélé sa vraie nature et certains l'ont payé de leur vie.

Brune hocha la tête, concentrée sur ses souvenirs.

— Il doit avoir plus de quatre-vingt-dix ans maintenant, fit remarquer Dragomira.

— Quatre-vingt-treize ans, quatre mois et quinze jours très exactement ! intervint le Culbu. Ses deux fils se prénomment Hector et Piotr, ils ont cinquante-deux et quarante-neuf ans. Piotr a eu trois fils qui logent sur l'île, Kaspar, Konstantin et Oskar. Je précise que c'est le même Oskar qui a visité votre appartement en compagnie de Catarina et de Gregor, ma Vieille Gracieuse.

— On peut dire que cette nouvelle génération sait marcher sur les traces de ses aïeux ! marmonna Dragomira avec une ironie grinçante. Tu as reconnu d'autres Félons, mon Culbu ?

— J'ai fureté avec le plus grand zèle, mais la crainte d'être découvert et fait prisonnier m'a poussé à prendre des précautions qui ont empêché une inspection plus soignée. J'ai cependant entendu la Goranov gémir dans une des pièces du sous-sol. Puis j'ai reconnu l'Abominari et un Gorge-Haute qui officiait à la Mémothèque au service des Archives Gracieuses.

— Tiens donc ! lança avec amertume Naftali. Ne me dis pas qu'il s'agit d'Agafon ?

— Vous avez du flair ! répondit le Culbu. C'est en effet Agafon, âgé aujourd'hui de quatre-vingt-neuf ans, huit mois et douze jours.

— Nous avons donc été nombreux à être éjectés d'Édéfia, fit remarquer Dragomira. Beaucoup plus que je ne l'avais imaginé.

— D'après ce que j'ai pu saisir, continua le Culbu, Agafon s'est retrouvé en Finlande après avoir traversé le Portail. Il vit maintenant dans l'île de la mer des Hébrides avec ses deux petites-filles, des jumelles prénommées Annikki et Vilma qui sont âgées de vingt-huit ans et dix-sept jours. Voilà ma Vieille Gracieuse les identifications auxquelles j'ai pu procéder. Quant à Marie Pollock, je l'ai repérée dans la cinquième pièce du premier étage, à gauche du couloir central en partant de l'extrémité sud de la bâtisse. Je me suis autorisé une incursion dans sa chambre afin de lui parler.

— Comment va-t-elle ? demanda avec fébrilité Dragomira.

— Son physique est intact, les Félons la traitent bien et sa chambre est confortable. Malheureusement, la Robiga-Nervosa continue de faire des ravages dans son système nerveux. Mais j'ai vu Annikki, la petite-fille d'Agafon qui est infirmière, lui faire des injections de Vermiculum, ce qui semblait soulager notre malade bien-aimée. Annikki lui prodigue des soins très attentifs car elle sait qu'elle est la mère de la Jeune Gracieuse et elle respecte cela malgré sa félonie. Cependant, les soins ne soulagent pas l'inquiétude : l'emprisonnement et l'absence de nouvelles de ceux qu'elle aime provoquent une douleur incurable.

Le Culbu-gueulard reprit son balancement de gauche à droite, perturbé par ses souvenirs tout frais.

— C'est en voyant son chagrin que j'ai pris le risque de l'approcher, poursuivit-il. J'ai attendu pendant deux heures et quarante-trois minutes qu'Annikki sorte et je me suis faufilé dans la chambre. La mère de la Jeune Gracieuse a manifesté une grande joie de me voir. Je lui ai communiqué la localisation de sa détention et l'assurance que les Sauve-Qui-Peut allaient s'organiser pour venir la libérer. Elle m'a dit de vous mettre en garde contre la puissance des Félons et de ne prendre aucun risque. Ensuite, Annikki est revenue et s'est installée dans la chambre. J'ai dû me cacher sous le lit où j'ai attendu pendant une heure, dix-huit minutes et trois secondes avant de pouvoir sortir. Je me suis échappé en rampant jusqu'à la cheminée et en grimpant à l'intérieur du conduit enfumé long de cinq mètres et quarante-trois centimètres dans une température de cinquante-deux degrés centigrades. Quinze heures et douze minutes ont été nécessaires pour que je revienne jusqu'à Londres, Bigtoe Square, en empruntant des moyens de transport variés : mouette, globicéphale, bateau, bétaillère, pigeon et bus de touristes. J'espère que mon rapport aura été utile à ma Vieille Gracieuse et à ses amis.

— Sans aucun doute, mon Culbu, assura Dragomira en laissant retomber sa tête sur le dossier du fauteuil. Sans aucun doute…

35

La silhouette floutée

Excitée par le rapport du Culbu-gueulard, Zoé avait du mal à trouver le sommeil. Certes, elle était rassurée que Marie soit bien traitée et que les Félons mettent tout en œuvre pour apaiser ses souffrances physiques. De toute façon, c'était dans leur intérêt, se disait la jeune fille. Si Marie venait à mourir, ils perdraient leur unique moyen de pression… Mais ce qui la troublait le plus, dans la pénombre de cette nuit d'été, c'était d'avoir eu des nouvelles de Mortimer. Oh ! le Culbu-gueulard avait dit bien peu de chose. Mais la simple mention du garçon l'avait néanmoins bouleversée. Pendant plusieurs mois, il avait été plus que son petit-cousin : malgré sa rudesse naturelle et son aversion pour les Pollock, il s'était comporté avec elle comme un frère en lui apportant la bienveillance qui lui manquait tant depuis la disparition de ses parents et de sa grand-mère. Dès qu'elle était arrivée chez les McGraw, il n'avait manifesté que sollicitude et générosité envers elle. Tout l'inverse de ce qu'il montrait à l'extérieur… Elle s'était même demandé comment on pouvait être si différent ! « Monte dans ta chambre, Zoé. Ne t'inquiète pas. Je viens te voir tout à l'heure. » C'étaient les derniers mots de Mortimer. Il était en larmes en les disant. Évidemment… Son père venait d'être pulvérisé sous ses yeux… Mais malgré sa promesse, le garçon n'était jamais venu. Il avait fui, la laissant seule dans l'ignorance et l'incertitude. Lui en voulait-elle ? Un peu. Il aurait pu l'emmener avec lui, elle aurait su se rendre utile. Au lieu de cela, elle vivait désormais chez les Pollock. Oh !… le destin avait bien fait les choses : tous l'avaient acceptée et elle se sentait un membre à part entière de cette incroyable famille. Sa nouvelle famille, aimante et chaleureuse au-delà de ce qu'elle pouvait espérer quand elle était arrivée à Bigtoe Square. Mais malgré toutes ses qualités, elle ne remplacerait jamais celle qu'elle avait perdue. Elle pensa à sa grand-mère. Si par bonheur elle la retrouvait, comment la vieille dame allait-elle réagir ? Vers qui irait son cœur ? Vers Léomido, son amour perdu, un des piliers Pollock ? Ou bien vers Mortimer, le fils de son frère jumeau, maître des Félons de Du-Dehors ? Plus que jamais, Zoé sentait dans ses veines cette double origine qui faisait d'elle un être beaucoup plus ambigu qu'elle ne le laissait paraître. Le mélange Gracieux-Mainferme-Murmou pesait comme du plomb et la plongeait dans un abîme de doute. Quelle part d'elle-même était la plus importante ?

Tout s'embrouillait en elle. Ses pensées dérivèrent vers Ocious, le grand Félon, celui qui avait causé la perte d'Édéfia et du clan Gracieux. Et cet homme était son arrière-grand-père. De l'autre côté de l'arbre généalogique se trouvait Malorane, l'imprudente Gracieuse. Le sang de ces deux illustres personnes coulait dans ses veines… Elle soupira, troublée. Avait-elle une place dans toute cette histoire ? Et si c'était le cas, se trouvait-elle près de Léomido ou bien de Mortimer ? Fallait-il vraiment choisir son camp ? Elle se retourna, nerveuse, et balança sa couette hors du lit pour se mettre sur le ventre. Le moment venu, c'est son cœur qui parlerait. En attendant, il lui faisait mal. Et il restait muet. Elle finit par s'assoupir, épuisée. Les images se succédaient, cauchemardesques ou pleines d'espérance, hantées par le regard triste de Gus qui revenait au fil de ses songes. Elle entrouvrit les yeux et se laissa dériver, à mi-chemin entre l'éveil et le sommeil. Elle savait que Gus était comme elle. Bien que leurs origines soient très différentes, elles avaient cependant le point commun de recéler de grandes parts d'ombre qui les faisaient souffrir en rendant leur rôle incertain. Ce manque d'estime de soi griffait le cœur de Zoé. Elle courbait le dos et se laissait faire plutôt que de montrer tout ce qu'elle avait en elle. Et tant qu'elle ne se sentirait pas à la hauteur de ses origines, rien ne s'arrangerait, elle le savait bien. Elle frissonna, saisie par une soudaine sensation qui lui parcourut la colonne vertébrale comme un courant d'air glacé traversant l'intérieur de son corps. Elle ferma les yeux, tracassée et peinée par ses noires pensées. Ce qui l'empêcha de voir la silhouette étrange qui venait de s'éloigner de la surface de son dos pour passer à travers le mur et s'enfoncer dans la nuit profonde…

À quelques kilomètres de Bigtoe Square et de Zoé, Merlin Poicassé se redressa brutalement dans son lit et regarda autour de lui, hébété. Il avait la désagréable impression que quelqu'un se trouvait dans sa chambre. Il alluma sa lampe de chevet et scruta la pièce, les sourcils froncés. Rien à signaler… Il éteignit et se rallongea. Un deuxième frisson l'agita, moins important néanmoins que celui qui venait de le réveiller. Il jeta un coup d'œil au réveil posé sur la table de nuit : deux heures dix. Il soupira, se rallongea et ramena sa couette sur lui. Quelques minutes plus tard, il dormait à nouveau d'un sommeil lourd et épais.

L'homme traversa le mur et jeta un regard circulaire dans la pièce plongée dans l'obscurité. Il s'approcha du lit de la jeune fille dans un silence absolu, son corps indistinct flottant au-dessus du sol. Du bout des doigts, il effleura le bras de l'endormie qui remua sous l'effet du contact glacé. L'homme suspendit son geste un instant, en alerte. La jeune fille se retourna, s'agita et entrouvrit les yeux. Elle resta un moment ainsi, le regard dans le vague. La lumière de la rue filtrait à travers les rideaux et nimbait la chambre de cette clarté laiteuse qu'elle affectionnait tant. Ses yeux balayèrent la pièce avant de s'attarder sur une forme singulière qui se tenait là, tout près de son lit. Une forme humaine dont les contours semblaient désagrégés comme les photos pixélisées. Était-ce un fantôme ? Une hallucination ? Elle savait au fond d'elle qu'elle aurait dû en toute logique être en train de hurler et de bondir hors de son lit. Et pourtant elle n'avait pas peur, ce qui l'étonnait presque plus que la présence de cette silhouette imprécise. Elle plissa les yeux et les écarquilla en voyant la forme s'approcher d'elle et poser sa main floutée sur son front.

— Professeur ? murmura-t-elle, surprise. C'est vous ?

Une onde glaciale assiégea alors son cerveau, puis inonda chaque parcelle de son corps. Et avant de sombrer à nouveau dans un sommeil sans rêves, elle aurait juré avoir reconnu le sourire mauvais du défunt professeur McGraw.

36

Mensonges et surprises à volonté !

Amarrée au bras de Dragomira, Zoé se sentait pleine d'appréhension en ce jour de rentrée. Sa nervosité n'était pas aussi
intense que l'année dernière à la même époque, quand elle
avait découvert son nouveau collège, mais elle était néanmoins
impatiente de voir cette journée terminée. Elle rejeta ses cheveux cuivrés par-dessus son épaule et ajusta la cravate de son
uniforme en essayant de contenir sa fébrilité. À côté d'elle,
Dragomira avait le cœur lourd : elle aurait tant aimé qu'Oksa
et Gus soient désentableautés à temps pour participer à la
rentrée… Elle avait attendu jusqu'au dernier moment pour
prévenir M. Bontempi, le directeur du St Proximus College.
Officiellement, les deux enfants étaient bloqués à l'autre bout
du monde, cloués au lit par une maladie aussi exotique que
contagieuse, et un retour précipité entraînerait des risques sani-
taires dont on pouvait craindre des conséquences fâcheuses…
Par bonheur, M. Bontempi avait conservé cette extrême ouverture d'esprit qui se développait comme par magie dès que
Dragomira s'adressait à lui. D'ailleurs, quand il l'aperçut entrant
dans la magnifique cour dallée du collège, il ne manqua pas de
venir la saluer.

— Chère madame Pollock, mes hommages ! s'exclama-t-il en
baisant sa main baguée. Comment allez-vous ? Et comment
vont nos deux malades ?

— Ils vont mieux, je vous remercie, répondit Dragomira en lui
jetant son plus beau regard de velours. Mais pas assez bien pour
être rapatriés et encore moins pour intégrer leur classe dans les
prochains jours.

— Souhaitons qu'ils reviennent bientôt ! dit le directeur. Où
sont-ils exactement ? Vous me l'avez dit, mais ma mémoire n'a

fait aucun effort pour le retenir. Les dommages collatéraux de la maturité, voyez-vous… ajouta-t-il avec un petit rire.

— Oh, je vois tout à fait, cher monsieur ! acquiesça Dragomira avec un charmant sourire. Moi-même je suis loin de m'en sortir indemne. Alors, avant d'oublier votre question – et qui sait, la réponse… –, je vous dirai qu'Oksa et son ami Gus se trouvent dans un petit hôpital de Kota Kinabalou, sur l'archipel de Bornéo. Mon fils Pavel ainsi que Pierre Bellanger sont avec eux.

— Très bien, très bien… opina M. Bontempi.

Puis, se tournant vers Zoé, il continua :

— Mademoiselle Evanvleck, c'est donc à vous qu'incombera la charge d'aider vos amis à rattraper leur retard.

— Je comptais bien le faire, approuva Zoé. Vous pouvez avoir confiance.

— Bien, bien, bien… En tout cas, c'est très aimable à vous, madame Pollock, d'accompagner cette jeune fille aujourd'hui !

Dragomira eut un très léger instant d'hésitation que seule Zoé perçut. Puis, se reprenant, elle annonça :

— Vous l'ignoriez peut-être, mais Zoé est ma petite-nièce !

Zoé Evanvleck ? Petite-nièce de Dragomira Pollock ? Mais M. Bontempi ne la connaissait que comme la petite-nièce du professeur McGraw ! Il afficha une nette surprise et réfléchit quelques secondes, le front plissé, cherchant à reconstituer les ramifications qui lui auraient échappé.

— Oh, je l'ignorais, en effet ! répondit-il, troublé. Ainsi, le professeur McGraw était un membre de votre famille ? ajouta-t-il d'un air incertain.

Il croisa ses mains devant lui, frappé de se rendre compte seulement maintenant qu'il existait des liens entre les Pollock et le professeur McGraw. Il n'avait jamais beaucoup apprécié cet homme austère et ironique qui terrorisait aussi bien ses élèves que ses collègues. Certes, c'était un excellent professeur de sciences aux références prestigieuses, mais il y avait en lui quelque chose de dérangeant qui avait toujours mis M. Bontempi mal à l'aise. Personne n'avait sauté de joie à l'annonce de l'accident de voiture mortel dont il avait été victime quelques mois plus tôt, mais personne ne l'avait regretté non plus… Le directeur regarda de nouveau Dragomira, rayonnante de beauté dans sa robe de soie grenat. « Cette femme est vraiment l'exact contraire de McGraw », se dit-il. Comme si elle pouvait lire dans ses pensées, elle lança :

— Un membre éloigné, oui… Nous n'entretenions guère de relations, faute d'affinités, voyez-vous… précisa-t-elle sur le ton de la confidence. Mais dites-moi, n'est-ce pas Mlle Crèvecœur que j'aperçois là-bas ?

M. Bontempi tourna la tête et l'ombre qui avait obscurci son regard s'évapora en voyant la jeune femme pimpante qui discutait avec plusieurs collégiens au milieu de la cour.

— Elle a l'air d'aller bien ! fit remarquer Zoé, contente de revoir sa professeur d'histoire-géo.

— Grâce aux talents d'herboriste de votre merveilleuse grand-tante ! renchérit M. Bontempi en se penchant vers Zoé.

Il se redressa et saisit la main de Dragomira qu'il serra avec chaleur.

— Je vous serai éternellement reconnaissant de ce que vous avez fait pour Bénédicte, madame Pollock, dit-il d'un ton ému. Plus jamais je ne mettrai en doute les vertus des plantes. Car vous avez devant vous le plus ardent défenseur de la médecine douce ! ajouta-t-il avec un petit rire. Oh, mais il serait temps que je gagne mon estrade ! Les élèves attendent… Mes hommages, madame Pollock. À tout à l'heure, mademoiselle Evanvleck.

Il fit un petit salut et tourna les talons pour rejoindre l'estrade dressée le long du cloître qui longeait la cour. Avant de le suivre, Zoé jeta un coup d'œil curieux à Dragomira.

— Je ne savais pas que tu étais intervenue pour Mlle Crève-cœur !

— Je ne pouvais pas laisser cette pauvre femme dans cet état ! s'exclama Dragomira en faisant tinter ses spectaculaires boucles d'oreilles en forme de perchoir à oiseaux. J'ai proposé mon aide à M. Bontempi qui a accepté, avec un certain scepticisme au départ. Comme tu as pu le constater, il a vite été convaincu !

— Mais est-ce qu'elle se souvient… de tout ? demanda Zoé, un peu inquiète que la douce professeur puisse se rappeler la terrible attaque portée contre elle par McGraw.

— Seigneur, non ! s'écria Dragomira, une main sur le cœur. Disons que son amnésie s'est restreinte à un certain épisode…

Zoé lui adressa un sourire amusé.

— Qu'as-tu, jeune fille ? lui demanda la vieille dame, le regard pétillant.

— Je n'ai jamais vu quelqu'un…

Hésitante, elle laissa sa phrase en suspens.

— … mentir aussi bien ? continua à sa place la Baba Pollock. Je sais, ma chérie, je sais… Me croiras-tu si je te dis que je n'en suis pas très fière ? Mais hélas, le mensonge fait partie de l'instinct de survie de tout Sauve-Qui-Peut. Si aucun de nous n'avait jamais menti, notre communauté n'existerait plus depuis longtemps.

— En tout cas, bravo ! s'exclama Zoé. Tu avais bien préparé le terrain !

— Anticiper les questions que l'on peut vous poser : avec le mensonge, voilà un autre de nos dons indispensables… conclut Dragomira, songeuse. Allons, ma petite fille, rejoins tes amis ! Regarde, ils t'attendent…

M. Bontempi avait lui aussi bien préparé le terrain : Zoé se retrouvait dans la même classe que ses amis, Merlin et Zelda. C'était un profond soulagement pour la jeune fille, elle se sentait si seule parfois… Et comble de bonheur, la troisième Hydrogène devait inclure dans ses rangs Gus et Oksa quand ils se seraient remis de leur maladie tropicale, annonça le directeur. Malheureusement, Hilda Richard – la Primitive, comme la surnommait Oksa – faisait partie de la liste des collégiens. Ce qui fit rager Merlin…

— Oh ! la poisse !

Tout en marmonnant, son regard fut attiré par Dragomira qui se tenait à l'écart, adossée à une gigantesque statue d'ange. La grand-mère d'Oksa lui fit un petit signe discret de la main et un vague sourire. Depuis qu'elle lui avait confié le tableau maudit, tous les deux s'étaient bien gardés de communiquer afin de préserver leur secret. Dragomira faisait l'objet d'une surveillance intense de la part des Félons. Mais Merlin n'échappait pas à la suspicion des Félons, lui non plus. Il le savait. Depuis qu'il avait retrouvé son appartement sens dessus dessous juste après qu'il avait caché le tableau à Big Ben… Chaque pièce avait été mise à sac, mais rien n'avait été volé. Pas même l'ordinateur tout neuf ! Pas même le billet de vingt livres sterling qui était posé bien en évidence sur un guéridon ! Ce qui persuadait Merlin qu'il ne s'agissait pas d'un cambriolage ordinaire. À ce souvenir, il frissonna. Vivement qu'Oksa sorte de ce fichu tableau…

— Salut, Merlin ! résonna une voix traînante derrière lui.

Il se retourna et se retrouva nez à nez avec Hilda Richard. La redoutable brute avait tant changé que Merlin en resta béat : celle qui avait toujours passé son temps à semer la terreur s'était métamorphosée !

— Tu as laissé pousser tes cheveux ? continua-t-elle en le détaillant avec attention. Ça te va bien, dis donc ! Tu as passé de bonnes vacances ?

Étonné, Merlin la dévisagea : elle avait toujours la même physionomie trapue, gauche et massive, mais quelque chose de beaucoup plus féminin se dégageait désormais de celle dont tout le monde s'écartait. Ses petits yeux rapprochés semblaient avoir perdu toute leur méchanceté et dardaient sur lui un regard enjôleur ombré de fard bleuté.

— Euh… oui, merci ! répondit le garçon, stupéfait.

La jeune fille lui décocha un sourire qui le décontenança. C'était bien la première fois qu'il la voyait aussi aimable ! Elle tourna les talons et, sous le regard médusé de Merlin et de ses amis, elle s'éloigna d'une démarche ondulante qui faisait danser la jupe plissée de son uniforme de collégienne.

— Alors ça ! s'exclama Zelda en desserrant sa cravate. Hilda Richard est devenue une vraie fille ! C'est ce qu'on appelle des vacances bénéfiques !

Zoé et Merlin la regardèrent, surpris par l'ironie de la jeune fille qui les avait plutôt habitués à des réactions bienveillantes.

— Attention ! Elle revient ! murmura Zelda en faisant un clin d'œil à Merlin.

Rougissant jusqu'à la racine des cheveux, Merlin baissa les yeux vers ses pieds, sur les brins d'herbe qui poussaient entre les pavés.

— Tu as vu, Merlin ? l'interpella Hilda en faisant de gros efforts pour moduler sa voix. On est dans la même classe et c'est Mlle Crèvecœur notre prof principal, c'est cool, non ?

Zelda ne put se retenir de pouffer de rire, s'attirant un regard méprisant d'Hilda. Quant à Merlin, il semblait au bord de la combustion.

— Oui, c'est cool… bredouilla-t-il.

— Bon, à tout à l'heure ! susurra Hilda en jetant un dernier coup d'œil plein de défi aux deux filles.

Remontant d'un geste sec son sac à dos sur son épaule, elle regagna le centre de la cour, laissant les trois amis se remettre de leur surprise.

— Briseur de cœurs ! lança Zelda à Merlin.

— Je te prierai de ne faire aucun commentaire perfide ! rétorqua Merlin, les yeux pétillants et les joues cramoisies. Je n'y suis pour rien, moi ! Allez, on ferait bien de rejoindre la classe, on ne va quand même pas faire attendre Mlle Crèvecœur…

37

Le cœur plombé de Zoé

En montant le somptueux escalier de pierre qui menait aux salles de classe du premier étage, les trois amis se disaient que cette rentrée était vraiment celle des contrastes. Devant eux, Hilda Richard gravissait les marches avec une attitude que personne ne lui avait jamais connue, mais qui suscitait bon nombre de commentaires parmi les collégiens victimes de sa rudesse les années précédentes. Pas de coups de pied vicieux, pas de bousculades et surtout pas la moindre vexation injurieuse. Tout ce qui faisait d'Hilda Richard la fille la plus redoutée du collège semblait appartenir au passé. Tout le monde s'en réjouissait, mais l'option « prudence » restait de mise, comme si ce changement était trop beau pour être vrai. Chacun observait donc dans l'attente d'une confirmation définitive, Merlin plus que quiconque.

Le contraste avec l'année dernière ne concernait pas qu'Hilda Richard : les vacances semblaient avoir également bien profité à Zelda. La jeune fille timide et maladroite qui tremblait devant tous avait gagné quelques centimètres et surtout une belle dose de confiance en elle. Quand le professeur les invita à se placer comme ils le voulaient, les collégiens se ruèrent vers les bureaux pour former les duos qu'ils souhaitaient et Zelda se précipita vers le bureau que Merlin avait choisi. À grand renfort de coups d'épaule, Merlin en aurait mis sa main au feu… « Qu'est-ce qui leur prend ? s'interrogea le garçon, troublé. C'est ça les effets de la puberté ? » Seule Zoé était restée la même : réservée, douce, triste. Il surprit l'expression déçue qui assombrit son visage quand elle vit Zelda s'installer à côté de lui. Mal à l'aise, il lui adressa un petit sourire résigné auquel elle répondit avec indulgence, sans rancune apparente. Puis il la vit repérer une place au premier rang et s'y asseoir, seule, les épaules voûtées. Plein de remords, il s'apprêtait à lui faire passer un mot d'encouragement quand il sentit qu'on lui tapotait l'épaule. Il se retourna et se mordit la lèvre. Hilda Richard… Bien sûr…

— Tu sais où sont la poupée russe et son garde du corps ? lui demanda-t-elle à mi-voix. Il paraît qu'ils sont malades ?

— Celle que tu appelles la poupée russe est ma meilleure amie, je te signale ! lui répondit Merlin du tac au tac.

— Hé ! Ce n'était pas méchant ! répliqua l'ex-Primitive. Je m'inquiétais, c'est tout !

— Oui, c'est ça… marmonna Merlin, soudain moins convaincu des bienfaits des vacances sur la jeune fille.

— Eh ben quoi ? C'est plutôt flatteur comme comparaison, non ? Une poupée russe, c'est mignon tout plein…

— S'il vous plaît ! héla Mlle Crèvecœur.

Merlin fit volte-face, soulagé d'échapper à son envahissante interlocutrice.

— Tout d'abord, je tiens à vous dire combien je suis heureuse de vous retrouver, commença la professeur. Je vous remercie pour tous vos messages et vos cadeaux qui m'ont réconfortée au-delà de ce que vous pouvez imaginer… L'épreuve que j'ai subie reste un mystère, mais j'ai pris le parti d'aller de l'avant et c'est pourquoi je me trouve parmi vous aujourd'hui. Je serai votre professeur principal au cours de cette année que je vous souhaite pleine de réussite. Vous pouvez compter sur moi pour vous y aider autant que je le pourrai.

Quelques collégiens murmurèrent des remerciements, conscients de l'immense différence entre Mlle Crèvecœur et leur ancien professeur principal, le cynique McGraw.

— Bon ! lança-t-elle gaiement comme pour empêcher l'émotion de s'installer. Mettons-nous au travail sans attendre. Et pour commencer, nous allons procéder à l'appel et à la traditionnelle présentation à laquelle j'aimerais que vous ajoutiez un petit commentaire sur vos vacances, pourquoi pas ?

Assise au premier rang, tout en écoutant d'une oreille distraite les premiers élèves donner leur nom et se présenter, Zoé ne quittait pas des yeux la professeur. Debout derrière son bureau, elle était toujours aussi mince et naturelle. Seul son visage affichait quelques traces de l'épreuve qu'elle avait subie : de petites rides formaient comme un minuscule éventail au coin de ses yeux et son regard avait perdu la vivacité joyeuse que tous lui connaissaient. Mlle Crèvecœur était de retour, indemne. Mais Zoé n'oubliait pas la terrible image de la professeur pataugeant dans l'eau glacée de la fontaine, braillant des chansons en s'ébattant comme un jeune chien fou, les cheveux en bataille et les vêtements en lambeaux. Et elle n'oubliait pas non plus que son grand-oncle, Orthon McGraw, était responsable de la violente agression portée contre elle. La professeur connaissait-elle les liens qui les unissaient ? Bien sûr que oui. Mais elle ne semblait pas lui en tenir rigueur. D'ailleurs, pourquoi lui en aurait-elle voulu ? Zoé savait ce qui s'était passé, mais Mlle Crèvecœur ne le saurait jamais ! Elle avait tout oublié… Pour elle, son déplaisant collègue était mort dans un accident de voiture et Zoé avait perdu son tuteur, point final. Comme c'était étrange… Tout le monde détestait son grand-oncle, mais il n'était pas que l'atroce professeur McGraw ou le Félon féroce… Il était aussi un homme généreux qui l'avait recueillie et lui avait ouvert la porte de sa maison. Zoé ne voulait pas croire qu'il ait une quelconque responsabilité dans l'Entableautement de sa grand-mère. La Devinaille se trompait. Ils se trompaient tous. Les larmes aux yeux, elle se mordit la lèvre jusqu'au sang, perdue dans ses douloureuses réflexions. Le regard de la professeur glissa à nouveau dans sa direction et elle frémit comme si ses pensées s'affichaient clairement sur son visage. Mlle Crèvecœur lui lança un rapide sourire dans lequel elle lut beaucoup de gentillesse et, surtout, une compassion qui plomba son cœur : une fois de plus, elle inspirait de la pitié à ceux qui connaissaient les grandes lignes de son histoire. Elle rendit son sourire à la professeur en serrant les poings, frustrée et peinée.

— À votre tour, mademoiselle Beck ! continua la professeur d'histoire-géo.

Mais à peine eut-elle prononcé ces mots qu'elle pâlit et que ses yeux bleus s'assombrirent d'un voile opaque. Elle saisit les bords du bureau, les jointures blanchies par la force qu'elle déployait pour s'accrocher.

— Je m'appelle Zelda Beck, annonça Zelda en se redressant sur sa chaise et en regardant la professeur d'un air déterminé. J'aime la lecture et les langues étrangères, la musique électro et la course à pied. Je voulais ajouter que j'ai visité le musée de l'Espace cet été et que c'est un endroit génial pour comprendre des tas de choses sur l'histoire des mondes qui nous entourent.

— En effet, c'est fabuleux, confirma Mlle Crèvecœur d'un air perturbé. Merci, mademoiselle Beck. Mademoiselle Evanvleck, c'est à vous…

Si Zoé l'avait pu, elle aurait fait une présentation honnête et sincère d'elle-même. « Je m'appelle Zoé Evanvleck, j'aime l'histoire, surtout celle du peuple de Du-Dedans dont je suis issue. Cet été, j'ai vu ma cousine et mon grand-père se faire avaler par un tableau maléfique qui retient prisonnière ma grand-mère que je croyais morte et mon meilleur ami qui me manque beaucoup. Sinon, je m'entraîne tous les jours à améliorer mes pouvoirs, traverser les murs, battre le record du cent mètres et léviter dans ma chambre. » Elle brûlait d'envie de crier à la face du monde la réalité de ce qu'elle vivait. Sa vérité. Ce cri la soulagerait-il ? Certainement pas, et elle le savait. Aussi ravala-t-elle cette pulsion déraisonnable, quitte à en mourir étouffée…

— Je m'appelle Zoé Evanvleck, répondit-elle à Mlle Crèvecœur d'un ton nerveux. J'aime l'histoire, les créatures et les plantes imaginaires, ainsi que les récits fantastiques. J'ai passé l'été avec ma grand-tante et je me suis beaucoup occupée des animaux de son meilleur ami qui est parti en vacances.

— Très bien, merci, mademoiselle Evanvleck ! lui sourit Mlle Crèvecœur. Monsieur Forster, à votre tour…

Quand la cloche retentit, annonçant le moment de la pause, Zoé bondit comme une flèche et se précipita aux toilettes. Elle s'enferma dans un box et plaqua son dos contre la porte. Elle se sentait à bout de nerfs, sans vraiment savoir pourquoi. Ou plutôt sans savoir, parmi une centaine de bonnes raisons, ce qui la mettait à vif aujourd'hui… Elle prit une longue inspiration et se passa les mains sur le visage comme pour gommer son agitation. Quand elle sortit, Merlin l'attendait, accompagné de Zelda. Le garçon avait changé. Fini le blondinet aux traits poupins ! En quelques semaines, il était devenu un jeune homme. Il avait grandi et forci, et les magnifiques boucles blondes qui le faisaient ressembler à un ange s'étaient transformées en une crinière dorée qui lui donnait un air plus « intéressant » que jamais.

— Ça va, Zoé ? lui demanda-t-il en la regardant avec insistance.

— Oui, ça va… Les rentrées me rendent un peu nerveuse, on ne sait jamais sur qui on va tomber…

— Eh bien, on peut dire que cette année s'annonce plutôt bien, non ? enchaîna Zelda d'un ton enjoué. Plus de McGraw pour nous terroriser, que demande le peuple ?

Merlin lui donna le plus magistral coup de coude dont il était capable et lui jeta un regard noir. Zelda se mordit alors la lèvre, comprenant – trop tard ! – combien elle venait d'être indélicate.

— Désolée, Zoé, marmonna-t-elle. Je suis la reine des idiotes…

— Ne t'inquiète pas… réagit Zoé avec un sourire triste. Tu es toujours aussi maladroite, c'est comme ça… On essaie de se trouver une petite place près de la fontaine ?

— Allons-y ! lança Merlin, heureux de ce dénouement.

— Je peux venir avec vous ? retentit une voix derrière eux.

— Euh… répondit Merlin en se retournant.

Encore une fois, il se retrouvait face à face avec Hilda Richard qui le regardait avec une amabilité inédite. Il rougit à nouveau pendant que Zelda et Zoé retenaient avec difficulté leurs rires.

— Je prends ça pour un « oui » ! s'exclama Hilda.

— Quel succès ! murmura Zelda à l'oreille de Merlin. Qu'est-ce que tu as fait de ton acolyte ? lança-t-elle à l'intention de la jeune fille massive qui attendait. Tu l'as fait fuir ?

— Tu veux parler d'Axel Nolan ? demanda Hilda en plissant les yeux. Oh, tu sais, j'ai grandi depuis l'année dernière et pas seulement en taille !

— On avait remarqué ! répondit Zelda, narquoise. Tu as abandonné la boxe et le rugby ?

— Je sais ce que tu penses de moi, rétorqua Hilda. Je sais ce que vous pensez tous… Mais ça m'est égal ! Je ne serai jamais une fifille à sa maman qui aime la danse classique et les petits animaux en peluche. Et je l'assume !

Surpris par cette réaction, les trois amis se regardèrent et, dans un haussement d'épaules, Merlin engagea la conversation sur les vacances. Une conversation au cours de laquelle Hilda mobilisa toute l'énergie dont elle était capable pour se rendre sympathique. Sceptiques, les deux filles gardèrent une attitude prudente tout au long de la pause pendant que Merlin, piégé par son éducation et son sens de la politesse, entretenait une discussion qui se révélait ne pas être si désagréable…

38

Les Limbes Arides

Un vertige terrifiant envahit Oksa tandis qu'elle se sentait avalée par un puits sombre et brûlant. Quelques secondes plus tard, elle se retrouvait aux côtés de son père et des Sauve-Qui-Peut dans l'univers battu par les vents poussiéreux dont elle avait eu un si horrible aperçu en passant la tête à travers la cascade du Petit Paradis. Ce qu'elle avait vu était déjà peu engageant, mais c'était sans compter avec la chaleur ardente et l'odeur pestilentielle. Elle porta la main à son nez pour se protéger. Abakoum distribua les Spongeax et chacun des Sauve-Qui-Peut pressa le végétal sur son nez pour filtrer les poussières fines qui voltigeaient, rendant l'air presque irrespirable. Tugdual regarda autour de lui et, les yeux plissés, repéra un gros rocher.

— Venez ! Mettons-nous à l'abri ! s'écria-t-il.

Tous suivirent le jeune homme vers ce refuge sommaire en plaquant avec fermeté leur Spongeax contre leur nez.

— Mais comment il a fait pour voir ce rocher ? marmonna Gus en s'approchant d'Oksa. Moi, je ne vois rien dans cette purée de pois !

— N'oublie pas qu'il possède l'Optivue qui rend sa vision aussi puissante que celle du faucon ! lui rappela Oksa en essayant de ne pas perdre des yeux le jeune homme dont elle ne distinguait que la mince silhouette.

Malgré le sifflement du vent, elle entendit Gus ronchonner. Mais quand accepterait-il d'être celui qu'il était ? Elle lui jeta un coup d'œil excédé tout en luttant contre les violentes rafales qui entravaient la progression du groupe. Enfin, tous se retrouvèrent à l'abri du rocher, choqués par la dureté de cette nouvelle strate.

— Cette odeur est vraiment fétide, releva l'Insuffisant, le museau en l'air. Elle me rappelle quelque chose…

— L'œuf pourri ! cria la Devinaille en émergeant de la veste d'Abakoum. Pouah !

Et elle enfouit de nouveau sa petite tête dans les plis du tissu à grand renfort de protestations suraiguës.

— Qu'en penses-tu ? demanda Léomido à Abakoum. Aurons-nous la force ? ajouta-t-il en regardant Réminiscens avec inquiétude.

Abakoum dévisagea la vieille dame dont les traits accusaient une fatigue marquée.

— Je te répondrai par une question, mon ami : avons-nous le choix ?

Oksa leva la tête, effrayée par cet échange. Elle regarda son père d'un air inquiet, mais aucun des Sauve-Qui-Peut, pas même lui, ne semblait être en état de rassurer quiconque. Par chance, le rocher les protégeait des milliards de particules collantes comme de la suie qui voletaient presque à l'horizontale tant le vent était fort. Mais il n'empêchait pas l'épouvantable odeur de s'insinuer à travers les minuscules alvéoles des Spongeax et encore moins la chaleur de terrasser chacun des membres du groupe. Même la Devinaille, pourtant adepte convaincue des températures torrides, semblait affectée.

— On va cuire ! brailla-t-elle, histoire de réconforter tout le monde.

— Merci, Devinaille ! lui lança Oksa en retour. J'espère que ce n'est pas un présage !

— Pppffff ! répliqua la petite poule. Je dirais qu'il nous faudra être très malins pour éviter la cuisson…

Elle déglutit sans discrétion et retourna à l'intérieur de la veste d'Abakoum.

— On a bien fait de prendre de l'eau ! signala Gus. Quoi ? Qu'est-ce que vous avez à faire cette tête ? s'alarma-t-il en voyant les visages livides des Sauve-Qui-Peut.

À l'évocation de l'eau, tous les regards s'étaient dirigés vers les Reticulatas qui, quelques instants plus tôt, étaient pleines à craquer de l'eau rafraîchissante du Petit Paradis. Hélas ! Elles étaient désormais aussi plates qu'une crêpe : les méduses translucides s'étaient vidées de tout leur précieux contenu ! Les Sauve-Qui-Peut n'avaient plus une seule goutte d'eau… Ce qui, dans cette fournaise infernale, était synonyme de très gros ennuis.

— Mais… mais où est passée l'eau ? bredouilla Oksa.

— Sortilège ! lança la Devinaille surexcitée.

— Nous avons encore des fruits, fit remarquer Gus.

Il fouilla dans son sac et blêmit aussitôt : il retira sa main pour constater avec horreur qu'elle était couverte de vers épais comme des fèves qui gigotaient, gorgés du jus des fruits qu'ils avaient absorbé jusqu'à plus soif. Il poussa un cri et agita son bras pour décoller les vers immondes. Sitôt tombés sur le sol, ceux-ci se désintégrèrent pour se mélanger à la poussière. Les Sauve-Qui-Peut plongèrent à leur tour la main dans leur besace dans l'espoir de sauver un abricot ou une banane. Mais la décomposition avait déjà eu lieu, il n'y avait plus rien à faire.

— Oh ! s'exclama mollement l'Insuffisant. Si nous avons de l'eau, tout va bien ! Ne dit-on pas que l'eau, c'est la vie ?

— Mais on n'a plus d'eau, espèce d'écervelé ! rugit la Devinaille depuis son abri.

— Ah bon ? s'étonna la créature indolente. Alors, dans ce cas, on va mourir... ajouta-t-il avec autant de désinvolture que s'il devait renoncer à une confiserie.

— C'est sympa de le préciser ! marmonna Oksa qui luttait contre l'envie de pleurer.

Elle plaqua de toutes ses forces sa Spongeax contre son visage pour cacher la vive panique qui commençait à la dévorer. Elle regarda les Sauve-Qui-Peut : tous étaient abattus par la funeste évidence. Soutenue par Léomido qui paraissait avoir vieilli de dix ans en quelques secondes, Réminiscens semblait au bord de l'évanouissement. À leurs côtés, Abakoum gardait les yeux rivés sur le sol, un masque impassible sur le visage. Quant à Gus et Pierre, tous deux s'étaient serrés l'un contre l'autre, sous le choc. Tugdual leur faisait face et ne quittait pas Oksa des yeux avec une expression si étrange que la jeune fille se demanda s'il avait bien saisi la gravité de la situation. Enfin, à l'écart, Pavel l'observait. De son dos s'échappaient des volutes de fumée blanche qui alarmèrent Oksa. Elle s'approcha de lui à quatre pattes pour rester à l'abri du gros rocher.

— Ça va, Papa ?

— Disons que j'ai connu des jours meilleurs... J'avoue que le côté « optimiste délirant » de mon caractère est un peu malmené en ce moment.

Oksa ne put s'empêcher de sourire à son tour à l'évocation de cette qualité qui était à l'opposé du caractère de son père : de toute sa vie, Pavel n'avait jamais connu la légèreté ni les bienfaits d'un quelconque optimisme. Non. Sa personnalité le portait plutôt à se débattre sans répit dans les affres d'un catastrophisme tourmenté…

— Tu es bien servi ! confirma Oksa en posant la main sur son bras. Mais je suis sûre qu'on va s'en sortir !

Son père se retrancha dans un silence lourd de sens.

— Moi, en tout cas, je ne peux pas croire qu'il puisse en être autrement ! s'écria Oksa d'une voix forte, comme si elle voulait se convaincre elle-même. Puisqu'on n'a plus d'eau et plus de vivres, je pense qu'il ne faut pas qu'on s'attarde trop longtemps. Nous devons nous mettre en route !

— Agir pour ne pas mourir, c'est ce que tu veux dire, P'tite Gracieuse ? lança Tugdual en la regardant avec insistance, un vague sourire aux lèvres.

— Tu peux ironiser si tu veux ! lui répondit-elle avec défi. Mais on ne va quand même pas attendre d'être réduits en poussière, non ?

— Tu as raison, opina Abakoum en se redressant.

— Mais où aller ? renchérit Léomido. Nous n'avons aucun repère !

Tous observèrent la plaine qui semblait s'étendre à perte de vue. Le vent s'était affaibli, rendant les poussières moins gênantes. Mais l'environnement qui se révélait à eux n'avait rien pour les rassurer : la terre était aride, craquelée par l'intense sécheresse et couverte de poussière volatile. Un désert sans fin. Une immensité dépouillée. Brûlante. Hostile. Oksa pesta entre ses dents. Soudain, un éclair illumina ses yeux : elle plia les genoux comme pour se préparer à volticaler. Son visage se crispa, puis afficha bientôt une expression déçue.

— Argh… je n'y arrive pas ! fulmina-t-elle.

— Le Voltical est impossible quand la gravité est chamboulée, Jeune Gracieuse, informa le Culbu-gueulard.

— La gravité ? Chamboulée ? répéta Oksa, incrédule.

— Oui, confirma le Culbu. Vous ne vous en rendez peut-être pas compte, mais les mécanismes physiques qui régissent Du-Dehors ne sont pas du tout les mêmes que ceux qui règnent ici. Les Sauve-Qui-Peut volticaleurs peuvent essayer, vous verrez…

À ces mots, Léomido se mit en position, droit comme un I, les bras plaqués le long du corps. Ses amis constatèrent son effort de concentration, puis la déception effaça tout : comme Oksa, Léomido était dans l'incapacité de volticaler. Pavel, Pierre et Tugdual essayèrent à leur tour. En vain...

— Où est le papillon ? demanda alors Oksa en regardant autour d'elle d'un air contrarié.

Les Sauve-Qui-Peut, les yeux froncés, scrutèrent le ciel marbré pour tenter de repérer le petit insecte. Le vent violent était maintenant devenu une brise plus supportable, malgré la chaleur qu'il convoyait. Mais les nuages noirs et menaçants continuaient de se déplacer avec une rapidité terrifiante, rendant la recherche difficile.

— Il a sûrement été emporté par le vent, fit remarquer Gus.

— Mais nous avons besoin de lui ! s'exclama Oksa.

— Il va nous retrouver... la rassura Tugdual. Il ne peut pas nous rater : nous sommes visibles à des kilomètres dans ce désert !

— Les kilomètres n'existent pas, rectifia le Culbu-gueulard en émergeant du sac d'Oksa, car ici l'unité de mesure dépasse ce que l'humain peut admettre. Ce désert n'a pas de limites, nous sommes au milieu de nulle part.

— Si quelqu'un a encore des infos qui peuvent nous réconforter, qu'il ne se gêne surtout pas ! rétorqua Oksa, les larmes aux yeux.

— Oh, Jeune Maîtresse, pardonnez mon intervention ! s'excusa le Culbu-gueulard. Quand je dis que ce désert n'a pas de limites, je veux dire qu'il n'a aucune des limites auxquelles nous pouvons penser spontanément.

— Qu'est-ce que tu veux dire ? rugit Oksa, à bout de nerfs.

— Je veux parler des limites horizontales qui sont celles que nous connaissons le mieux.

— Alors, cela veut dire qu'il y a des limites verticales ? l'interrogea Oksa, un nouvel espoir illuminant soudain ses yeux.

— Affirmatif, Jeune Gracieuse ! acquiesça le Culbu.

— En haut ? En bas ? continua Oksa.

— L'issue peut aussi bien être aérienne que souterraine, précisa la petite créature.

— Faut-il que nous creusions ? demanda Abakoum.

— Inutile ! retentit la voix de la Devinaille assourdie par le tissu de la veste. Le passage se révélera au moment voulu.

— Avant qu'on soit tous morts de soif, j'espère... lança Gus d'un air amer.

— Si vous n'avez plus d'eau, vous mourrez, c'est certain… intervint l'Insuffisant. L'eau, c'est la vie… répéta-t-il avec indolence.

— Je te signale que tu es concerné ! brailla la Devinaille. Même les gros balourds ont besoin d'eau pour vivre !

L'Insuffisant laissa l'information arriver à son cerveau et, une bonne trentaine de secondes plus tard, il réagit :

— Vous êtes sûrs de ce que vous dites ?

Gus pâlit avant d'exploser d'un rire nerveux. Agité de spasmes, il lâcha sa Spongeax et fit aussitôt la grimace.

— Beurk ! Cette odeur est infecte !

— C'est du soufre, ami Gracieux, précisa le Culbu-gueulard en se précipitant pour ramasser son éponge. Protégez-vous, c'est très dangereux…

— On a donc le choix entre mourir de déshydratation, mourir d'empoisonnement ou mourir de désespoir, c'est super… bougonna le jeune homme en plaquant sa protection sur son nez.

— Tu oublies la faim… renchérit Tugdual.

— Quoi, la faim ? rugit Gus.

— On peut aussi mourir de faim…

Oksa jeta aux deux garçons un regard noir mêlé d'exaspération et de chagrin. Puis elle se leva, contempla l'immensité ardente qui s'étalait à perte de vue, et lança d'une voix déterminée :

— Eh bien, moi, je ne veux pas mourir et je veux qu'aucun de nous ne meure ! Alors, vous allez tous vous lever et me suivre ! On va bien finir par la trouver, cette satanée issue…

39

L'immensité ardente

La progression des Sauve-Qui-Peut dans le désert brûlant était éprouvante, sans qu'aucun point de repère leur indique s'ils avançaient dans la bonne direction. Le vent avait enfin cessé, mais le ciel aux reflets sombres donnait à la luminosité un aspect inquiétant. Sous ce ciel d'encre, les Limbes s'étalaient sans fin. La terre qui recouvrait le sol ressemblait à du terreau qu'on aurait tamisé et mélangé avec de la cendre incandescente tant il était noir, poudreux et chaud. À chaque pas, les Sauve-Qui-Peut soulevaient de petits nuages de poussière qui leur mordaient les chevilles comme des étincelles. Chacun prenait sur soi, grimaçant en silence, mais la douleur devenait de plus en plus insupportable. Excédée, Oksa fut la première à s'arrêter, le visage en sueur. Mains sur les hanches, elle inspira dans sa Spongeax, puis se pencha pour délacer ses baskets afin de lier le bas de son jean autour de ses chevilles. Elle serra le nœud et se redressa, ragaillardie. Tugdual lui adressa un sourire complice avant de plonger à son tour pour enfoncer son pantalon dans ses bottillons montants.

— Comment tu peux supporter cette odeur ? lui demanda Oksa en constatant qu'il avait rangé sa Spongeax dans sa poche.

— Faut croire que je n'ai pas une sensibilité ordinaire… répondit-il en la fixant.

— C'est ça… marmonna Gus. La sensibilité d'une chauve-souris, oui !

Tugdual détourna la tête avec un rictus amusé contredit par une certaine tristesse tout au fond des yeux. Oksa regarda tour à tour les deux garçons, le cœur battant. Qu'est-ce qu'ils pouvaient être énervants à se provoquer sans cesse… et à mettre son esprit sens dessus dessous ! Mais l'heure n'était pas aux sentiments. Dans ces Limbes sans fin, c'est leur vie qui était en jeu. « Calme-toi, Oksa ! se raisonna la jeune fille en jetant un dernier coup d'œil à ses deux amis. Tu auras tout le temps de réfléchir à tout ça plus tard… si tu sors vivante de cette histoire de dingue ! » Puis elle tourna les talons et se remit en route.

Les plus jeunes s'avéraient être les plus vaillants : Oksa marchait en tête avec Pavel. Derrière eux, Gus mettait un point d'honneur à tenir le rythme aux côtés de Tugdual dont la démarche souple démontrait l'étonnante résistance physique. D'ailleurs, l'autre Mainferme du groupe, Pierre, semblait lui aussi supporter mieux que quiconque les conditions difficiles imposées par les Limbes Arides. « Une vertu bien enviable… » se disait Oksa dont les forces diminuaient à chaque pas. Mais elle était la Jeune Gracieuse, l'héritière du peuple d'Édéfia ! Elle se devait de montrer l'exemple et seule cette pensée la motivait. Plus loin, fermant la marche, Abakoum gardait les yeux rivés sur elle. Son instinct lui permettait de sentir les soubresauts de l'esprit de la jeune fille, les hauts et les bas de ses pensées. Elle ne savait pas ce qu'elle devait faire, il l'avait bien saisi. Les détails, comme les buts, échappaient souvent à la jeune fille et, pourtant, l'Homme-Fé avait une confiance absolue en elle. Comme chacun d'entre eux, il savait qu'elle les sauverait. Plus qu'un espoir, c'était devenu une conviction profonde, une évidence. Les Sans-Âge veillaient sur elle, il ne fallait jamais l'oublier. Le seul problème était de savoir si, tous ensemble, ils allaient faire le poids face à la puissance maléfique des Malfaisantes… Une ombre voila le regard de l'Homme-Fé. Il se redressa, fixa à nouveau son regard sur la silhouette fine d'Oksa et reprit la marche. Malgré son grand âge, il tenait étonnamment le choc, à l'inverse de Léomido et Réminiscens. La vieille dame était très affaiblie. Cette épreuve était l'épreuve de trop. Après toutes celles qu'elle avait subies aux côtés des Sauve-Qui-Peut, et surtout après cette longue et cruelle solitude où elle avait cru être enfermée à jamais dans le tableau, elle se sentait dans un état de grand délabrement physique. Pour ne rien arranger, la poussière incandescente qui recouvrait le sol blessait ses pieds seulement protégés par les lanières de ses sandales trop fines. Léomido n'avait pas tardé à lui enrouler les pieds avec les manches découpées de son épaisse veste de coton, mais le corps de la grande dame lâchait prise et entraînait son moral dans des affres sans fond. À tel point que même la perspective de revoir sa petite-fille Zoé ne l'encourageait plus : l'épuisement avait pris le dessus, rongeant peu à peu l'espoir. Elle s'appuyait de tout son poids sur Léomido, qui sentait sa bien-aimée décliner à chaque pas. Lui-même était terriblement abattu et ce qui lui restait de courage et de force n'était consacré qu'à son amour de toujours.

— Je vais te porter… dit-il dans un souffle rauque.

Réminiscens se laissa faire, sans même avoir la force de répondre. Léomido la regarda avec désespoir. Ne pouvant supporter son regard douloureux, il finit par détourner la tête. Derrière eux, Abakoum serra les poings, impuissant et exclu.

— Ça fait combien de temps qu'on marche ? demanda Oksa à son père.

Pavel haussa les épaules en signe d'ignorance et se retint de poser une autre question : combien de temps allaient-ils tenir à ce régime infernal ? Il serra la main d'Oksa dans la sienne. Elle était brûlante, comme les organismes de chacun des Sauve-Qui-Peut. Ils évitaient tous d'y penser, mais l'absence d'eau devenait critique. Seul l'Insuffisant ne faisait aucun effort pour éloigner cette pensée de son cerveau flasque.

— Est-ce que quelqu'un pourrait me donner un peu d'eau ? lança-t-il. Je meurs de soif…

— Nous aussi ! lui répondit Oksa d'un ton vif.

— Juste un petit verre d'eau fraîche, sans vouloir vous déranger, continua la créature insouciante.

— Avec une paille et des glaçons, bien sûr ! rétorqua Gus avec une brutalité agacée.

— Oh ! ce serait parfait ! s'enthousiasma l'Insuffisant. Je vous remercie, ami de la Jeune Gracieuse.

— Pas de quoi ! dit Gus en donnant un coup de pied sur le sol poussiéreux. Je t'apporte ça dans une minute… mais seulement si tu te tais !

L'Insuffisant laissa passer quelques secondes avant de comprendre l'enjeu de la proposition de Gus : il le regarda de ses gros yeux globuleux et plaqua ses deux mains sur sa bouche pour s'empêcher de parler. Puis il attendit son verre d'eau… à moins qu'il ne l'ait oublié. Ce qui était loin d'être le cas des Sauve-Qui-Peut ! Chacun souffrait en silence et cachait tant bien que mal la panique qui avait entamé son impitoyable travail de sape. Encore quelques heures à ce rythme et ils mourraient tous, c'était une certitude. Ils marchaient, marchaient, marchaient… s'arrêtant juste pour s'assoupir à même le sol poussiéreux et brûlant. Les réserves d'énergie s'épuisaient. Fatalement. D'après les évaluations du Culbu-gueulard, ils marchaient dans les Limbes Arides depuis plus de trois jours sous une température moyenne de quarante-cinq degrés – équivalent de Du-Dehors –, ce qui représentait une performance hors du commun. Réminiscens et Gus étaient les plus affectés par cette épreuve et faisaient pitié à voir. Les lèvres desséchées, les yeux cernés de poches sombres, ils avaient de plus en plus de mal à mettre un pied devant l'autre. Léomido avait accepté l'aide d'Abakoum et tous deux se relayaient pour porter la grande dame qui respirait avec difficulté. Mais chaque fois l'effort leur coûtait davantage. Quant à Pierre et Pavel, ils se chargeaient de prendre Gus sur leur dos pour soulager celui qui n'était un Sauve-Qui-Peut que par solidarité. Dans cette cruelle épreuve, chacun mesurait l'avantage physiologique des descendants d'Édéfia et tous essayaient d'aider le « garçon de Du-Dehors ». Les moyens étaient faibles, mais, malgré l'extrême fatigue, tout le monde était unanime : priorité à Gus ! Chacun commença donc à recueillir la sueur qui perlait sur les fronts et Oksa récupéra la vapeur qui s'échappait sans discontinuer du dos de son père pour essayer d'obtenir par condensation des gouttelettes d'eau qu'elle déposait dans la bouche de son ami.

— J'ai honte… murmura Gus en enfouissant la tête dans l'épaule de son père.

— Arrête tes simagrées ! le gronda Oksa en essayant de cacher son inquiétude.

Et ils continuaient tous de marcher, le pas de plus en plus traînant, les yeux de plus en plus rougis, les pieds couverts d'ampoules. Les corps souffraient. Ne recevant pas la moindre goutte d'eau, ils transpiraient moins et s'acheminaient vers une sévère déshydratation. Autour, le même désert s'étalait, si ce n'était que l'odeur âcre et infecte avait presque disparu et que le sol présentait maintenant les failles annoncées par la Devinaille. Ce qui rendait la progression plus périlleuse encore pour leurs organismes épuisés. Le temps s'étirait et multipliait les heures. Ou bien étaient-ce les jours ?

Quand Oksa s'arrêta, tous suivirent son exemple sans dire un mot, trop soulagés de faire une pause qui pourtant ne changerait rien à leur situation.

— J'en peux plus… gémit la Jeune Gracieuse.

Les visages amaigris, creusés par la fatigue et la faim, se levèrent pour la regarder. Les Sauve-Qui-Peut étaient couverts de poussière ; leurs vêtements ressemblaient à des chiffons sales, leurs cheveux étaient emmêlés et les semelles de leurs chaussures cuites par la terre incandescente. Désespérée, Oksa leva les bras au ciel dans un geste suppliant et hurla :

— Aidez-nous ! S'il vous plaît !

Personne ne put éviter de voir son tee-shirt crasseux remonter sur son ventre et exposer la magnifique Empreinte qui entourait son nombril. L'étoile à huit branches scintillait de mille reflets ambrés sur la peau d'Oksa, captant tous les regards. Soudain, un chant s'éleva. Abakoum, courbé par l'accablement, se mit à fredonner d'une voix grave :

Gorges Hautes, Mainfermes, toutes les tribus,
Sylvabuls, Fées Sans-Âge et tous les animaux
Gétorix, Devinailles et les Vélosos
Unissons nos voix et chantons tous azimuts !
Lors du Grand Chaos, nous avons tous mis les voiles,
Avons quitté Malorane et notre pays.
À bas Ocious, Orthon, les Sauve-Qui-Peut ont fui !
Depuis nous attendons qu'apparaisse l'étoile !
Édéfia nous reviendra car Oksa le veut.
Du fond du cœur, c'est le Chant des Sauve-Qui-Peut !

— Qu'est-ce que c'est ? demanda Oksa, surprise.

— L'hymne des Sauve-Qui-Peut, répondit Léomido, ému aux larmes. Nous l'avons écrit quand l'Empreinte t'a été révélée.

Et pour se donner du courage, le vieil homme se mit à chanter à son tour en accompagnant Abakoum.

Nous voulons retrouver notre terre cachée
Car depuis que nous avons quitté Édéfia
Guidés par notre Gracieuse Dragomira
Et aidés par la jeune Oksa, l'Inespérée,
Chacun, nous attendons, le cœur plein d'espérance,
Un signe, un rayon vert, pour trouver le chemin.

C'est alors, comme des frères, main dans la main,
Que nous célébrerons la fin de notre errance.
Édéfia nous reviendra car Oksa le veut.
Du fond du cœur, c'est le Chant des Sauve-Qui-Peut !

La voix gutturale de Pierre s'unit aux deux hommes, bientôt rejointe par celle de Pavel, rauque et déterminée.

Partout dans le royaume, la paix retrouvée
Dans le Pompignac, brillera tel un flambeau,
De l'Inapprochable en passant par Vert-Manteau,
D'À-Pic au si merveilleux Îlot des Fées.
Et de partout se graveront dans les mémoires
La confiance et la loyauté de tes amis,
Toutes les ruses d'Oksa ! Nous voilà ravis
Tout est possible, c'est la fin de nos déboires !
Édéfia nous reviendra car Oksa le veut.
Du fond du cœur, c'est le Chant des Sauve-Qui-Peut !

Les Sauve-Qui-Peut se remirent à marcher, au rythme du chant qui ponctuait chacun de leurs pas. Les cœurs s'étaient gonflés de courage en entendant les paroles pleines d'espoir de l'hymne. Quant à Oksa, elle vibrait d'émotion. La surprise avait fait place à la gêne et à l'embarrassant sentiment de se retrouver l'objet de tant d'honneur. Les joues cramoisies, elle avançait en tête, bouleversée. Un hymne écrit pour elle ? Voilà qui n'arrivait pas à tout le monde… Et pourtant, méritait-elle une telle estime ? Elle n'en avait pas l'impression. Elle n'osait regarder personne malgré l'immense fierté qui l'étreignait.

— Édéfia nous reviendra car Oksa le veut, chantonna Tugdual en la rejoignant.

— Ooohhh, arrête de te moquer… fit-elle.

— Mais je ne me moque pas !

— Alors, si tu as un minimum de sympathie pour moi, ne fais plus jamais allusion à ça, d'accord ? lança-t-elle.

— Comme tu voudras, P'tite Gracieuse… Même si je ne suis pas convaincu des vertus de l'esquive.

Oksa n'eut pas le temps de réfléchir à la réponse mystérieuse de Tugdual, alertée par le bruit mat d'un corps qui chutait. Elle se retourna : Gus venait de s'effondrer sur le sol brûlant.

— Je ne peux plus... souffla-t-il, les yeux rougis.

Oksa le regarda. Son ami était dans un triste état. À ce rythme-là, il ne tiendrait pas longtemps. Le chagrin la déchira et lacéra sa tête. Au-dessus, le ciel marbré était couvert de nuages aux reflets métalliques. Quelques éclairs noirs en émergeaient de temps à autre, faisant sursauter les infortunés Entableautés. Mais c'est pourtant la violence de cette foudre sombre qui donna le début d'une solution à Gus...

— Oksa ! interpella-t-il.

La jeune fille sursauta, étonnée par le ton enflammé de son ami.

— Ça fait longtemps que tu ne t'es pas mise en colère... lui fit-il remarquer d'une voix éraillée par la soif.

Elle le regarda avec incrédulité. Mais qu'est-ce qui lui prenait ?

— Euh... excuse-moi, Gus, mais tu crois que les choses ne sont pas assez compliquées comme ça ? Je suis déshydratée, épuisée et désespérée. Et si tu veux tout savoir, je suis aussi terrorisée à l'idée de mourir dans les heures qui viennent... mais je ne suis pas en colère. Non ! Pour ça, il faudrait que j'aie un tout petit peu d'énergie, tu vois ?

Elle plongea son regard ardoise dans les yeux de Gus qui lui adressa un sourire à peine esquissé.

— Tu te rappelles quand McGraw t'a renvoyée de cours ? lui lança-t-il.

Il fallut quelques secondes à Oksa pour comprendre où son ami voulait en venir.

— OUIIII ! s'exclama-t-elle d'un air lumineux. Colère égale orage égale... PLUIE !

Ce dernier mot raviva l'attention de tous les Sauve-Qui-Peut et résonna dans leur cœur comme un dernier espoir : l'espoir de survivre.

— Mettez-moi en colère ! ordonna Oksa, les yeux brillants. Allez ! Mettez-moi en pétard !

40

Des blessures salutaires

Les Sauve-Qui-Peut s'entreregardèrent, hébétés de fatigue. De son côté, Oksa se concentrait déjà en essayant de mobiliser des souvenirs, des pensées, des images qui pourraient l'aider à s'énerver. McGraw et Mortimer furent les premiers à s'imposer. Mais Oksa fut surprise de constater que son premier sentiment l'entraînait plutôt vers les chemins de la pitié. La dernière image du Félon dans la cave, quelques secondes avant son implosion et son aspiration dans le trou noir du Crucimaphila, ne provoquait en elle aucune rage. Quant à Mortimer, elle ne pouvait s'empêcher de voir en lui un garçon qui venait de perdre son père. « C'est malin ! se réprimanda-t-elle. Avec tout ce qu'ils t'ont fait tous les deux, tu trouves encore le moyen de t'apitoyer sur leur sort ! Franchement, Oksa-san, tu es incurable… » Pendant que les Sauve-Qui-Peut se creusaient la tête pour trouver le détonateur qui la ferait exploser, la Jeune Gracieuse passait en revue ses souvenirs : la vision de sa mère clouée dans son fauteuil l'ébranla. Son nez commença à se pincer comme si elle respirait de la moutarde, mais le sentiment qu'elle éprouvait était bien éloigné de la colère. Une vague de tristesse enchevêtrée à une puissante angoisse bloqua sa respiration. Elle était sur la mauvaise voie… Elle était sur la mauvaise voie… Ses pensées l'emportèrent vers Zoé et son épouvantable histoire. Sa douceur et sa profondeur lui manquaient tant… Puis Dragomira s'imposa. Sa Baba. Elle mourait d'envie de se jeter dans ses bras, de la regarder s'activer dans son atelier-strictement-personnel et de dévorer ses délicieuses *nalysnyky*. Mais non… Ses pensées prenaient la forme de rêves inaccessibles et, au lieu de générer une quelconque colère, ne provoquaient que dépit, souffrance et épouvante. Les images s'éloignèrent au fur et à mesure que l'espoir s'évaporait dans la fournaise.

— Oksa ! l'appela Gus d'une voix faible. Tu sais quoi ? Je suis nul. Une fille comme toi ne mérite pas d'avoir pour ami un garçon comme moi.

L'esprit encore brouillé par ses souvenirs, Oksa le regarda avec stupeur.

— Gus... Ce n'est pas le moment... murmura-t-elle en essayant de chasser de sa tête le visage de sa mère.

— Gus a raison pour une fois ! renchérit Tugdual en dardant sur elle son regard de glace.

— Si j'ai besoin de ton avis, je te sonnerai, d'accord ? répliqua Gus en se retenant au bras de son père. Oksa, je suis désolé. Tout ça est ma faute. C'est moi le responsable de ce qui nous arrive ! Je me suis approché du tableau. J'aurais dû résister et me sauver en courant. Au lieu de ça, je me suis approché, j'ai voulu jouer au plus fort alors que je ne suis qu'un gros nul ! Tu entends : JE SUIS UN GROS NUL ! Le pire qui existe sur terre, tout juste bon à jeter sa meilleure amie, son père et ses amis en pâture à une espèce d'entité psychopathe !

— Ooohhh ! Tu commences à me chauffer les oreilles ! s'écria Oksa en faisant des efforts monumentaux pour oublier que Gus exagérait dans le seul but de la faire sortir de ses gonds.

— Il faut reconnaître qu'en effet, ce n'était pas bien malin de ta part... fit remarquer Tugdual d'un ton dédaigneux. Mais bon... Pouvons-nous attendre mieux d'un garçon comme toi ?

— Tugdual ! s'indigna Oksa.

— Oh, toi, tu ferais mieux de la fermer ! s'énerva Gus. Quand on sait ce que tu as été capable de faire, franchement...

Tugdual se retourna, sur la défensive.

— Et qu'est-ce que j'ai été capable de faire, s'il te plaît ? demanda-t-il d'un ton dur.

— Les petites cérémonies avec tes amis les gothiques autour d'une bonne petite soupe d'abats de rats et de crapauds, ça te rappelle quelque chose ? cracha Gus.

Tugdual blêmit. Ses yeux se voilèrent et ses lèvres se pincèrent. Quant à Oksa, elle ne savait plus que penser. Son esprit était perdu : les deux garçons jouaient-ils ? S'étaient-ils ligués pour la pousser à se fâcher ? Ou bien était-ce l'épuisement qui faisait tomber la retenue qu'ils avaient réussi à maintenir jusqu'alors ?

— Tu es répugnant ! continua Gus à l'intention de Tugdual qui restait figé, les poings serrés contre ses cuisses.

— Il vaut mieux ça que d'être médiocre, répliqua le jeune homme. Et puis, je suis peut-être répugnant, mais ça ne semble pas déplaire à tout le monde, figure-toi !

— Eh bien, moi, je préfère être médiocre que d'être un sale Murmou ! Un complice des bouffeurs de sentiments au nez goudronné !

Tugdual le dévisagea avec arrogance et fureur. La main devant la bouche, horrifiée par l'échange des deux garçons, Oksa les regarda tour à tour. Ils se détestaient, c'était certain. Mais pas au point de se jeter de telles insultes à la figure ! Gus n'était pas comme ça et Tugdual était bien trop fier pour tomber dans ce genre de piège. Cependant, la situation épouvantable dans laquelle ils se trouvaient tous les poussait peut-être à jouer… cette comédie ? Oksa n'arrivait pas à enlever cette possibilité de son esprit, ce qui l'empêchait de réagir. Paralysée par le doute, elle restait là, impuissante.

— Comme tu le dis toi-même, continua Tugdual, tu es nul. Au moins, on ne peut pas te reprocher d'être lucide.

— Aaarrgghhh ! hurla Gus en rassemblant ses dernières forces pour foncer sur Tugdual.

Tugdual semblait s'attendre à cette réaction. Loin d'être surpris, il leva la main et, d'un Knock-Bong parfait, il envoya Gus voltiger sur le sol poussiéreux. Pierre lança un juron et se précipita vers son fils pendant que les autres Sauve-Qui-Peut, muets de stupeur, regardaient la scène. Furieux, Gus rejeta le bras que lui tendait son père et se releva. D'une démarche rendue hésitante par son extrême faiblesse physique, il se dirigea droit vers Tugdual qui le fixait avec une froideur hautaine. Pavel fit un pas pour s'interposer entre les deux garçons, mais Abakoum l'arrêta.

— Le nul se rebiffe ? lança Tugdual avec défi en tendant sa main pour renouveler son Knock-Bong.

— Tais-toi, espèce de monstre ! répliqua Gus. Tu es peut-être plus fort que moi, mais tu es aussi malsain que McGraw et toute sa clique. D'ailleurs, je me suis toujours demandé si tu n'étais pas une taupe qui lui rendait compte de tout ce qui se passe parmi nous…

Tugdual pâlissait à vue d'œil. Les veines de son cou saillaient et pulsaient avec nervosité, il semblait prêt à exploser.

— Non mais, toi qui nous as tous attirés dans cette galère, rétorqua le jeune homme d'un air crispé, tu crois que tu peux encore te permettre de la ramener ? Tu te souviens de ce que tu as dit tout à l'heure ? Tu pleurnichais à cause de ta responsabilité, tu as déjà oublié ? Dois-je te rappeler à cause de qui nous sommes ici ?

Effarée, Oksa ne pouvait plus réfléchir. Tout ce qu'elle voyait, c'est que les deux garçons s'engageaient d'un pas ferme vers une voie de non-retour. Le pire pouvait arriver : des paroles irréparables qui blesseraient à jamais l'un des deux.

— ARRÊTEZ ! hurla-t-elle en haletant.

Tugdual se tourna vers elle alors que Gus chancelait, épuisé.

— Mais pourquoi, P'tite Gracieuse ? demanda-t-il avec une douceur soudaine. Tu as peur que ton ami ne supporte pas la vérité ?

Oksa prit de plein fouet le regard bleu acier de Tugdual, accentué par la pâleur et la crispation de ses traits parfaits. Il se tenait face à elle, immobile, sa silhouette sombre et longiligne se découpant dans le ciel marbré, prêt à donner le coup final qui mettrait Gus à terre. Elle le supplia des yeux de ne pas prononcer les mots irréversibles qu'elle craignait tant. Au-dessus de leur tête, un énorme nuage d'un noir d'encre se formait, chargé d'une électricité qu'il déchargeait à grand renfort d'éclairs sombres et brillants comme de l'onyx. Elle leva la tête et vit Tugdual faire de même. Puis leurs regards se croisèrent à nouveau. Sans savoir si le jeune homme était porté par sa rage ou par sa volonté de survivre, Oksa comprit qu'elle ne pourrait rien faire contre sa détermination glaciale.

— Te souviens-tu, monsieur le Malin, à cause de qui est morte la Foldingote ? lança-t-il fielleusement à Gus.

Oksa ne vit pas Gus s'effondrer sous le choc de ces mots, trop occupée qu'elle était à bondir à la gorge de Tugdual en rugissant comme un fauve enragé.

— Pourquoi tu as dit ça ? cria-t-elle. POURQUOI ?

Tugdual ne fit pas un geste pour se défendre et tous deux tombèrent à terre, entraînés par la fureur d'Oksa. La Jeune Gracieuse se mit à frapper le torse de Tugdual et à lui griffer le visage en pleurant de colère. La poussière incandescente voltigeait autour d'eux mais, submergés par leur emportement, ni l'un ni l'autre n'en ressentaient la morsure.

— Tu ne pouvais pas te taire ? lâcha Oksa entre les violents sanglots qui lui coupaient le souffle. Tu es monstrueux ! Monstrueux, tu entends ?

N'y tenant plus, Tugdual lui attrapa les deux poignets et les serra avec force. Puis, d'un mouvement rapide, il renversa Oksa qui se retrouva bloquée sur le dos. Ce qui décupla sa colère.

— Tu me fais mal ! hurla-t-elle alors qu'un éclair noir déchirait le ciel. Je te déteste ! JE TE DÉTESTE !

— Tu mens… lui murmura Tugdual en se penchant vers elle.

Elle essaya de se dégager de cette étreinte perturbante qui la mettait hors d'elle. Mais les forces lui manquaient.

— Tu mens… répéta Tugdual en approchant son visage si près du sien qu'elle sentit son haleine étonnamment glacée. Cet effleurement furtif provoqua en elle un frisson électrique qui la parcourut des pieds à la tête. Stupéfaite, elle resta figée pendant quelques secondes sous le regard magnétique de Tugdual avant que son cœur ne se partage entre deux émotions opposées : une irrépressible envie de mordre le jeune homme et celle, plus puissante encore, de le voir approcher de nouveau. Sans comprendre pourquoi, elle pensa subitement à Gus, ce qui la ramena aussitôt à la dure réalité du moment.

— Pourquoi tu lui as dit ça ? répéta-t-elle. C'est cruel ! Et injuste !

La rage se dilatait, menaçant de l'étouffer. Tugdual soupira profondément et se redressa.

— C'est juste une minuscule blessure d'ego, il s'en remettra, P'tite Gracieuse ! lança-t-il avec un sourire provocateur. Et regarde, ça en valait la peine, non ?

Une grosse goutte s'écrasa sur le front d'Oksa. Bouche bée, elle regarda le ciel chargé. Quelques secondes plus tard, une prodigieuse averse s'abattait sur les Sauve-Qui-Peut exténués de fatigue et de déshydratation. Oksa se redressa sur les coudes et se mit à s'esclaffer nerveusement. Autour d'elle, tout le monde riait en tendant avec avidité le visage vers l'eau qui tombait du ciel. Oksa chercha Gus des yeux : il était revenu à lui. Son père le tenait par les épaules et tous les deux s'abreuvaient, la tête en l'air. Les cheveux noirs de Gus formaient comme un éventail d'ébène dans son dos dont les contours amaigris saillaient sous le tissu mouillé de sa chemise, et Oksa fut frappée par l'impression de fragilité qui se dégageait de son ami. Elle se laissa retomber en s'allongeant de tout son long sur le sol devenu boueux, aux côtés de Tugdual qui se tenait assis, les avant-bras posés sur les genoux. Elle ferma les yeux, laissant la pluie miraculeuse glisser sur elle et soulager son corps épuisé. Ses larmes se mélangèrent aux gouttes d'eau. Ils l'avaient échappé belle ! Mais à quel prix ? Elle était à la fois trop fatiguée et trop heureuse pour réfléchir. Elle sentit une main prendre la sienne. Elle n'eut pas besoin d'ouvrir les yeux pour savoir que c'était celle de Tugdual. Un mystérieux sourire aux lèvres, il s'était allongé dans la boue à côté d'elle, le visage dirigé vers le ciel qui se vidait. Se surprenant elle-même, Oksa ne fit rien pour retirer sa main. Était-ce la fatigue qui l'empêchait de le faire ? Rien n'était moins sûr et elle le savait bien. Et alors qu'elle aurait dû être près de Gus afin de se réjouir avec lui de l'averse providentielle, elle referma les yeux et resta là, à côté du sombre garçon qui lui serrait la main avec douceur et fermeté.

41

L'attaque reptilienne

Le reptile géant ouvrit un œil, et du revers de la patte chassa l'eau qui gouttait sur son crâne crêté. Le long de la faille où il sommeillait depuis des lustres, la pluie s'écoulait en entraînant avec elle une multitude de petits cailloux et de terre poudreuse. La pluie ? Le reptile n'en avait pas vu depuis si longtemps... Depuis que les Malfaisantes avaient soumis le Fouille-Cœur à leur funeste volonté. Intrigué, il se redressa sur ses courtes pattes et tendit la tête vers le haut de la faille. Des voix lui parvenaient, joyeuses et... humaines ! Confirmant ce qu'il n'osait espérer, des arômes l'atteignirent bientôt. Il n'y avait aucun doute : des hommes se trouvaient à la surface. Avec un peu de chance, ils étaient jeunes et tendres. Les sens aiguisés, le reptile se lécha les babines de sa longue langue fourchue. Il planta ses pattes griffues dans la paroi de terre et se mit à grimper, l'odorat attisé par les délicieux parfums qui lui parvenaient du dessus.

Allongée dans la boue en s'abandonnant à la pluie qui tombait sur toute la surface de son corps, Oksa retrouvait peu à peu son calme. Tugdual tenait toujours sa main et elle n'avait rien fait pour l'en empêcher. Une pensée tenta de s'insinuer dans son esprit : pour la première fois de sa vie, elle s'avérait être une bien piètre amie pour Gus. Malgré son intervention vigoureuse en faveur de son camarade de toujours, elle avait sans l'ombre d'un doute choisi Tugdual. En éprouvait-elle des remords ? Avait-elle un quelconque scrupule ? Elle se sentait si bien, là, Tugdual à ses côtés, les gouttes de pluie rebondissant sur son corps et apaisant sa soif. Mais qu'est-ce qui la rendait si heureuse ? D'avoir sauvé les Sauve-Qui-Peut ou d'être près de Tugdual ? Un rictus contrarié barra son front. Ce n'était pas le moment de réfléchir à cela, trancha-t-elle, troublée par la réponse qu'elle devinait. Elle inspira et se cala sur les ondulations de son Curbita-peto, puis se laissa porter par la douceur de l'instant.

— Oksa ! Surtout ne bouge pas !

Oksa ouvrit les paupières.

— Reste immobile ! continua Gus d'une voix pressante. Ne dis rien !

La jeune fille resta les yeux braqués sur le ciel sombre qui se déversait toujours sur les Limbes.

— Qu'est-ce qu'il y a ? murmura-t-elle.

Pour toute réponse, elle entendit un énorme hurlement proche du feulement d'un tigre.

— Pavel ! NON ! résonna la voix d'Abakoum.

Oksa se leva d'un bond. Pavel, porté par son Dragon d'Encre qui s'était déployé de toute la largeur de ses amples ailes, luttait contre une monstrueuse créature longue de cinq ou six mètres ressemblant à un caméléon géant d'une écœurante couleur vert fluorescent.

— Un Léozard ! s'écria Abakoum. Vite, mes amis ! Il faut aider Pavel !

Malgré la multitude d'assauts enflammés lancés par le père d'Oksa, le Léozard ne semblait pas le moins du monde affaibli. Le feu craché par le Dragon d'Encre sur la crête cornue hérissant son épine dorsale ne lui faisait pas peur : il continuait de donner de violents coups de patte en l'air pour tenter d'attraper le Dragon d'Encre qui s'approchait de plus en plus près.

— Papa ! Fais attention ! hurla Oksa.

L'avertissement fut vain : aveuglé par les flammes du Dragon, Pavel ne put esquiver un coup de griffe qui lui zébra le ventre en lui arrachant un cri rauque. Le sang gicla sur la face du Léozard, qui s'essuya d'un coup de langue goulu pendant que le Dragon redevenait encre sur le dos de Pavel tout en roulant dans la boue. Abakoum, Crache-Granoks à la bouche, lança une Arborescens, puis deux Colocynthis. Mais les Granoks restèrent aussi ineffi-caces que des gouttes de pluie, comme si le Léozard était imperméable à la Granokologie. L'immonde animal esquissa un sourire — Oksa l'aurait juré ! — et fixa la Jeune Gracieuse de ses yeux jaunes et avides. Puis, avec une rapidité inattendue, il se jeta sur elle. Elle tomba à la renverse et la créature la recouvrit de son corps, en prenant toutefois bien soin de ne pas l'écraser. Le visage à quelques centimètres des dents crasseuses du Léozard, Oksa fut saisie par le souffle fétide qui sortait de sa gueule. Elle entendait les Sauve-Qui-Peut hurler autour d'elle et aperçut les baskets trouées de Gus qui donnaient de grands coups de pied dans les flancs du monstre. Ce dernier, agacé, releva la tête et donna un coup de patte à celui qui le dérangeait. Oksa vit le corps de Gus voltiger et atterrir quelques mètres plus loin. Puis le Léozard revint à sa principale préoccupation : la jeune fille qui allait constituer dans quelques secondes un succulent repas…

— Laisse-moi, sale bête ! hurla-t-elle en essayant de se dégager.

Pour toute réponse, le Léozard souffla à nouveau sur elle son haleine putride. Oksa lui décocha un furieux Knock-Bong qui atteignit la créature en pleine mâchoire. Sous le choc, le monstre vert rejeta la tête en arrière et Oksa eut le temps d'apercevoir le visage d'Abakoum entre les pattes avant.

— Tiens bon ! lui cria-t-il. Essaie de lancer des Feufolettos sur son abdomen, c'est son point faible !

Malgré la terreur qui l'assaillait, Oksa se concentra sur le feu qu'elle sentait naître en elle. Il en allait de sa survie ! Les paumes des mains levées vers le poitrail du monstre, elle vit une flamme s'échapper pour lécher la peau épaisse. C'était cependant loin d'être suffisant…

— Continue ainsi, Oksa ! hurla Pavel en attaquant sans relâche la gueule et les yeux du Léozard. Tu es sur la bonne voie !

Le souffle court mais le cœur plein de hargne, la jeune fille redoubla ses efforts. Les flammes ne tardèrent pas à s'intensifier, dégageant une chaleur redoutable, et Oksa se prit à espérer de pouvoir s'en tirer vivante ! Elle entendait les Sauve-Qui-Peut l'encourager alors que l'épaisse carapace du monstre commençait à fondre comme sous l'effet d'un chalumeau. Dans un ultime réflexe, elle roula sur le côté pour s'échapper de ce carcan infernal, juste avant que l'animal ne s'effondre dans un grognement sous l'effet de l'implacable combustion.

— C'était quoi, ce truc ? demanda-t-elle au bout de plusieurs minutes d'un silence stupéfait.

— Un Léozard, lui répondit Abakoum sans pouvoir quitter des yeux l'énorme tas de cendres fumantes qu'était devenu le monstre. Le Léozard est issu d'un lointain croisement entre un lézard et un lion. Lézard pour ses aptitudes et son aspect reptiliens, et lion pour ses goûts alimentaires...

— Eh bien, merci ! s'exclama Oksa. Finir gobée par un lézard carnivore, on peut rêver plus glorieux comme fin, non ? Mais comment tu sais ça ?

L'Homme-Fé, pensif, passa la main sur sa courte barbe.

— J'ai déjà vu des Léozards, dit-il, le front plissé et les yeux dans le vague. Sur le territoire de l'Inapprochable.

— Tu veux dire... à Édéfia ? s'étonna Oksa.

— Je ne veux rien dire du tout, ma chère petite... continua le vieil homme.

— Édéfia ou pas, il faut que nous sortions de ce guêpier avant de tous y laisser notre peau ! intervint Pavel d'un ton vif.

Oksa observa son père. Il était allongé sur le sol où Réminiscens le soignait en appliquant des Filfollias sur sa blessure. Il avait l'air exténué, mais une grande détermination se dégageait pourtant de son regard.

— Attendez ! les arrêta Léomido. Ce que vient de dire Abakoum est très important !

— Quoi ?! s'exclama Pavel, les yeux écarquillés. Tu ne penses quand même pas que nous sommes à Édéfia ?

— Et pourquoi pas ? répondit Léomido sur la défensive.

Cette évocation plongea les Sauve-Qui-Peut dans un mutisme déconcerté. L'esprit assiégé par une multitude de pensées contrastées, Oksa les dévisagea un à un. L'espoir se lisait sur les visages de Léomido, de Réminiscens et de Pierre ; Abakoum, lui, s'était fermé comme une huître et ne laissait rien paraître ; à côté de lui, Pavel affichait une crispation qui trahissait sa contrariété ; quant à Gus, Oksa ne voyait que son dos un brin voûté – par la fatigue et les vols planés qu'il avait subis, sans doute. L'Insuffisant s'était collé à lui et le regardait d'un air admiratif. Tout le monde était là, perdu dans des hypothèses plus fabuleuses les unes que les autres. Tout le monde, sauf Tugdual. Oksa tourna la tête, en alerte. Le jeune homme n'était pas loin. Il se tenait à quelques mètres derrière elle, accroupi près du squelette fumant du Léozard.

— Et toi, P'tite Gracieuse ? l'interpella-t-il. Qu'est-ce que tu en penses ?

— Nous ne sommes pas à Édéfia ! lança-t-elle d'une voix plus forte qu'elle ne l'aurait cru.

Les Sauve-Qui-Peut levèrent la tête et la regardèrent.

— Qu'est-ce qui te fait dire cela ? lui demanda Réminiscens avec douceur.

Oksa ne prit pas la peine de réfléchir :

— Eh bien, si on était à Édéfia, je le sentirais !

— La Jeune Gracieuse a raison, intervint la Devinaille en émergeant de la veste d'Abakoum. Édéfia est encore loin, rangez vos espoirs et réfléchissez donc à sortir d'ici !

Pour la première fois depuis la dispute avec Tugdual, Gus chercha Oksa des yeux. La jeune fille soutint son regard, surprise de n'y voir aucune rancune. Après tout, elle s'était peut-être fait des idées : Gus et Tugdual ne se détestaient pas tant que cela, ils s'étaient ligués pour la mettre en colère afin qu'elle déclenche l'orage. Du moins le supposait-elle…

— Dis donc, ma vieille, tu deviens une ninja accomplie ! s'exclama Gus en s'approchant d'elle, l'Insuffisant sur les talons. Tu te rends compte que tu as aplati un lézard géant ?

— Aplati ? enchaîna Oksa, trop heureuse de cette accalmie. Cramé, tu veux dire ! Faut pas me chercher, moi !

Gus rit de bon cœur, entraînant Oksa. Quand il s'arrêta subitement pour se tenir le dos en grimaçant, elle s'alarma :

— Tu es blessé ?

— Non… J'aimerais juste qu'on arrête de me faire valdinguer dans les airs, si tu vois ce que je veux dire… précisa-t-il en jetant un regard noir à Tugdual.

Oksa comprit alors que sa supposition d'une éventuelle comédie montée de toutes pièces par les deux garçons ne tenait pas.

— Et j'aimerais bien que ta chauve-souris arrête de me regarder avec ce sourire mesquin ! continua Gus, détruisant tout espoir d'une quelconque paix.

— Arrête de l'appeler « chauve-souris »… rétorqua Oksa avec autant de neutralité qu'elle pouvait.

Gus soupira, grognon.

— Je vais essayer… mais je ne promets rien ! Rien du tout, je te préviens ! gronda-t-il en relevant ses cheveux avec hargne. Et toi, ma vieille, si j'ai un bon conseil à te donner, tu devrais te méfier. Ce type n'est pas net. Il est même carrément glauque !

— On est arrivés à Édéfia ? demanda soudain l'Insuffisant qui se tenait toujours collé à Gus. Quelle excellente nouvelle ! Je connais une vieille dame qui va être contente. Mais comment s'appelle-t-elle déjà ?

Trop heureuse d'avoir retrouvé Gus et de changer aussi joyeusement de sujet, Oksa éclata de rire, imitée par tous les Sauve-Qui-Peut. La Devinaille sortit sa petite tête et se mit à siffler :

— Quel balourd, celui-là !

— Oui ! acquiesça l'Insuffisant sans imaginer le moins du monde qu'il puisse s'agir de lui. Vous avez vu comme il était laid avec sa carapace à épines ? Et cette couleur verte lui donnait mauvaise mine. Mais au fait, où est-il ?

La Devinaille soupira en levant les yeux au ciel et se blottit de nouveau dans la veste d'Abakoum.

— Le jour où il comprendra, celui-là, faites-moi signe ! marmonna-t-elle.

— Le balourd est là-bas ! dit Oksa en montrant à l'Insuffisant le tas de cendres fumantes.

— Oh ! Il se cache ? Comme il est joueur !

Plié en deux, Gus s'essuya les yeux du revers de la manche.

— Je l'adore ! hoqueta-t-il.

— Il est drôle, n'est-ce pas ? renchérit la créature au cerveau lent. Et il faut admettre que ce camouflage fumant est très ingénieux…

Malgré la situation dramatique dans laquelle ils se trouvaient, les Sauve-Qui-Peut étaient hilares. Même Pavel ne pouvait s'empêcher de pleurer de rire !

— Je comprends pourquoi on l'a emmené : il est d'enfer pour remonter le moral ! fit Oksa en se tenant les côtes.

— Et on va en avoir besoin… lança Tugdual d'une voix d'outre-tombe. Regardez ce qui arrive là-bas…

42

Le combat de la mort

Le rire des Sauve-Qui-Peut s'arrêta net quand ils virent la vingtaine de Léozards qui se dirigeaient droit sur eux. Leur poids et l'engourdissement dans lequel ils avaient été plongés dans leurs failles asséchées leur interdisaient un déplacement rapide. Néanmoins, ce troupeau massif et hérissé de crêtes menaçantes faisait froid dans le dos. Au souvenir encore vivace de la gueule répugnante du Léozard, Oksa se sentit vidée de tout son sang.

— Il faut fuir ! cria-t-elle en faisant volte-face pour prendre ses jambes à son cou.

À sa plus grande surprise, son père la retint par le bras.

— Ça ne servirait à rien.

— Mais pourquoi ? On ne va quand même pas rester là à les attendre ? bredouilla-t-elle d'une voix blanche.

— On va se battre, P'tite Gracieuse ! s'exclama Tugdual en se mettant en position de combat. On est des Sauve-Qui-Peut, oui ou non ?

— Mais tu as vu le mal qu'on a eu pour en liquider un seul ? hurla-t-elle, affolée. Les Granoks ne fonctionnent pas, on ne peut pas volticaler et on est tous à bout de forces… On va crever, c'est sûr !

— Je t'ai connue plus combative… lui fit remarquer Tugdual d'un ton moqueur.

Piquée au vif, Oksa lui jeta un regard furieux.

— Allez, ma vieille, n'oublie pas la ninja qui est en toi ! lui murmura Gus.

En entendant les paroles encourageantes de son ami – des paroles qui tranchaient tant avec son visage décomposé par la peur –, elle s'en voulut aussitôt de s'être laissée aller. Elle avait quelques pouvoirs, au moins ! Gus, lui, n'avait rien. Sa vie dépendait de ses amis.

— Ton Feufoletto a plutôt bien fonctionné tout à l'heure, non ? continua-t-il. Et on pourrait peut-être utiliser l'Insuffisant et son humour dévastateur pour faire mourir de rire ces monstres ? ajouta-t-il avec une dérision pleine de désespoir.

Oksa pouffa nerveusement, malade d'angoisse.

— Arrête, Gus ! Ce n'est pas drôle ! L'Insuffisant face aux Léozards, pfff…

— Vous ne croyez pas si bien dire ! intervint Abakoum. Figurez-vous que l'Insuffisant n'est pas qu'un gentil clown…

L'Homme-Fé se tourna vers la petite créature qui contemplait les restes calcinés du Léozard et lui parla à l'oreille. L'Insuffisant leva ses gros yeux, puis opina de la tête avant de se tourner du côté du troupeau qui avançait vers les Sauve-Qui-Peut. Abakoum et Léomido l'encadrèrent tandis que Pierre et Tugdual se plaçaient sur les côtés, formant un bouclier pour protéger Réminiscens et Gus.

— Oksa ! Place-toi derrière l'Insuffisant et utilise tout ce qui est en ton pouvoir ! lui conseilla Abakoum, baguette à la main.

Une ombre recouvrit le groupe : le Dragon d'Encre de Pavel venait de déployer ses longues ailes au-dessus de leurs têtes. Oksa leva les yeux et vit son père fusionné au ventre du dragon mordoré. Les ailes émergeaient de ses omoplates et battaient lentement. Pavel la regarda droit dans les yeux pour lui adresser un sourire aussi triste qu'impénétrable. L'image fascinante dégageait une impression de puissance et d'invulnérabilité rassurante, et Oksa sentit son cœur se gonfler de courage. Elle se mit en position de ninja, jambe droite fléchie en avant et jambe gauche contractée en arrière. Puis, bras tendu devant elle, elle vissa son regard sur le troupeau de Léozards qui n'était plus qu'à une centaine de mètres.

— Balance-leur tout ce que tu peux, ma vieille ! s'écria Gus. Je te revaudrai ça, je te le jure !

— T'as intérêt ! marmonna Oksa entre ses dents.

— Préparez-vous ! hurla Abakoum pour couvrir le vacarme des Léozards qui approchaient en poussant des cris stridents… et affamés. PAS DE QUARTIER !

Si les monstres verts aux crêtes cornues pensaient se régaler sans tarder des humains qui se trouvaient face à eux, nombre d'entre eux devaient être déçus. Car les Sauve-Qui-Peut n'avaient pas du tout l'intention de se laisser dévorer sans avoir vaillamment résisté. Une fois que les Léozards se trouvèrent assez près pour qu'on distingue l'affreuse lueur jaunâtre de leur regard fangeux, Oksa et ses amis lancèrent un déluge de Knock-Bong d'une force à la hauteur de la terreur qu'ils ressentaient tous. Les Léozards qui se trouvaient en première ligne furent projetés sur ceux qui les suivaient, les écrasant de tout leur poids.

— Attention ! cria Abakoum. Ils reviennent !

Certains Léozards, après s'être relevés, fonçaient de nouveau vers eux avec une rage décuplée par la surprise de cet échec et par un appétit aiguisé par la promesse d'un délicieux repas. Alors qu'Oksa, Léomido et Pierre se concentraient pour envoyer les plus prodigieux Knock-Bong qu'on ait jamais vus, Abakoum et Tugdual faisaient un usage intensif du feu, l'un utilisant sa baguette comme un chalumeau et l'autre lançant des Feufolettos incessants pour attaquer les endroits les plus névralgiques des créatures : yeux, oreilles, gueule, abdomen. Il en allait de leur vie à tous ! Oksa sentit une onde d'énergie traverser son corps en parcourant la moindre de ses veines, une formidable vague de force et de violence qui lui donnait l'impression de posséder un pouvoir infini. Jamais elle ne s'était sentie aussi courageuse. Aussi puissante. Aussi invincible. Elle braqua la paume de sa main en direction du Léozard le plus trapu. Le monstre voltigea à près d'une dizaine de mètres de hauteur pour retomber comme une énorme masse inerte sur un de ses épouvantables congénères qu'il écrasa. Sous le choc, les deux créatures explosèrent, propulsant leurs viscères écœurants à travers les débris de leurs carapaces vertes.

— Trop forte ! Continue comme ça, ma vieille ! l'encouragea Gus d'une voix stridente.

Oksa lui jeta un rapide coup d'œil et chancela, atteinte par un vertige brutal qui lui donna la terrifiante impression que ce Knock-Bong l'avait vidée de toutes ses forces. Gus perçut ce flottement et regarda son amie avec fièvre.

— Allez, Oksa ! Concentre-toi ! Pas le moment de flancher, du nerf, ma vieille !

— T'es gentil, mais ces fichus monstres pèsent plusieurs tonnes, je te signale ! marmonna-t-elle.

Elle se tourna pour faire de nouveau face aux Léozards et Gus la sentit rassembler toutes ses forces pour continuer le combat. Un Knock-Bong, plus puissant encore que le précédent, ne tarda pas à projeter deux Léozards l'un contre l'autre avec une telle brutalité que les dents pointues des monstres giclèrent hors de leurs mâchoires. Aussitôt, la Jeune Gracieuse se pencha en avant, les mains posées sur les genoux pour reprendre son souffle. Haletante, elle ne tarda pas à se redresser et, en dépit de son épuisement, redoubla d'efforts. Au-dessus du petit groupe, Pavel et son Dragon d'Encre assuraient une efficace attaque aérienne en pratiquant des vols en piqué droit sur le troupeau qu'ils arrosaient d'un feu ardent. Et l'arrière des troupes ne ménageait pas ses efforts non plus. Gus ramassait toutes les pierres qu'il pouvait trouver pour les lancer sur les assaillants. « C'est nul… se dit-il en regardant avec frustration le caillou qu'il venait de lancer rebondir sur la carapace d'un des monstres. Mais c'est mieux que rien ! » À ses côtés, malgré sa faiblesse physique, Réminiscens surprit tout le monde en infligeant à un Léozard un sort inattendu : la main grande ouverte imitant les serres d'un aigle prêt à saisir sa proie, elle tendit le bras en direction d'une des immondes créatures qui se trouvait à plusieurs mètres et crocheta ses doigts. Puis elle tourna le poignet comme si elle tenait un matériau qu'elle voulait tordre. La tête du Léozard, soumise à la force secrète et invisible de la griffe, se tordit jusqu'à atteindre l'angle droit. Le monstre résista en grognant. En vain… Un dernier râle et il s'effondra, la tête ballottant sur le côté, complètement désarticulée. Réminiscens, en nage, adressa à Gus un sourire épuisé en réponse à son sifflement admiratif.

— Ça, c'est la grande classe ! lança-t-il, fasciné.

— Merci, mon garçon… murmura la vieille dame avant de se laisser tomber sur le sol poussiéreux.

— Ça va aller ? lui demanda Gus en s'agenouillant à côté d'elle.

Réminiscens opina de la tête et dirigea son regard vers ses amis, dont elle ne voyait que le dos tendu par les efforts colossaux qu'ils faisaient pour mettre les Léozards hors d'état de nuire. La silhouette courbée de Léomido accusait un affaiblissement bien visible qui semblait inquiéter Réminiscens. Il ne restait que cinq Léozards à combattre. Les cinq plus coriaces… Alors que les défenses des Sauve-Qui-Peut diminuaient dangereusement, les cinq monstres s'avançaient, grimaçant d'atroces sourires. Assisté par les Feufolettos de Tugdual, Abakoum tendit sa baguette vers le plus massif, celui qui résistait depuis le début à toutes les flammes, explosions et vols planés. Mais le monstre semblait avoir un instinct défensif plus élaboré que le reste du troupeau : il bomba le dos, rentrant la tête dans sa carapace afin de n'offrir que les surfaces les plus épaisses et résistantes de son anatomie. Les flammes léchèrent l'armure cornée et le Knock-Bong d'Oksa ne le fit reculer que de cinq ou six mètres. Au-dessus du champ de bataille, Pavel semblait lâcher prise : son Dragon d'Encre battait de plus en plus mollement des ailes, ce qui le faisait divaguer dans le ciel mauve à la manière d'un immense oiseau en perdition.

— Insuffisant ! souffla Abakoum, accablé de fatigue. À toi de jouer !

L'Insuffisant le regarda, surpris.

— Oh ! je ne suis pas très joueur, vous savez… répondit-il avec apathie. Et cette drôle de créature à épines ne m'inspire aucune sympathie.

— CRACHE ! hurla Abakoum.

Étonnée, Oksa regarda Abakoum alors que l'information gagnait peu à peu du terrain dans le cerveau de l'Insuffisant.

— Reculez-vous ! conseilla l'Homme-Fé à ses amis.

— Je crache ! informa la petite créature.

Alors, face aux cinq Léozards écumant de rage et de faim, il se mit à expulser des milliards de gouttelettes de bave. Quand les premières gouttes atteignirent le plus gros Léozard, celui-ci se tordit de douleur, la carapace fumant comme sous l'effet d'un puissant acide. L'épaisse cuirasse ne tarda pas à se trouer, désintégrée par la bave corrosive. De larges alvéoles se creusèrent, laissant échapper une odeur âcre – et par la même occasion des lambeaux de chair, de boyaux et de muscles.

— Je vais encore cracher ! annonça l'Insuffisant, sans se départir de son habituelle nonchalance.

Cette fois-ci, la pluie de gouttelettes s'abattit sur les carapaces des quatre derniers Léozards qui fondirent en quelques secondes sans pouvoir lutter contre cette fatalité tombée du ciel. Quand il ne resta plus que des squelettes blanchis par l'acide, les Sauve-Qui-Peut s'entreregardèrent, médusés.

— Alors ça, c'est trop fort ! s'exclama Oksa, les mains sur les hanches. Et pourquoi tu as attendu si longtemps pour faire ça ? demanda-t-elle à l'Insuffisant, hésitant entre plonger dans une colère noire et sauter au cou de la petite créature pour l'étouffer de baisers reconnaissants.

L'Insuffisant la dévisagea.

— Je ne sais pas ce que j'ai mangé, mais je crois que j'ai des aigreurs d'estomac… s'étonna-t-il.

— Tu m'étonnes ! lança Oksa en riant. En tout cas, promets-moi de ne jamais me cracher dessus !

— Cracher ? Mais pourquoi ferais-je une telle chose ? répliqua l'Insuffisant.

— Notre ami est peut-être un peu lent, mais, heureusement pour nous tous, il est très obéissant, précisa Abakoum en s'approchant de l'Insuffisant pour le congratuler. Il ne crache que sur commande.

— Eh bien, tant mieux ! exulta Oksa. En tout cas, on s'en est bien sortis, non ?

Le soulagement était général. Assis sur le sol qui commençait à s'assécher, les Sauve-Qui-Peut regardaient les dépouilles impressionnantes des Léozards explosés, éventrés ou calcinés. Pavel les rejoignit bientôt, son Dragon d'Encre replié en lui, et vint s'asseoir à côté d'Oksa.

— Comment vas-tu, ma fille ?

— Oh, Papa, tu as vu ce combat de la mort ? J'ai fait des Knock-Bong d'enfer !

— Un combat qui risque bien d'entrer dans la légende des plus grands combats de la mort jamais connus… fit Pavel en réprimant un sourire. Les hardis Sauve-Qui-Peut contre les barbares Léozards… C'était du plus bel effet, surtout vu du ciel !

Oksa pouffa de rire et jeta un coup d'œil vers Gus.

— Tu t'es bien défendue, ma vieille…

— Merci pour les encouragements.

— De rien !

Relevant sa longue mèche brune, Gus lui fit un clin d'œil. Oksa sentit aussitôt son cœur se gonfler de réconfort. Elle avait retrouvé son ami de toujours, celui qu'elle avait cru perdre, et c'était tout ce qui comptait. Cependant, elle ne pouvait ignorer Tugdual et le trouble qu'il provoquait en elle. Elle ne put s'empêcher de se retourner. Quand elle croisa les yeux d'acier du jeune homme, elle s'empourpra en pestant à la fois contre cette réaction involontaire et contre la peine qu'elle infligeait à Gus, qui l'observait d'un air blessé. Le garçon se leva et donna un coup de pied dans une pierre en tournant le dos à tout le monde.

— Bon ! lança-t-il avec rudesse. On ne va peut-être pas moisir ici, non ! On ferait bien de se remettre en route…

Il s'avança d'un pas décidé dans l'immensité des Limbes Arides, soulevant derrière lui de petites plaques de boue. Surpris, les Sauve-Qui-Peut le regardaient s'éloigner quand soudain il disparut, avalé par le sol zébré de failles.

43

Le puits sans fond

— Gus ! hurla Oksa.

Pierre se leva d'un bond en poussant un grondement d'ours et courut vers la faille qui venait d'engloutir son fils. D'autres failles se formaient dans le sol devenu instable, obligeant le Viking à faire des bonds. Les Sauve-Qui-Peut se précipitèrent derrière lui avec une rapidité qui faillit coûter cher à Réminiscens, dont les pieds étaient encore douloureux malgré les bons soins d'Abakoum. Après avoir sauté au-dessus d'une fissure tout juste constituée, la vieille dame atterrit laborieusement. En équilibre au bord d'un gouffre sans fond, elle battit des bras en gémissant. Léomido la saisit par la taille au dernier moment et la tira en arrière contre lui.

— Gus ! Tu es là ? cria Pierre, agenouillé au bord de la faille.

La voix de son fils lui parvint, étouffée et paniquée. Elle paraissait si lointaine que les Sauve-Qui-Peut blêmirent tous, sans exception.

— Je suis là ! Papa, fais quelque chose, je t'en supplie !

Pierre leva vers ses amis un regard désespéré.

— Tiens bon, Gus ! On va te tirer de là ! s'écria Oksa.

Accroupis ou allongés au bord de la faille large d'à peine un mètre, tous essayaient de distinguer la silhouette de Gus. Mais l'obscurité absolue de la crevasse ne donnait pas le moindre indice de la profondeur à laquelle pouvait se trouver le garçon.

— Culbu, tu veux bien aller voir où est Gus ? demanda Oksa en sortant de sa sacoche son petit spécialiste en repérages.

— À vos ordres, Jeune Gracieuse ! fit le Culbu avant de s'enfoncer dans la fissure.

Les minutes qui suivirent furent sans doute les plus longues de toute la vie des Sauve-Qui-Peut. Une attente que l'absence de repères temporels rendait d'autant plus pénible. Oksa se rongea les trois derniers ongles qui avaient réussi à survivre aux épreuves et patienta tant bien que mal. Peu après, le Culbu réapparut, couvert de poussière. Il s'ébroua et se campa devant sa maîtresse avec fierté.

— Culbu-gueulard de la Jeune Gracieuse, au rapport !

— Nous t'écoutons ! lança Oksa d'un ton impatient.

— L'ami de la Jeune Gracieuse se trouve sur une petite plate-forme de pierre de cinquante-cinq centimètres de longueur sur trente-deux de largeur. L'épaisseur est faible, à peine cinq centimètres, mais le poids de l'ami de la Jeune Gracieuse n'est pas assez élevé pour mettre en péril la solidité de la plate-forme. L'ami de la Jeune Gracieuse s'est coupé à trois reprises lors de sa chute : deux fois au visage et une fois à la main droite. Mais rassurez-vous ! Les blessures sont superficielles, l'ami de la Jeune Gracieuse n'est pas en danger.

— À quelle profondeur est-il ? demanda Pierre, pâle comme la mort.

Le Culbu se renfrogna et annonça :

— J'ai évalué la profondeur à laquelle se trouve l'ami de la Jeune Gracieuse à quatre cent soixante-trois mètres, équivalent des mesures de Du-Dehors.

— Quatre cent soixante-trois mètres !!! s'exclama Oksa, décomposée.

— Quatre cent soixante-trois mètres, confirma le Culbu.

Pierre poussa un juron et donna un coup de pied rageur dans le sol. Léomido regarda Abakoum avec désarroi : l'Homme-Fé réfléchissait, la mine grave et le front plissé d'inquiétude. De son côté, Pavel observait la faille, à plat ventre au bord du gouffre ténébreux.

— Mon Dragon d'Encre ne pourra pas entrer, c'est trop étroit… marmonna-t-il.

— Et mes bras ne peuvent aller au-delà de dix mètres, indiqua Abakoum en se prenant la tête entre les mains.

Tout le monde se concentrait dans un silence angoissé, redoutant le pire : ne trouver aucune solution pour sauver Gus. Oksa secoua la tête pour chasser cette insupportable pensée. « Ça ne peut pas finir comme ça ! » se dit-elle en sentant les larmes monter.

— Et si je prenais mes Capaciteurs de Ventosa ? suggéra-t-elle en ouvrant son Coffreton. Je dois en avoir assez pour faire l'aller et le retour !

Abakoum la regarda avec un rictus gêné.

— Le retour… ânonna-t-il. C'est justement là le problème. Même avec la meilleure volonté du monde, tu ne pourrais pas remonter Gus.

La jeune fille baissa les yeux. L'angoisse lui donnait mal au cœur.

— Aidez-moi ! résonna la voix de Gus.

En entendant ce pathétique appel venu des profondeurs de la crevasse, Pierre poussa un gémissement de douleur. Tugdual, qui se tenait un peu à l'écart, les bras enroulés autour des genoux, releva la tête et s'adressa au Culbu-gueulard d'une voix grave :

— De quelle matière sont constituées les parois de la faille ?

— De calcaire, petit-fils des Knut, répondit la créature. J'ai décelé dans la roche de nombreuses anfractuosités de tailles très diverses allant de quatre millimètres à cinq centimètres. Mais la roche offre aussi des saillies plus ou moins régulières et tranchantes, ce qui rend la descente dangereuse.

— Parfait ! s'exclama Tugdual. J'y vais !

Il se leva d'un bond et se précipita d'un pas décidé vers la faille.

— Attends une seconde, mon garçon ! lança Abakoum en le retenant par le bras.

— Pourquoi attendre ? fit le jeune homme en se dégageant. Je suis le seul capable de le sauver et vous le savez bien !

— Oui… concéda Abakoum d'un air résigné. Je le sais.

Interloquée, Oksa ne put s'empêcher de crier :

— Mais comment ?

Tugdual se tourna vers elle, posa les mains sur ses épaules et la regarda droit dans les yeux avec un léger sourire.

— Le Varapus, P'tite Gracieuse.

— Quoi le Varapus ? s'énerva-t-elle, les yeux pleins de larmes.

— On dirait que tu as déjà oublié les aptitudes que m'ont values mes origines familiales, ainsi que certains épisodes arachnéens de ma bien ténébreuse histoire !

— La technique de l'araignée !

— Bien vu, acquiesça Tugdual. Le pouvoir du répugnant Mainferme Murmou, *alias* « la chauve-souris », au secours du garçon ordinaire… Inattendu, non ? Sans compter que cela me changera des murs de morgues ou de facultés de médecine... ajouta-t-il avec un rire sardonique.

Il lâcha les épaules d'Oksa, non sans lui avoir glissé au creux de l'oreille un murmure :

— À plus tard, P'tite Gracieuse...

Puis il se tourna vers Pierre qui le regardait avec intensité.

— Pierre, je sais que tu as le don du Varapus, toi aussi. Mais sans vouloir t'offenser, mon gabarit et mes récentes expériences me donnent un sérieux avantage.

— C'est vrai... reconnut tristement Pierre.

— J'y vais.

— Je te serai reconnaissant à jamais. Sois prudent, mon garçon.

Tugdual se libéra de l'étreinte de Pierre et s'agenouilla au bord du gouffre.

— Tugdual ? l'appela Abakoum.

Le jeune homme se retourna, le regard ombrageux.

— Tu auras besoin de ces Arborescens et ces Suspensas... Prends.

L'Homme-Fé tourna plusieurs fois sa Crache-Granoks entre ses doigts jusqu'à ce qu'elle s'ouvre sur toute sa longueur. Puis il vida les Granoks qu'elle contenait dans la Crache-Granoks de Tugdual, n'en conservant que quelques-unes. D'un regard, il invita les autres Sauve-Qui-Peut à faire de même.

— Mais comment ça s'ouvre ? s'énerva Oksa. Je ne savais même pas que c'était possible !

— Comme ça, P'tite Gracieuse, répondit Tugdual en l'aidant. Trois tours à gauche, deux tours et demi à droite, tu presses deux fois à un tiers de l'embouchure, tu épelles dans ta tête le mot veruculum et tu sentiras alors une encoche se former sous tes doigts : c'est le mécanisme d'ouverture. Tu n'as plus qu'à glisser ton ongle et à ouvrir !

— Mais je n'ai plus un seul ongle en état de marche ! se lamenta Oksa.

Tugdual eut un petit rire et tendit son index doté d'un ongle noir de crasse. Une fois sa Crache-Granoks pleine à craquer, il se retourna et, les deux mains posées à plat sur le rebord, s'introduisit dans la faille. Quelques secondes plus tard, il disparut, happé par l'inquiétante noirceur.

44

Sauvetage en profondeur

Profitant de la moindre cavité creusée dans la paroi de calcaire, Tugdual progressait à un rythme soutenu. Plus que jamais, il se sentait mi-araignée, mi-chauve-souris. Sa vue s'était vite accommodée à l'obscurité qui régnait dans la faille et il voyait aussi nettement qu'un chat dans la nuit tandis que ses doigts et ses pieds fouillaient la roche pour trouver des points d'appui. Ses gestes mécaniques s'enchaînaient avec grâce, comme s'il était tout à fait naturel pour le jeune homme de descendre à mains nues des parois de plusieurs dizaines de mètres. N'importe qui aurait vu sa confiance décliner à mesure que l'embouchure de la faille s'éloignait. Mais Tugdual fonctionnait à l'inverse de la plupart des gens : loin de considérer cette épreuve comme une descente vers l'enfer, il sentait une assurance inébranlable gonfler ses muscles et renforcer son esprit. Le ciel mauve chargé de nuages métalliques n'était plus qu'un mince trait là-haut, loin au-dessus de sa tête, et, pourtant, l'exaltation grandissait.

Contrairement à ce que tout le monde pensait – à commencer par le premier intéressé –, il ne détestait pas Gus. Ce garçon l'exaspérait, ce qui était très différent ! Et peut-être pire. Il fallait reconnaître qu'il cumulait les ennuis. Sans oublier les risques qu'il faisait courir aux Sauve-Qui-Peut. Et qui se trouvait en première ligne ? Oksa. La P'tite Gracieuse au regard ardoise. La ninja au rire cristallin. L'Inespérée, protégée des Sans-Âge et des Sauve-Qui-Peut. La complicité qu'elle avait avec Gus exacerbait son agacement. Tugdual prenait de plus en plus conscience que cette amitié, solide comme la pierre de la paroi qu'il descendait, faisait partie des choses qu'il ne connaîtrait jamais. Il était trop étrange pour avoir des amis. Trop différent. Trop dérangé surtout... Les seuls amis qu'il ait jamais eus étaient des êtres faibles et influençables qui voyaient en lui l'incarnation d'un mage noir idolâtré. Pouvait-on seulement les appeler des amis ? Plutôt des marionnettes… Même ses parents avaient déclaré forfait et s'étaient débarrassés de lui en le confiant à ses grands-parents. En ce qui concernait les Sauve-Qui-Peut, il savait qu'il ne faisait pas l'unanimité au sein de la petite communauté. Seul Abakoum avait accepté de le prendre sous son aile, beaucoup d'autres le toléraient, mais plus par affection pour Brune et Naftali que par égard pour lui, il n'était pas dupe. Il n'en souffrait plus, ayant pris le parti de se nourrir du ressentiment, de la méfiance ou de l'hostilité des autres. « Chacun son mode d'alimentation… » se disait-il souvent. Dérision ou dépit ? Aucune importance. Ce qu'il était avait fini par lui convenir à partir du moment où il ne pouvait être différent. Et d'autant plus que ça ne l'empêchait pas d'être apprécié par une certaine jeune fille…

— Vous avez fait presque la moitié du chemin, petit-fils des Knut ! retentit soudain la voix aiguë du Culbu-gueulard.

— Ah ! Tu es là, toi ?

— La Jeune Gracieuse m'a envoyé voir si vous alliez bien.

— Sympa ! répondit Tugdual en esquissant un sourire dans l'obscurité à couper au couteau.

— Elle vous transmet ses encouragements et cette Reticulata pleine d'eau pour vous désaltérer, continua la créature en tendant au jeune homme une méduse grosse comme un pamplemousse.

Tugdual enfonça deux doigts dans une fissure et posa le bout de son pied sur une saillie à peine plus large que son gros orteil. Il repéra le Culbu qui portait la Reticulata en ahanant et l'en soulagea en buvant goulûment l'eau fraîche qu'elle contenait.

— Ça fait du bien, tu remercieras la P'tite Gracieuse.

— À vos ordres !

Et le Culbu reprit le chemin inverse, laissant Tugdual se délecter d'un intense sentiment de satisfaction.

— On peut dire que tu as fait une sacrée chute…

Gus sursauta en poussant un cri de surprise.

— Tugdual ? bredouilla-t-il.

— Lui-même ! annonça le jeune homme.

— J'ai eu la peur de ma vie ! J'entendais bouger et je croyais que c'était encore un de ces lézards pourris… Tu aurais pu prévenir !

— J'essaierai de m'en souvenir pour la prochaine fois… lança Tugdual en rejoignant Gus sur sa minuscule plate-forme. C'est vrai que tu ne vois pas dans le noir…

— Ha ! ha ! très drôle ! fit Gus avec humeur. Je suis juste comme près de cinq milliards de gens sur cette Terre, tu vois !

Tugdual sourit de sa remarque cruelle.

— Sinon… salut, c'est sympa de te revoir ! continua-t-il d'un air léger.

— Oui, excuse-moi, marmonna Gus de mauvaise grâce. Salut. Et merci.

— Bon… si on laissait tomber les chichis pour passer à ton sauvetage ? Voici mon plan : je vais lancer des Arborescens pour former une échelle de lianes que tu vas utiliser pour grimper. Les Grenettes vont t'aider en te soutenant par les épaules et tu me suivras, j'ouvrirai la voie. D'accord ?

— Heu… il y a juste un petit problème… Comme tu l'as fait remarquer avec tant de délicatesse, je ne vois pas dans le noir.

— Que dis-tu de ça ? fit Tugdual en lançant une Trasibule qui éclaira aussitôt le puits de pierre.

Gus regarda autour de lui en clignant des yeux, ébloui.

— Brrrr… C'est glauque !

— On y va ? s'impatienta Tugdual en se plaquant contre la paroi, prêt à remonter.

— Heu… il y a un autre problème.

— Quoi encore ?

— Je ne suis pas très bon en escalade.

Tugdual soupira en lui adressant un regard glacial.

— Est-ce qu'il y a une seule chose que tu es capable de faire ? À part me mettre les nerfs en pelote, je veux dire…

— Je suis juste un humain, je te signale ! répondit Gus, bouillonnant de colère. Pas une espèce de chauve-souris !

— Ho ! ho ! rigola Tugdual. Monsieur sort l'artillerie lourde ! Allez, on n'a plus de temps à perdre. J'ai repéré un énorme Léozard qui dormait au fond d'une cavité et je ne voudrais pas eveiller son appétit, si tu vois ce que je veux dire.

— C'est vrai ?

— À ton avis ? rétorqua Tugdual, excédé.

Laissant Gus dans le doute le plus angoissant, il sortit sa Crache-Granoks et lança contre la paroi une Arborescens. Aussitôt, une longue liane jaunâtre et luisante apparut. Elle flotta un

253

instant dans l'air étouffant de la faille, puis se plaqua contre la pierre grâce à ses minuscules griffes végétales. Tugdual saisit la Trasibule et éclaira du mieux qu'il le put le puits obscur : la liane était montée très haut, quinze ou vingt mètres à vue d'œil. Puis il souffla à nouveau dans sa Crache-Granoks, en direction de Gus. Cette fois, deux petites grenouilles jaillirent. Elles voletèrent jusqu'au garçon qu'elles saisirent par les épaules pour l'entraîner vers la liane.

— C'est parti ! clama Tugdual en grimpant à mains nues le long de la paroi.

L'ascension sembla durer des heures, surtout aux yeux de Gus qui peinait plus qu'il ne l'avouerait jamais. Mais en matière d'efforts, Tugdual n'était pas en reste. Outre les Granoks qu'il fallait en permanence renouveler, le jeune homme mettait un point d'honneur à ce qu'il n'arrive rien de funeste à Gus et l'attention qu'il accordait au moindre de ses gestes – jusqu'à ses plus ultimes maladresses – l'épuisait. Comme il l'avait annoncé, Gus n'était pas très bon en escalade, surtout dans des conditions aussi spéciales. Les Arborescens formaient une voie beaucoup plus pratique que les saillies dans la pierre, mais elles avaient l'inconvénient d'être très gluantes, ce qui les rendait à la fois glissantes et collantes. Heureusement, les Grenettes apportaient un précieux soutien logistique en hissant le garçon et surtout en retenant des chutes qui se seraient révélées fatales. Avec une étonnante régularité, le Culbu-gueulard venait prendre des nouvelles et transmettre les encouragements des Sauve-Qui-Peut.

— La Jeune Gracieuse vous dit de tenir bon, vous êtes bientôt arrivés !

— Tu lui diras que c'est bien aimable à elle… répondit Tugdual dans un souffle. Quelle distance encore, Culbu ?

— Plus que deux cent quarante mètres, petit-fils des Knut.

Gus gémit en entendant ce chiffre. Plus que deux cent quarante mètres… Il avait les poumons en feu, les muscles prêts à se déchirer en lambeaux, les yeux brûlés par les poussières qui avaient retrouvé leur propriété incandescente… Sans parler de la plus intense, de la plus monumentale, de la plus monstrueuse envie de dormir de tous les temps. À tel point que rester éveillé devenait une lutte prioritaire, un danger qui l'effrayait plus que le vide sans fin qui se trouvait sous lui.

— Tu n'as pas sommeil, Tugdual ?

Le garçon-araignée se retourna brusquement et le regarda avec inquiétude.

— Pas du tout, répondit-il sans juger utile de préciser qu'il pouvait rester plusieurs jours sans dormir.

Le jeune homme se demanda depuis combien de temps Gus n'avait pas dormi et un fort sentiment de compassion l'envahit soudain. Le garçon les avait tous suivis depuis le début en se calant sur leur rythme et personne ne semblait s'être soucié de savoir s'il tenait le choc. Tugdual se surprit à le plaindre.

— Je peux t'avouer un truc ?

— Dis toujours… marmonna Gus.

— Je te trouve plutôt courageux sur ce coup-là.

— Merci, répondit Gus avec sobriété. Tu n'aurais pas quelque chose pour me réveiller ?

Tugdual réfléchit et fouilla dans ses poches. En vain.

— Désolé. Mais regarde de l'autre côté, sur la paroi d'en face, ça devrait t'aider à tenir…

Gus tourna la tête en se cramponnant à l'Arborescens et aperçut une large cavité creusée dans la paroi. Au fond, la silhouette désormais familière d'un énorme Léozard se soulevait au rythme d'un profond sommeil. Gus faillit en lâcher la liane. Tugdual ne l'avait donc pas fait marcher…

— On ferait mieux de ne pas traîner dans les parages, tu ne crois pas ?

— Tout à fait d'accord ! approuva Gus en reprenant son ascension.

Quand le ciel mauve fut à nouveau visible depuis l'intérieur de la faille, les deux garçons ressentirent un immense soulagement. Quant aux Sauve-Qui-Peut, depuis que le Culbu-gueulard les avait informés qu'un Léozard sommeillait dans les profondeurs de la crevasse, ils maintenaient un mutisme prudent en observant le puits de pierre depuis le bord, sans toutefois distinguer quoi que ce soit. Il restait environ quarante mètres selon les estimations du Culbu-gueulard et Tugdual s'en réjouissait : il venait de lancer la dernière Trasibule. Par bonheur, la lumière parvenait désormais jusqu'à eux, les éclairant d'un halo pourpre. Tugdual voyait que Gus résistait farouchement contre la fatigue musculaire et le sommeil. Mais poursuivre l'ascension dans le noir total aurait mis en péril tout ce qu'ils venaient de faire. Il était temps…

— On y est presque, Gus !

Il prit sa Crache-Granoks pour lancer une nouvelle Granok d'Arborescens, mais malheur ! la sarbacane resta sourde à sa requête… Il tenta sa chance avec les Grenettes. En vain. Le stock de Granoks était terminé. Tugdual réfléchit. Les solutions n'étaient pas nombreuses : soit il faisait appel à Abakoum et à ses bras « télescopiques », soit il se débrouillait par ses propres moyens. Son amour-propre le poussa à choisir à toute vitesse la seconde option.

— Gus, murmura-t-il. On a un problème…

Accroché au bout de la dernière liane visqueuse, Gus stoppa son ascension.

— Laisse-moi deviner… Tu n'as plus de Trasibule ? T'inquiète ! Regarde, on commence à voir la lumière du jour !

— C'est un peu plus compliqué…

Gus se contracta.

— Ah, je vois… Tu n'as plus d'Arborescens, c'est ça ?

— Plus d'Arborescens et plus de Suspensa non plus, annonça Tugdual.

Le souvenir du Léozard endormi encore vif dans l'esprit de Gus le retint de hurler.

— Quoi ?! souffla-t-il entre ses dents. Tu veux dire qu'on est coincés là, tout près du bord ?

— Tu es coincé là, fit cruellement remarquer Tugdual.

— Merci d'insister sur ce détail, c'est sympa de ta part ! enragea Gus. Tu n'as qu'à y aller, laisse-moi. Pour ce que je sers, après tout…

Tugdual soupira.

— Tu es toujours comme ça ?

— Comme quoi ? s'énerva Gus. Inutile ? Incapable ? Bon à rien ? Eh bien, selon vos critères à tous, OUI !

— N'importe quoi… Tu commences à me fatiguer avec ton complexe d'infériorité, marmonna Tugdual. Tu ferais mieux de t'accrocher à moi, qu'on en finisse avec cette grimpette…

Gus resta béat de surprise.

— Tu veux dire… Tu veux dire que tu vas me porter jusqu'en haut ?

Tugdual leva les yeux en l'air.

— À ton avis ?

— Mais je suis trop lourd ! objecta le garçon. On ne va pas y arriver !

— J'adore ton optimisme, lança Tugdual. Et tes encouragements aussi. C'est fou comme ça fait du bien.

— Mais…

— Il n'y a pas de « mais », trancha Tugdual. Je n'en ai pas l'air, mais figure-toi que je suis capable de porter plusieurs fois mon poids. Comme les fourmis… Alors, si tu crois que tu m'impressionnes avec tes cinquante kilos…

— Euh… cinquante-deux…

— MONTE ! cria Tugdual d'une voix impérieuse.

45

L'issue verticale

Les deux garçons firent irruption sur la terre ferme quelques minutes plus tard, acclamés par les Sauve-Qui-Peut et par Pierre éperdu de reconnaissance. La dernière partie de l'ascension avait de loin été la plus pénible. Tugdual faisait son possible pour ne rien laisser paraître de la fatigue qui le dévastait, mais ses traits creusés et son teint d'une pâleur spectrale trahissaient son état. L'extrême fierté d'avoir mené sa mission jusqu'au bout ne suffisait pas à compenser l'effort surhumain que cette épreuve lui avait coûté. Ses réserves d'énergie, comme celles de sa Crache-Granoks, étaient épuisées. Se maudissant de cette faiblesse, il s'effondra sur le sol poussiéreux et brûlant.

— Tugdual ! s'écria Oksa en se précipitant vers lui.

— Ça va, P'tite Gracieuse... dit-il d'une voix monocorde, les yeux fixés sur les nuages qui filaient dans le ciel. Ça va. J'ai juste un coup de mou. Si tu veux bien me laisser seul un moment...

— Tugdual, ce que tu as fait est prodigieux ! continua Oksa en ignorant la demande du jeune homme. Je n'en reviens pas que tu aies réussi ! Tu es... GÉNIAL !

Tugdual tourna la tête vers elle et fronça les sourcils d'un air amusé.

— Tu doutais de moi ?

Oksa rougit en se mordant l'intérieur des joues.

— Non ! Bien sûr que non ! Mais je trouve quand même ça génial !

— Tu ne m'embrasses pas pour me féliciter ?

— Quoi ?!

— Laisse tomber, je te taquine... lança Tugdual en se redressant.

Il détourna la tête pour cacher le sourire qui faisait étinceler ses yeux, laissant Oksa en pleine confusion.

— Quelqu'un a une idée de ce qui se passe là-bas ? dit-il, subitement assombri.

Tous suivirent le regard de Tugdual braqué sur les Limbes sans fin et aperçurent au loin un phénomène inquiétant : dans un grondement assourdissant, une tornade noire et menaçante était en train de se former. Elle tournait sur elle-même comme un monstrueux entonnoir qui se perdait dans le ciel mauve en faisant voltiger autour d'elle des nuages de poussières incandescentes.

— Waouh ! s'exclama Oksa, fascinée par ce prodige climatique. C'est géant !

À peine eut-elle prononcé ces mots que la tornade oscilla avant de foncer droit sur les Sauve-Qui-Peut, sidérés par la puissance de cette nouvelle menace. Les mains sur les hanches, Oksa poussa un cri de colère.

— Ça commence à bien faire, cet acharnement ! On n'en peut plus !

Oksa se sentit emportée par son père qui s'était mis à courir dans la direction opposée à la tornade. Abakoum et Tugdual firent aussitôt de même, saisissant au passage l'Insuffisant qui continuait ses observations près du cadavre du Léozard. Redoublant d'efforts, Léomido prit Réminiscens dans ses bras et leur emboîta le pas. Quant à Gus, trop épuisé pour résister, il n'eut pas d'autre choix que d'accepter l'ordre pressant de son père.

— Monte sur mon dos !

Le garçon se hissa avec nervosité, honteux et frustré de dépendre une fois de plus des autres. Mais en voyant la vitesse à laquelle son père avançait, son embarras s'évanouit. Il savait qu'Oksa était une prodigieuse coureuse, mais Pierre, grâce à son sang Mainferme, s'avérait être encore plus fantastique que son amie.

— Papa ! s'exclama-t-il, prenant pour la première fois conscience des aptitudes particulières de son père.

— Je sais, mon fils... le coupa Pierre en sautant avec une aisance déconcertante au-dessus d'une faille.

— Pour ton info, ton père et moi, on est capables de battre des guépards à la course, lui lança Tugdual en appuyant sans pitié sur le fort sentiment d'infériorité de Gus.

— Mais ce qui nous poursuit m'a l'air bien plus redoutable qu'un guépard… fit remarquer le Viking en jetant un coup d'œil en arrière.

Gus se retourna à son tour : non seulement la tornade s'était rapprochée, mais encore elle s'était divisée en cinq, formant un impressionnant rideau d'entonnoirs géants. Le cri strident d'Oksa résonna. En découvrant l'horreur qui les talonnait, la jeune fille concentra ses efforts sur la course folle à travers ce désert brûlant, une course pour leur survie à tous. Mais les tornades se rapprochaient, inexorablement.

— Prenons par là ! cria Abakoum en bifurquant sur la gauche.

Tous lui emboîtèrent le pas. Après avoir parcouru quelques centaines de mètres, ils se retournèrent et restèrent muets de terreur : les tornades les talonnaient ! Une nouvelle tentative de fuite, suivie d'un autre échec, les plongea dans une panique sans nom. Tout le monde s'arrêta, le souffle court et la mine sombre.

— On est foutus… se lamenta Gus.

— Encore ? ironisa Tugdual.

— Réfléchissons… intervint Oksa. Si les tornades nous suivent, ça ne sert à rien d'essayer de leur échapper ! Il doit y avoir un sens à cela.

Elle ne lâchait pas les tornades des yeux tout en se concentrant avec fièvre.

— Hé ! fit-elle soudain. C'est peut-être l'issue aérienne dont nous a parlé le Culbu-gueulard ! Vous vous souvenez ?

Les Sauve-Qui-Peut la dévisagèrent, impressionnés.

— T'as raison, ma vieille ! s'exclama Gus. Trop forte !

— Il y a juste un petit problème : laquelle choisir ?

À la surprise de tous, Gus s'élança vers la plus large des tornades, puis disparut dans la nuée tourbillonnante.

— Suivons-le ! s'écria Oksa en se précipitant à son tour. ALLEZ !

Le tourbillon de poussières incandescentes avala un à un les Sauve-Qui-Peut qui se jetaient en son cœur. À l'intérieur, le tumulte était monstrueux. Ballottée comme une poupée de chiffon, Oksa poussait des hurlements terrifiés qui se perdaient dans le vacarme assourdissant de la tornade. Elle tournait, tournait, tournait comme si elle se trouvait dans une essoreuse à salade sans pouvoir maîtriser son corps, et la nausée menaçait. Elle ferma les yeux et la bouche pour se protéger des cendres brûlantes. Le vent poussiéreux cinglait son visage avec une telle violence qu'elle avait l'impression que sa peau était poncée à la toile émeri. Terrorisée par son impuissance, elle n'avait pas d'autre choix que de laisser la nature décider de son sort, persuadée qu'elle vivait ses derniers instants. Elle sentit son corps s'élever à l'intérieur de la colonne tempétueuse et ne put s'empêcher de penser : « Je vais me retrouver projetée dans le ciel et je vais crever ! Très théâtral, super ! Merci beaucoup pour cette fin spectaculaire ! » Pour ne rien arranger, sa tête heurta soudain quelque chose de dur. Une pierre ? Un os de Léozard ? Elle porta la main à son crâne avec l'affreuse impression que celui-ci s'était fendu en deux. Elle ne décela rien de suspect, mais une sévère migraine s'ajouta à la nausée qui renversait son estomac. Heureusement, la jeune fille arrivait au sommet de la tornade qui la cracha comme si elle était un noyau de cerise. Elle se retrouva éjectée dans le ciel mauve, hurlante et terrifiée. Elle battit des bras avec désespoir avant d'ouvrir les yeux et de se rendre compte qu'elle était allongée sur un sol couvert de mousse, au centre d'une petite clairière bordée d'arbres géants.

— Quel vol plané, hein ? résonna la voix de Gus.

Oksa le regarda, sidérée d'être encore en vie.

— Ooohhhh toi ! cria-t-elle en se précipitant sur son ami.

— Du calme, ma vieille ! N'oublie pas que tu as en face de toi celui qui t'a sauvé la vie !

Oksa tremblait de tous ses membres, encore sous le choc.

— T'es toute verte, c'est normal ? lança Gus avec malice.

Pour toute réponse, Oksa se pencha en avant et se mit à vomir, pliée en deux par des spasmes fulgurants qui lui déchiraient le ventre. Inquiet, Gus s'approcha d'elle et posa la main sur son épaule.

— Ça va aller ?

— Oooooffff, soupira Oksa en se relevant, les yeux hagards. J'ai juste cru que j'allais mourir, c'est tout !

— Ça, c'est parce que tu ne me fais pas assez confiance ! fit remarquer Gus.

— Je dois reconnaître que sur ce coup, tu as assuré comme un chef !

Elle lui jeta un coup d'œil reconnaissant et admiratif.

— Comment tu as su que c'était la bonne tornade ?

Gus leva les épaules et répondit avec un air faussement désinvolte :

— Tu veux vraiment savoir ?

— Oui !

— Eh bien, j'ai vu qu'une des cinq tornades tournait dans le sens inverse des aiguilles d'une montre. Je me suis aussitôt dit que c'était la bonne. Incroyable, non ?

— Tu m'étonnes ! acquiesça Oksa. Voilà qui conforte tes grands principes : réfléchir avant d'agir, c'est la clé de la réussite !

Gus n'eut pas le temps de répondre : les autres Sauve-Qui-Peut tombaient du ciel comme des météorites humaines, leur corps rebondissant sur le tapis végétal de la clairière. Tous affichaient les mines effroyables de ceux qui ont vu la mort passer très près. Même l'imperturbable Abakoum paraissait ébranlé. Les paumes des mains posées à plat sur les cuisses, il se tenait courbé et luttait contre des haut-le-cœur qui rendaient son regard vitreux. Pavel et Pierre se remettaient du mieux qu'ils le pouvaient, assis la tête entre les genoux. Quant à Léomido, il haletait, le souffle court. Il sembla faire un effort colossal pour se lever et se diriger vers Réminiscens qui se tenait accroupie à quelques mètres de lui. Quand Tugdual arriva enfin, Oksa se sentit soulagée du dernier poids qui entravait sa respiration. Le teint crayeux, le jeune homme resta allongé sur la mousse, les yeux rivés vers le ciel dans une immobilité de pierre. Oksa s'apprêtait à se diriger vers lui quand Abakoum l'arrêta.

— Laisse-le !

— Mais…

— Je ne suis pas sûr qu'il ait envie d'être vu dans cet état… expliqua l'Homme-Fé à mi-voix.

Léomido s'approcha d'eux et dit dans un souffle :

— Nous l'avons échappé belle ! Bravo, mon garçon ! ajouta-t-il en posant sa main sur l'épaule de Gus.

Le garçon rougit et laissa sa mèche brune cacher une partie de son visage.

— Pour une fois que je sers à quelque chose… marmonna-t-il sous le regard indigné d'Oksa.

— Quelle tempête ! intervint soudain l'Insuffisant. Je dois être tout décoiffé !

— Mais tu n'as pas de cheveux, l'Insuffisant ! lui fit remarquer Oksa.

— Ah bon ? s'étonna-t-il en se tâtant.

Oksa sourit et se tourna de nouveau vers Tugdual qui semblait reprendre ses esprits. N'écoutant que son cœur, elle se dirigea vers lui. Tugdual se frottait la tête en grimaçant.

— Ça va ? lança Oksa.

— Hum… j'ai été plus en forme… grogna le jeune homme. J'ai l'impression d'avoir reçu un parpaing en pleine tête. Tiens, touche !

Il lui attrapa la main et la plaqua sur son crâne à l'endroit précis où une bosse grosse comme un œuf s'était formée. Oksa retira sa main, désarçonnée par ce contact.

— Heu, je me demande si ce n'est pas moi… fit-elle en se souvenant du coup reçu quand elle était dans la tornade.

— Eh bien, on peut dire que tu as la tête dure ! remarqua Tugdual en souriant. Enfin, on est vivants, c'est déjà pas mal… Bon choix, Gus ! ajouta-t-il à l'intention du garçon qui l'observait du coin de l'œil.

— Tu parles ! ronchonna Gus. On est revenus au point de départ.

Tous regardèrent autour d'eux et constatèrent avec surprise que Gus disait vrai : ils se trouvaient à l'endroit exact où ils avaient atterri juste après avoir été entableautés.

— Alors ça, c'est trop fort ! s'exclama Oksa. J'espère qu'on n'a pas fait tout ça pour rien !

— Pas du tout ! intervint le papillon noir en se plaçant devant elle. Vous avez accompli votre mission.

— Ah, vous voilà, vous ! Vous allez peut-être pouvoir nous dire ce que cela signifie ! fit-elle en balayant des yeux la clairière.

— Vous voyez le rectangle qui clignote dans le ciel ?

Les Sauve-Qui-Peut levèrent la tête et acquiescèrent : le rectangle était là et brillait avec intensité.

— C'est le tableau ? s'enthousiasma Oksa.

Le papillon s'approcha d'elle et la fixa de ses yeux minuscules.

— Pas du tout, Jeune Gracieuse.

— Quoi ? s'écrièrent les Sauve-Qui-Peut à l'unisson.

— Je suis navré de vous décevoir, mais ce que vous voyez n'est pas le tableau, insista le papillon. C'est l'entrée du passage qui vous mènera à la Muraille de Pierres.

— Oh non, pitié !… se lamenta Oksa. Ça n'en finira donc jamais ?

— Si ! répondit le papillon. Car tout a une fin, ici comme par-tout ailleurs. Rassurez-vous, Jeune Gracieuse, Sauve-Qui-Peut ! Derrière cette Muraille, vous connaîtrez l'issue de votre Enta-bleautement. À la condition, bien sûr, que vous parveniez à détruire le Fouille-Cœur et à déjouer la perfidie des Malfaisantes.

— Bien sûr… releva Gus. Les doigts dans le nez !

— Ayez confiance en vous, conseilla le papillon avec sagesse. Rejoignez le passage et trouvez l'issue.

46

Les abysses inhospitaliers

La première idée des Sauve-Qui-Peut fut de grimper aux arbres pour atteindre le fameux rectangle clignotant. Ce que Gus les dissuada de faire.

— Ça ne sert à rien !

— Comment ça ? s'étonna Oksa qui avait déjà commencé son ascension. Ces arbres sont assez grands pour qu'on arrive au sommet !

— Crois-moi pour une fois ! s'énerva Gus. J'ai déjà essayé. Tu crois que tu montes, mais en fait, tu restes au ras du sol.

— Il a raison, confirma le papillon. C'est une singularité du pouvoir hallucinatoire de la Claquetoile, comme celui qui vous a fait revenir à votre point de départ. Votre trajectoire vous a paru rectiligne et horizontale, alors que vous n'avez fait que vous déplacer dans un mouvement vertical de spirale. De la même façon, vous pouvez avoir l'impression de grimper le long de ces arbres, mais en réalité vous faites du surplace.

— C'est trop troublant ! s'exclama Oksa après avoir tenté l'expérience. Mais alors, comment on va faire ?

— J'ai une idée… lança Gus.

Il s'avança dans le sous-bois sombre et se mit à fureter au pied des arbres. Soudain, les petites têtes à corps de racine émergè-rent de la terre en poussant des cris aigus.

— Vous voilà réunis ! dit l'une d'entre elles en passant en revue les Sauve-Qui-Peut. Félicitations !

— Merci ! fit Oksa.

— Vous avez croisé la route des Malfaisantes ?

— Pas encore, répondit Gus. Juste celle de leurs sbires, les Sirènes Aériennes et les Léozards.

— Et vous en avez réchappé ? Doubles félicitations !

— Malheureusement pas tous, marmonna Oksa en voyant passer dans son esprit le visage rondouillard de la Foldingote. Mais nous avons deux mots à dire à ces saletés de Malfaisantes ! Pouvez-vous nous aider ?

— Bien sûr ! Que faut-il faire ? demanda la petite tête, ses yeux bruns brillants d'impatience.

— Nous devons rejoindre le rectangle qui clignote, tout là-haut…

— Vous voulez parler de la trappe ? Le passage vers la Muraille de Pierres ?

— Quoi ? s'écria Gus d'un air coléreux. Vous nous avez laissés affronter tous ces dangers alors que vous saviez depuis le début que l'issue se trouvait là ?

— Mais elle ne devient accessible que lorsque vous avez franchi toutes les étapes ! rétorqua la tête à corps de racine. N'oubliez pas que le principe de base de l'Entableautement est la mise à l'épreuve…

Après un court silence provoqué par ce rappel, Oksa se tourna de nouveau vers la tête-racine.

— Bon… On a un problème. On ne peut pas volticaler ni grimper aux arbres et le Dragon d'Encre de Papa est inactif.

— Je vois où vous voulez en venir, Jeune Gracieuse, et c'est un honneur immense de vous aider, réagit aussitôt la créature mi-humaine, mi-végétale. Mes amies, paraissez ! Nous allons aider les Sauve-Qui-Peut !

Plusieurs dizaines de têtes à corps de racine sortirent de terre dans une cacophonie de pépiements excités et se regroupèrent en petits groupes de cinq ou six autour de chaque Sauve-Qui-Peut. Elles ouvrirent alors leur bouche dentée pour mordre à pleine mâchoire dans les vêtements déchiquetés de chacun. Puis, grâce à leur force surnaturelle, elles s'étirèrent et s'élancèrent vers le ciel mauve pour déposer leur « fardeau » sur la trappe.

— Waouh ! s'exclama Oksa. C'est géant !

— Écœurant de facilité, tu veux dire… fit remarquer Gus.

— Alors voilà le fameux passage qui va nous mener au Fouille-Cœur ! murmura Abakoum en observant la trappe.

— Et aux Malfaisantes… ajouta Tugdual tout en palpant les rebords pour trouver l'ouverture.

— Ça m'aurait étonné que tu ne trouves pas quelque chose de bien flippant ! maugréa Gus.

— Ah ! voilà, c'est ouvert ! dit Abakoum en s'accroupissant. Nous allons enfin pouvoir rencontrer nos tourmenteuses...

Un à un, les Sauve-Qui-Peut se glissèrent dans le conduit qui avait toutes les caractéristiques d'un égout : parois sombres et gluantes, atmosphère malodorante et surtout très oppressante. Après s'être laissés tomber le long du boyau de pierre, tous atterrirent dans une pièce si basse et si étroite qu'une personne de plus n'aurait pu y tenir. Au-dessus de leur tête, l'embouchure du conduit s'était refermée en se fondant dans le plafond.

— Il n'y a qu'une direction possible, indiqua le Culbu-gueulard en sortant la tête de la besace d'Oksa.

— Oui ? s'enquit Léomido avant d'être englouti par le sol.

— Léomido ! s'écrièrent les Sauve-Qui-Peut affolés.

— Placez-vous au centre de la pièce, conseilla le Culbu. Le passage se trouve dessous.

Tous obtempérèrent sans tarder, Oksa en tête. Dès qu'elle posa ses pieds à l'endroit où Léomido venait de disparaître, elle se sentit aspirée vers le bas avec brusquerie, comme si quelqu'un lui saisissait les chevilles pour l'entraîner vers des profondeurs glacées. Et malgré son soulagement de retrouver Léomido, elle ne put s'empêcher de frissonner : l'endroit était le plus glauque qu'elle ait jamais vu, plus glauque encore que le tunnel des Sirènes Aériennes. Des murs, à peine éclairés par des torches, suintaient une immonde substance verdâtre dont Oksa préférait ignorer l'origine. Une goutte tomba sur sa tête, lui arrachant un cri dégoûté. Les Sauve-Qui-Peut débouchèrent à tour de rôle du plafond, saisis par la même sensation glaciale que la jeune fille.

— Descendez par là, maintenant ! signala le Culbu-gueulard en montrant l'escalier enfoui dans le sol.

— Avec joie ! s'exclama Oksa, pressée de quitter le lugubre corridor.

L'escalier était interminable. Heureusement, les marches, d'abord hautes et étroites, s'élargissaient en colimaçon au fur et à mesure de la descente, ce qui rendait la progression de plus en plus aisée. Mais, en parallèle, le fort sentiment d'angoisse des Sauve-Qui-Peut ne faisait qu'augmenter. Cette dernière étape était supposée être celle de la libération, et pourtant tous avaient l'impression de s'enfoncer vers des abysses inhospitaliers qui allaient les ensevelir.

— Je déteste ça… marmonna Gus.

— T'inquiète, on va y arriver ! le rassura Oksa sans être convaincue de ses paroles. Combien de marches encore, Culbu ?

Le petit expert sortit de la besace et disparut vers les profondeurs. Quelques longues minutes plus tard, il claironnait le résultat de son calcul.

— Vous avez descendu deux mille cinq cent quarante-neuf marches. Il en reste donc sept mille quatre cent cinquante et une.

Oksa siffla entre ses dents.

— Toi, tu es en train de nous dire qu'il y a dix mille marches à descendre avant d'arriver… là où on doit aller !

— Affirmatif, ma Jeune Gracieuse !

— Dix mille marches ? s'étonna l'Insuffisant. Je vais avoir les mollets bien musclés !

— Mais tu n'as pas de mollets, l'Insuffisant ! s'esclaffa Oksa. Et en plus, Pierre te porte…

— Ah oui ? Je me disais aussi…

— Allez, on continue ! soupira la jeune fille en regardant le colimaçon qui plongeait dans les profondeurs obscures.

Les Sauve-Qui-Peut essayaient tant bien que mal d'oublier l'anxiété que provoquait cette descente vers l'inconnu. L'impression d'enfermement s'amplifiait, aggravant la tension que chacun ressentait et arrachant des soupirs nerveux. Une nouvelle pause ne tarda pas à s'imposer. Assise sur les marches, Oksa retira ses baskets et les observa d'un air accablé.

— Il serait temps qu'on arrive… marmonna-t-elle en inspectant les semelles plus que trouées.

Elle retira ses lambeaux de chaussettes et massa ses pieds couverts d'ampoules en retenant des gémissements de douleur. Un sentiment de découragement se dilua dans son cœur. Comment tout cela allait-il finir ? Elle ne voulait pas y penser, mais elle voyait bien que l'ombre de la mort rôdait, frôlant sans répit ceux qu'elle aimait en attendant le bon moment pour les emporter. Elle secoua la tête pour chasser cette pensée atroce et caressa avec douceur la tête lisse de l'Insuffisant. La Devinaille les rejoignit bientôt en pépiant.

— Joyeux anniversaire, Jeune Gracieuse ! clama-t-elle avec enthousiasme.

— Qu'est-ce que tu racontes ?

— C'est votre anniversaire !

— Arrête, s'il te plaît. C'est pas drôle… répliqua Oksa, contrariée.

— Je n'ai pas l'habitude de plaisanter ! s'énerva la petite poule. Aujourd'hui est le jour anniversaire de votre naissance. Vous avez quatorze ans !

Les rouages se mirent en route dans le cerveau de chacun des Sauve-Qui-Peut. Oksa, elle, restait paralysée de surprise.

— Ça veut dire qu'on est là depuis deux mois et demi… ânonna Pavel en pensant à Marie.

— J'ai quatorze ans ! bredouilla Oksa.

Tugdual s'approcha pour s'asseoir à ses côtés. Il se pencha et murmura à son oreille :

— Bon anniversaire, P'tite Gracieuse…

Les cheveux du jeune homme caressèrent sa joue et ses lèvres frôlèrent son cou. Elle tressaillit, incapable de réagir.

— Bon… intervint Gus d'une voix vibrante. Si on veut pouvoir fêter ce grand événement dignement, on ferait bien de continuer !

Oksa le regarda avec reconnaissance. Il lui adressa un triste sourire qui lui fit monter les larmes aux yeux. Et avant de risquer de fondre complètement, elle se leva d'un bond et s'exclama d'une voix rauque :

— Et quand on sera sortis de cet enfer, j'exige le plus gros gâteau d'anniversaire qui existe sur terre ! Et j'insiste : sur terre ! On a passé bien trop de temps dans cet endroit, qu'est-ce que vous en dites ? Allez ! En route pour Du-Dehors !

À grand renfort de grimaces, les Sauve-Qui-Peut posèrent enfin le pied sur la dernière marche de l'escalier infernal.

— Ouf ! s'exclama Oksa en se massant les cuisses. Je n'aurais pas pu descendre une marche de plus…

— Pourvu qu'on n'ait pas à remonter tout ça pour sortir d'ici, fit remarquer Gus.

— Ne parle pas de malheur ! renchérit Oksa.

— À propos de malheur, j'espère qu'on n'est pas piégés... lança Tugdual. Regardez ! L'escalier a disparu, il n'existe plus. Ça ressemble à un véritable traquenard, ici. Si quelqu'un avait la mauvaise idée de nous chercher des ennuis, je ne vois pas comment on ferait pour lui échapper, ajouta-t-il.

Alors, dans un silence de mort, les Sauve-Qui-Peut contemplèrent avec une impuissance épuisée l'immense mur qui se dressait devant eux et qui s'étalait à perte de vue.

— La Muraille de Pierres... souffla Gus.

47

La Muraille de Pierres

Après que Tugdual et Pierre eurent tenté en vain de l'escalader, les Sauve-Qui-Peut se rendirent à cette épouvantable évidence : la Muraille, d'une hauteur et d'une longueur sans fin, était infranchissable. Enveloppés par une pénombre brumeuse, ils se mirent à longer la paroi en tâtant les pierres une à une dans l'espoir qu'un mécanisme se déclenche et ouvre l'issue qui permettrait d'échapper à ce piège.

— Vous pouvez chercher pendant des jours, vous ne trouverez rien ! claironna la Devinaille au bout de plusieurs heures.

— Merci de nous encourager… marmonna Oksa, les doigts meurtris par les pierres abruptes.

— Pfffff… soupira la poule d'un air dédaigneux. Faites fonctionner votre mémoire et souvenez-vous des paroles transmises au jeune garçon par le corbeau !

Tous les regards se dirigèrent vers Gus qui rougit de confusion. Pierre s'approcha de son fils et fixa sur lui un regard plein de confiance. Le garçon se racla la gorge, paniqué à l'idée de ne pas se souvenir du message du corbeau. La fatigue, l'anxiété, la pression, rien ne l'aidait à se concentrer. Tout se mélangeait dans sa tête alors que les Sauve-Qui-Peut étaient suspendus à ses lèvres. Oksa comprit l'affolement de son ami.

— Allez, Gus, dit-elle avec intensité. Rappelle-toi ! Qu'est-ce que t'a dit exactement le corbeau à propos de cette fichue Muraille ?

Elle posa ses mains sur les épaules du garçon et l'encouragea du regard. Revigoré par ce soutien, Gus redoubla d'efforts. Au bout de quelques secondes, il énonça d'un air victorieux en la fixant :

L'issue de la Forêt du Non-Retour
Ne se gagne que si tous les esprits
Sont animés par le même but.
Il faudra alors prendre garde
À ne pas laisser le Vide s'emparer de la Vie.
Y échapper demandera vitesse et force.
La Vie sera à nouveau menacée
Par des forces impitoyables
Venues des profondeurs aériennes.
Viendra ensuite
Le règne de la soif et de la chaleur
Où les gouffres feront jaillir la cruauté.
Enfin, la Muraille de Pierres ouvrira
Depuis l'intérieur de son cœur
La voie vers le Dehors.
Mais il faudra prendre garde
À la puissance fatale des Malfaisantes
Qui règnent sur la Vie
En détenant le pouvoir de la Mort.

Stupéfaits, les Sauve-Qui-Peut écarquillèrent les yeux.

— Mais bien sûr ! s'exclama Oksa en se tapant le front du plat de la main. La Muraille s'ouvre de l'intérieur !

— Super… lança Gus en suivant le raisonnement de son amie.

— Je suis perdue… avoua Réminiscens.

— La porte doit se trouver à l'intérieur, j'en mettrais ma main au feu ! s'écria Oksa. Ce qui veut dire que seul un Murmou peut franchir la Muraille et trouver le passage !

— J'y vais ! s'exclama Tugdual.

Il ferma les yeux et se concentra, le corps plaqué contre la paroi. Les veines de son cou bleuirent sous l'effort de la poussée qu'il exerçait sur les pierres. Il accentua encore la pression en gémissant de dépit : la Muraille demeurait infranchissable.

— Tu parles d'un Murmou… ironisa Gus.

— J'ai déjà dit que je n'étais pas encore très au point ! répliqua Tugdual en contenant sa colère.

— Peut-être puis-je t'aider ? proposa Réminiscens.

La vieille dame s'avança vers lui et traversa les blocs de pierres avec une facilité déconcertante sous les yeux abasourdis des Sauve-Qui-Peut. Puis ses bras tendus apparurent et se posèrent sur les épaules de Tugdual pour l'attirer à son tour de l'autre côté de la Muraille.

— Waouh ! souffla Oksa. Alors ça, c'est du grand art !

— Tu m'étonnes ! admit Gus, fasciné par le prodige qui venait de se dérouler sous ses yeux. Je rêverais de pouvoir faire ça !

Mais leur enthousiasme fut bientôt rafraîchi par des cris d'effroi qui leur parvinrent de derrière le mur de pierres.

— Qu'est-ce qui se passe ? s'alarma Oksa en pâlissant.

— Je ne sais pas... lui répondit Abakoum qui semblait perdre son sang-froid à vue d'œil.

Oksa le regarda et son anxiété ne fit qu'empirer : c'était la première fois que l'Homme-Fé n'avait pas de réponse à ses questions. Ce qui n'était pas bon signe du tout.

— Trouvez la porte et ouvrez-nous ! hurla Pavel, collé à la Muraille, les mains en porte-voix.

Oksa et Gus se tordaient les doigts, affolés. Le silence angoissant qui régnait à nouveau s'avérait pire que les cris. Réminiscens et Tugdual avaient-ils été attaqués par les Malfaisantes ? Étaient-ils encore en vie ? Les Sauve-Qui-Peut qui restaient allaient-ils se retrouver bloqués au pied de la Muraille jusqu'à ce que mort s'ensuive ? La panique se mit à griffer les esprits.

— Où est Léomido ? murmura Abakoum.

Tous regardèrent autour d'eux, inquiets.

— La dernière fois que je l'ai vu, il partait par là ! indiqua Pavel en montrant le chemin sombre qui longeait le mur vers la droite. Je crois qu'il cherche une issue.

— Mais ça ne sert à rien ! s'énerva Abakoum. La Devinaille nous l'a bien dit, pourtant ! De plus, c'est très imprudent de nous séparer...

Ses paroles furent interrompues par un mouvement qui s'amorçait sur la Muraille. Soudain, une ouverture se découpa dans la pierre, dégageant le fameux passage qui allait libérer les Sauve-Qui-Peut d'un cruel emmurement. Tugdual apparut, suivi de Réminiscens et d'une personne qu'aucun d'eux ne s'attendait à voir là.

— Léomido ? s'exclamèrent en chœur Gus et Oksa.

Le vieil homme les regarda d'un air tendu.

— J'ai trouvé une issue le long de la Muraille, un peu plus loin que l'endroit où nous nous étions arrêtés, expliqua-t-il d'un ton monocorde.

— Mais on a regardé partout ! fit remarquer Oksa.

— Il semblerait que non… rétorqua Léomido avec fermeté.

— Bon… intervint Abakoum, les sourcils froncés et les yeux fixés sur son ami. L'essentiel, c'est que nous nous soyons retrouvés. Mais que s'est-il passé ? Nous avons entendu des cris…

Tugdual s'avança et tous purent voir son beau visage ensanglanté par une profonde morsure à la mâchoire.

— Nous avons été attaqués par des espèces de chauves-souris à tête de mort, dit-il d'une voix pâteuse.

— Des Chiroptères ! s'exclama Gus en frissonnant au souvenir de sa rencontre avec les terrifiants insectes dans le ciel du pays de Galles.

— Je les ai vus foncer sur Réminiscens comme des guêpes sur la confiture et j'ai voulu les chasser, continua Tugdual. Résultat : ils se sont acharnés sur moi. J'étais tellement assailli que je ne pouvais rien faire pour me défendre. Par chance, Léomido est arrivé et m'en a débarrassé à grands coups de Feufolettos. Je crois que j'ai quelques mèches roussies, mais je suis indemne. Merci Léomido !

Le vieil homme baissa humblement la tête.

— Ces bestioles sont redoutables… fit remarquer Tugdual en tournant sa main droite marquée par deux profondes morsures.

— Bienvenue au Club des Mordus ! précisa Gus, trop heureux d'avoir une longueur d'avance sur son ennemi.

— Comment te sens-tu ? demanda Abakoum avec une attention inquiète.

— Un peu vaseux…

— Tu as une constitution hors du commun, mon garçon, car rares sont ceux qui tiennent encore debout après avoir reçu une seule morsure de Chiroptère. Permets-moi néanmoins de t'apporter quelques soins…

Tous deux s'écartèrent du groupe pour aller s'asseoir sous une torche. Abakoum sortit des flacons de sa besace et entreprit d'enduire les blessures de Tugdual de différents onguents. Observatrice, Oksa remarqua la contrariété qui tendait le visage d'Abakoum et, quand elle vit que l'Homme-Fé s'entretenait très sérieusement avec Tugdual, elle tendit l'oreille.

— Tu as vu Léomido traverser la Muraille ? s'étonnait Abakoum. Mais c'est impossible ! Les Chiroptères ont dû affecter ta vision…

— Tu peux me croire, Abakoum ! se défendit Tugdual avec véhémence. Tu sais que je te dis la vérité. Je n'ai pas eu d'hallucination : Léomido a traversé la Muraille !

— Mais comment aurait-il pu ? Il n'est pas Murmou !

— Qu'en sais-tu ? lança le jeune homme.

— Je ne peux pas te croire… murmura Abakoum, la gorge serrée.

— Tu ne veux pas me croire ! rétorqua Tugdual.

Effarée, Oksa plaqua la main sur sa bouche. Ses yeux bifurquèrent vers Léomido qui, de loin, fixait avec raideur son vieil ami, et son cœur se serra. Son grand-oncle avait l'air si malheureux… Elle se tourna pour cacher son malaise et porta son attention sur l'immense pièce circulaire qui s'offrait aux regards impressionnés des Sauve-Qui-Peut.

48

L'Enchantement de Dislocation

Abakoum fut le premier à oser s'avancer. Sur le sol, un dallage complexe composé de pierres triangulaires brillait d'un éclat de miel à la lueur des torches accrochées sur les murs. La salle formait un gigantesque dôme soutenu par une dizaine de colonnes ouvragées qui s'élargissaient à leur sommet comme pour mieux porter le plafond incurvé. Au centre, un bassin tapissé de mosaïques bouillonnait d'une eau marécageuse dont l'odeur âcre piquait les narines et les yeux.

— Restez là… souffla l'Homme-Fé.

Il s'approcha et s'accroupit au bord du bassin pour sonder des yeux l'eau acide. Le seul mouvement visible était celui des grosses bulles qui éclataient mollement à la surface, projetant des éclaboussures sur les rebords. Abakoum effleura l'eau du bout des doigts. Le bassin parut reprendre vie, comme si ce simple contact l'avait tiré d'un profond sommeil : les bulles se mirent à grossir et à éclater pendant que l'air se nimbait d'une brume jaunâtre malodorante. Peu rassuré, Abakoum se recula.

— Je n'aime pas du tout cet endroit… murmura Gus.

— Tu m'étonnes ! approuva Oksa. J'ai l'impression qu'on est piégés comme des rats au centre de la Terre ! C'est trop angoissant…

— T'inquiète, P'tite Gracieuse ! lança Tugdual. Je crois qu'on ne va pas tarder à être fixés sur notre sort… ajouta-t-il, les yeux en l'air, rivés sur une forme indistincte qui volait vers eux.

Le corbeau se posta aux pieds d'Oksa et s'inclina avec respect devant elle. La jeune fille ne put s'empêcher d'admirer ses immenses ailes lustrées avec tant d'application que les silhouettes des Sauve-Qui-Peut s'y reflétaient. Son bec doré s'entrouvrit et laissa s'évaporer une volute de fumée noire.

— Votre mérite est remarquable, Jeune Gracieuse, et votre venue tant attendue arrive à point.

Oksa s'agenouilla pour se mettre à sa hauteur. Ce qui sembla plonger le corbeau dans un grand embarras.

— Non ! s'exclama-t-il avec brusquerie. Vous devez vous relever !

Oksa obtempéra, surprise et confuse. Le corbeau ouvrit alors ses larges ailes et se positionna en vol stationnaire devant elle en battant l'air.

— Je ne peux rester plus longtemps, dit-il en haletant. Les Malfaisantes sont à mes trousses, j'ai cru mourir mille fois avant de pouvoir vous rejoindre. Je serai donc bref : aucun de vos pouvoirs ne peut rien contre la force funeste des Malfaisantes. Vous ne disposez que d'un seul bouclier pour contrer leur puissance : c'est la brume jaune qui envahit ce lieu. Malgré l'odeur fétide qu'elle dégage, elle est votre ultime défense. Mais son efficacité est comme elle : volatile et éphémère. Vous devrez donc faire vite. Si la brume se dissipe, les Malfaisantes envahiront ce Sanctuaire et prendront possession de vos existences et de tout ce qui vit dans ce tableau. Alors ne tardez pas ! Je souffre de vous dire cela, mais vous devez détruire le Fouille-Cœur, il n'y a pas d'autre solution ! lança-t-il d'un air oppressé.

— Mais où est-il ? demanda Oksa.

— Il est là, indiqua le corbeau en pointant son bec vers le bassin qui laissait désormais échapper d'énormes bouillons. Mélangez votre sang au contenu de la fiole que j'ai donnée au jeune garçon, jetez-la sur le Fouille-Cœur et l'Enchantement de Dislocation vous libérera. Je dois maintenant rejoindre les miens, ou ce qu'il en reste… Adieu, Jeune Gracieuse, Sauve-Qui-Peut ! Soyez remerciés à jamais.

Et il s'envola à tire-d'aile dans la brume.

— Bon… je crois que c'est clair ! lança Oksa d'une voix rauque et tendue. Gus, tu veux bien nous donner la fiole que tu as autour du cou ?

Le garçon retira avec précaution le collier qu'il portait et tendit le minuscule flacon à Oksa en tremblant.

— Je crois que le corbeau a raison d'insister sur l'urgence, informa gravement Tugdual. Regardez, la brume se réduit et ce qui attend derrière n'augure rien de bon…

Tous scrutèrent avec appréhension la grande salle circulaire et constatèrent avec horreur que le jeune homme n'exagérait pas : le long des parois arrondies de la salle, la brume était peu à peu remplacée par des torsades de vapeur sombre d'où s'échappaient des cris à faire dresser les cheveux sur la tête.

— Les Malfaisantes cherchent à gagner du terrain, confirma Abakoum d'une voix précipitée. Hâtons-nous !

— Mais comment on ouvre ce truc ? s'énerva Oksa en tournant dans tous les sens la fiole en forme de losange effilé.

Abakoum observa à son tour le flacon qui s'obstinait à préserver le secret de son ouverture. Pendant ce temps, les cris infernaux semblaient se rapprocher.

— Tu devrais souffler dessus, suggéra Gus. Peut-être que ça fonctionne comme une Crache-Granoks…

Oksa obéit avec détermination, les yeux des Sauve-Qui-Peut rivés sur elle, brillants d'affolement et d'espoir mêlés. Le cœur crispé, la Jeune Gracieuse souffla et, comme par miracle, un petit couvercle s'ouvrit sur le haut de la fiole. Aussitôt, une pointe acérée comme la lame d'une épée jaillit à l'autre extrémité.

— Gus ! s'exclama Oksa, le visage illuminé. Tu sais quoi ? Tu es un génie !

— Bon, on se fera des compliments plus tard… répliqua le garçon en rougissant. Quand on sera sortis de cet enfer, si tu veux bien !

— Dépêchons-nous, elles se rapprochent ! lança Pavel.

Curieusement, la température semblait s'élever à mesure que la salle s'obscurcissait et que les silhouettes maudites se rapprochaient. La chaleur devenait insupportable. Les cris s'amplifiaient et chacun pouvait désormais entrevoir à travers la brume jaune les ombres maléfiques qui s'agitaient. Le bouclier qui protégeait les Sauve-qui-Peut encerclés fondait à vue d'œil. Les Malfaisantes n'allaient pas tarder à faire leur apparition…

Oksa fut la première à se piquer le doigt sur la pointe dressée au bout de la fiole. Le sang perla et la jeune fille pressa avec force sur la coupure pour laisser tomber une goutte à l'intérieur du flacon. Le liquide prit une couleur mystérieuse et changeante tout en laissant s'échapper une fumée cuivrée.

— À vous ! cria Oksa en tendant la fiole aux Sauve-Qui-Peut. Vite !

Autour d'eux, l'obscurité s'intensifiait, épaisse et menaçante. Encore quelques mètres et tout serait fini. À jamais. Tendus comme la corde d'un arc, Pavel et Pierre prirent une position défensive autour de leurs enfants, prêts à donner leur vie pour les sauver. Pendant ce temps, dans la confusion la plus totale, la fiole passait de main en main et s'enrichissait du sang des Sauve-Qui-Peut.

— C'est bon, Oksa ! s'écria enfin Tugdual en brandissant le flacon fumant.

— Sûr ? demanda la jeune fille en le saisissant.

— Sûr !

— Alors, on y va !

Dès qu'Oksa posa le pied sur l'étroit rebord de mosaïque, l'eau fétide fut aspirée vers le fond pour laisser apparaître un étrange phénomène : une masse informe se mit à gonfler jusqu'à envahir tout le bassin. Marbrée de mauve, presque noire, elle palpitait à la cadence… d'un cœur ! Oksa déglutit, soudain saisie d'une hésitation.

— C'est vivant ! bredouilla-t-elle.

— Bien sûr, P'tite Gracieuse ! répliqua Tugdual avec une nervosité inhabituelle. Et les Malfaisantes qui sont sur le point de nous tuer sont vivantes, elles aussi !

— Tu dois détruire le Fouille-Cœur, Oksa ! assena Pavel. JETTE LA FIOLE !

Le souffle funeste des Malfaisantes commençait à dévorer les dernières volutes de brume jaune. Soudain, la langue ténébreuse de la plus affamée des Malfaisantes lécha le mollet de la Jeune Gracieuse et s'enroula autour. Oksa se retourna et vit la plus épouvantable des créatures : son corps décharné couvert de lambeaux de peau noircie laissait échapper des bouffées pestilentielles et contrastait avec sa tête, presque humaine si ce n'étaient les yeux veinés de sang noir et la langue interminable, épaisse et bardée de ventouses dentées. Oksa poussa un cri strident. À ses côtés, Tugdual se paralysa d'horreur. Parmi les Sauve-Qui-Peut, qui serait assez puissant pour détruire une telle abomination ? Mais en voyant la créature immonde attirer Oksa vers elle par la seule force de sa langue, il gronda de fureur et sa détermination à sauver la jeune fille domina sa peur pour le galvaniser. De sa main levée s'échappa un mince filet électrique qui grésilla jusqu'à la Malfaisante puis explosa dans une boule de feu. La créature lâcha sa prise et tomba par terre, se tordant de douleur dans le feu qui la consumait. Puis l'impossible arriva : à travers la fumée et les flammes, la Malfaisante, le corps coupé en deux, se releva comme si rien n'était arrivé et fonça sur lui avec un effroyable hurlement.

— Pourquoi ne meurt-elle pas ? fulmina Tugdual, le poignet entravé par la langue à ventouses.

La Malfaisante, les yeux révulsés, était résolue à l'anéantir et aucune des défenses déployées par les Sauve-Qui-Peut ne s'avérait à la hauteur de sa détermination. Avec un regard horrifié, Tugdual finit par tomber à terre sous la force implacable de la créature qui le traîna sans pitié sur le sol.

— Il faut faire quelque chose ! hurla Oksa.

Abakoum s'approcha et lança une Granok, la toute dernière qu'il ait en sa possession. Celle des situations ultimes. Le Crucimaphila partit comme une flèche et aussitôt le temps s'immobilisa. Les cris s'étouffèrent et les mouvements se ralentirent pendant qu'un trou noir se formait au-dessus du crâne putréfié de la Malfaisante. Elle leva les yeux vers l'étrange phénomène et éclata d'un effroyable rire. Béante, sa bouche laissa entrevoir les flammes de l'enfer qui ravageaient son corps, et sa langue s'enroula pour entraîner Tugdual vers ce gouffre ardent. Alors, Oksa n'écouta que son courage et jeta de toutes ses forces la fiole sur le Fouille-Cœur palpitant.

49

Les cœurs vont saigner…

Un appel d'air monstrueux engloutit les Sauve-Qui-Peut. Plus puissant encore que la tornade qui les avait emportés loin des Limbes Arides, il gronda avec fureur en arrachant à l'appétit féroce des Malfaisantes les corps impuissants et hurlants de terreur. Quelques secondes plus tard, les Sauve-Qui-Peut étaient éjectés du cadran de Big Ben, dans la nuit pluvieuse et orangée du ciel de Londres.

— Papaaaaaa ! hurla Oksa en battant l'air de ses bras.

Comme s'il faisait écho, le hurlement de Gus retentit à son tour. Aucun des aventuriers ne s'était attendu à être projeté dans le vide et les retrouvailles avec la gravité inexorable de Du-Dehors n'en étaient que plus rudes. Le choc les prenait tous au dépourvu. Tous sauf Pavel qui déploya les longues ailes de son Dragon d'Encre.

— Volticale, Oksa ! rugit-il. J'arrive !

En deux battements d'ailes, il rejoignit Gus qui tombait à pic et le saisit entre ses griffes avant de voler au secours d'Abakoum et de l'Insuffisant qui étaient suspendus au cadran de Big Ben. Pendant ce temps, Oksa volticalait tant bien que mal, surmontant difficilement la panique du vide sous elle. En reconnaissant la célèbre tour, elle comprit avec émotion qu'elle se trouvait en plein Londres et qu'ils étaient tous sauvés. Sauvés ! Mais elle comprit aussi qu'elle était à la merci du moindre piéton qui aurait la mauvaise idée de lever les yeux… Quand le Dragon d'Encre l'attrapa au vol, elle crut que son cœur allait s'arrêter. Une fille qui flotte à plus de soixante mètres du sol, c'était déjà inhabituel. Mais un dragon volant dans le ciel londonien, c'était tout sauf banal ! Et encore moins discret… Cependant, Pavel restait imperturbable. Oksa, Gus et Abakoum entre ses griffes, il retrouva Tugdual,

Pierre et Réminiscens qui avaient volticalé jusqu'au square peu éclairé attenant à Westminster.

— Tugdual ! Tu es là ! s'exclama Oksa avec bonheur. Ça va ?

— Oui… répondit le jeune homme livide. Une seconde de plus et j'étais cuit… Mais où est Léomido ? s'enquit-il en fouillant des yeux les alentours.

Tous s'entreregardèrent. Personne ne savait où se trouvait le vieil homme.

— Il a peut-être été éjecté plus loin, suggéra Réminiscens pour essayer de se rassurer.

— Possible… fit Abakoum sans réussir à cacher son inquiétude.

— Partons d'ici, lança Pavel. Montez, cap sur Bigtoe Square !

Vaincus par leur épuisement, les Sauve-Qui-Peut dépassèrent leur crainte d'être vus et s'installèrent sur le dos du Dragon d'Encre qui, en un éclair, disparut dans les nuages.

À l'instant précis où l'horloge de Big Ben devenait le témoin muet du Désentableautement des Sauve-Qui-Peut, le Foldingot se leva d'un bond en claironnant :

— La réussite ! La réussite !

Il descendit quatre à quatre les marches de l'escalier en colimaçon qui menait de l'atelier-strictement-personnel de Dragomira à son appartement, un étage plus bas. Le Gétorix le suivait de près, plus échevelé que jamais.

— La réussite de quoi ? s'étonna-t-il en bougonnant. D'avoir réveillé toute la maison à trois heures du matin ?

Le Foldingot fonça vers la chambre de Dragomira dont il ouvrit la porte à toute volée. La Baba Pollock était déjà debout et enfilait une épaisse robe de chambre.

— La Vieille Gracieuse doit recevoir l'information que le Désentableautement a connu la réussite, s'exclama-t-il.

— Je sais, mon Foldingot, je sais, répondit la vieille dame avec émotion. Je l'ai senti, moi aussi…

— La maisonnée doit-elle réceptionner cette annonce ? demanda la créature. La Vieille Gracieuse donne-t-elle à sa domesticité l'autorisation d'instruire ses amis ?

— Ce sera inutile, Foldingot, résonna la voix gutturale de Naftali. Nous savons !

Le géant suédois, Brune, Jeanne et Zoé se tenaient sur le pas de la porte, les yeux brillants. Les cinq Sauve-Qui-Peut s'étaient tous réveillés au même moment, l'instinct en alerte. Ils avaient du mal à croire à ce fantastique retour qu'ils attendaient depuis près de trois mois. Ils se sentaient fous de soulagement et s'embrassaient avec chaleur. Et pourtant, le goût amer de la souffrance émoussait leur bonheur. Ces retrouvailles seraient formidables, mais elles allaient entraîner avec elles bien des larmes : Marie était prisonnière des Félons sur l'île de la mer des Hébrides et Dragomira redoutait plus que tout le moment où elle devrait annoncer la nouvelle à Pavel et à Oksa. Elle n'oubliait pas non plus les avertissements du Foldingot : les Sauve-Qui-Peut ne reviendraient pas tous de leur périlleuse équipée à l'intérieur du tableau. La Foldingote avait péri et un de ses amis manquerait à l'appel. Lequel ? Avant le lever du jour, la réponse tomberait, fatale et cruelle. Ignorant ces tourments, Brune prit son amie par les épaules.

— C'est fabuleux ! s'exclama l'impressionnante dame en lui communiquant sa jubilation.

Dragomira se laissa emporter par l'euphorie générale sans remarquer son Foldingot qui, recroquevillé dans son coin, avait du mal à partager l'opinion de Brune.

— La réussite n'a pas reçu la plénitude, murmura-t-il d'une voix brisée. La joie va être tachée par la soustraction de ma moitié et de la fratrie de la Vieille Gracieuse…

Mais l'exaltation était plus forte que l'avertissement du Foldingot et personne n'entendit les paroles du petit serviteur qui fondait de chagrin. Emportés par leur enthousiasme, les cinq amis se précipitèrent sur le perron de la maison et se postèrent face au square, les yeux rivés sur le ciel pluvieux. Pendant ce temps, bravant toute prudence, le Foldingot ouvrit la fenêtre du troisième étage et se pencha pour surveiller l'arrivée des courageux Sauve-Qui-Peut. De sa main potelée, il essuya les larmes qui coulaient sans discontinuer. Le Gétorix se percha sur le rebord de la fenêtre et, contre toute attente, posa sa petite tête chevelue contre la poitrine du Foldingot en le serrant très fort contre lui.

— L'impatience de revoir la Jeune Gracieuse et ses amis est extrême, renifla le Foldingot. Mais les retrouvailles sont amputées et les cœurs vont saigner…

— Le compte n'est pas bon ? demanda le Gétorix en se doutant de la réponse.

— Non, gémit le Foldingot. Le compte n'est pas bon du tout…

À l'approche de Bigtoe Square, le Dragon d'Encre battit encore plus puissamment des ailes. Ceux que l'on devait désormais appeler les Désentableautés ne purent retenir les cris de joie qui étreignirent leur poitrine quand ils aperçurent la maison des Pollock.

— Seigneur ! s'exclama Dragomira en apercevant le Dragon dont la silhouette se détachait dans la nuit. Qu'est-ce que c'est ?

— On dirait un dragon, ma chère Dragomira… lui répondit Naftali avec bonhomie.

— Une précision peut alimenter votre compréhension, intervint le Foldingot depuis sa fenêtre. Votre regard a fait la rencontre du Dragon d'Encre qui sommeillait dans le cœur du fils de la Vieille Gracieuse.

— Mon Dieu, Pavel ! murmura Dragomira, ébahie.

Pavel était donc vivant… La Baba Pollock inspira pour chasser le vertige qui la saisissait. Son fils unique. Elle avait tant craint de le perdre… Le Dragon tournoya un moment au-dessus de Bigtoe Square, attendant le moment où la petite place serait vide. Une voiture passa, puis disparut dans la rue d'à côté et le Dragon put enfin se poser. Aussitôt, les Désentableautés sautèrent à terre et coururent rejoindre les cinq Sauve-Qui-Peut, fébriles, qui les attendaient sur le perron de la maison.

— Baba ! cria Oksa en se jetant dans les bras de sa grand-mère.

— Ma petite-fille, enfin, tu es là ! Seigneur… Dans quel état tu es… s'exclama la Baba Pollock en regardant la mine ravagée de fatigue et de crasse de sa Douchka. Mais… ton père ?

Malgré l'immense bonheur qu'elle ressentait, elle ne pouvait s'empêcher de s'inquiéter pour Pavel qui recouvrait peu à peu son apparence humaine. Oksa tourna la tête et regarda son père qui approchait.

— Papa a été génial, si tu l'avais vu, Baba ! Il s'est battu comme un chef, je suis trop fière de lui ! Sans lui, on serait tous morts plusieurs fois !

Dragomira sourit et serra son fils et sa petite-fille contre elle tout en balayant des yeux ses amis réunis. La magnifique femme qui tenait Zoé dans ses bras devait être Réminiscens…

— C'est merveilleux… souffla-t-elle sans pouvoir arrêter son inspection.

Sur le perron, on ne percevait plus que le bruit des baisers qui claquaient et des rires qui étincelaient. Mais Dragomira n'entendait plus rien, les oreilles assourdies par la violence du choc qu'elle venait de prendre de plein fouet.

— Rentrons ! fit-elle soudain d'une voix forte pour tenter de cacher ses larmes. Nous allons finir par nous faire remarquer...

— Tu m'étonnes ! s'exclama Oksa en riant. Question discrétion, on a fait fort cette nuit !

— Vous trouvez que ce dragon est discret ? intervint l'Insuffisant. Vous êtes peu regardante !

Surexcitée d'être enfin sortie du maudit tableau, Oksa s'esclaffa et suivit Dragomira qui lui tenait la main avec fermeté comme si elle ne voulait plus jamais la lâcher. Une fois dans le salon, les effusions se poursuivirent, émues, ferventes, bouleversées. Jusqu'à ce qu'Oksa dise d'une voix pressante :

— Et Maman ? Elle n'est pas encore au courant ! Viens, Papa, on va lui faire la surprise !

Et elle s'engagea avec détermination dans l'escalier qui menait aux chambres.

50

Les absents

Paralysée, Dragomira contempla d'un air effaré sa petite-fille grimper les marches quatre à quatre vers l'étage. Naftali et Brune étaient tout aussi abattus que leur amie et restèrent figés sur place pendant que Jeanne fondait en larmes. Gus la regarda, interloqué.

— Il y a un problème avec Marie ? murmura-t-il.

Jeanne ne put répondre. Elle se contenta de le dévisager d'un air désespéré, ses grands yeux noyés de tristesse. Mais malgré sa brièveté, l'intensité et la gravité de cet échange n'avaient pas échappé à Pavel qui blêmit. Il se tourna vers Dragomira et prononça péniblement, en se tenant au mur pour ne pas s'écrouler :

— Marie n'est pas là, n'est-ce pas ? Elle est à l'hôpital ?

La Baba Pollock se laissa tomber dans un fauteuil, la main sur le cœur.

— Non… réussit-elle à dire dans un souffle.

Pavel devint blême.

— Elle est…

Le mot fatal se bloqua dans sa gorge, l'étouffant à moitié. À ce moment, Oksa refit son apparition dans le salon, affolée.

— Où est Maman ? cria-t-elle en tremblant. Baba ? Où est maman ?

Dragomira ferma les yeux, incapable de soutenir la douleur infernale de son fils et de sa petite-fille. Contre toute attente, c'est Zoé qui intervint.

— Ce n'est pas ce que vous craignez, dit-elle d'une voix douce en s'approchant de Pavel et d'Oksa. Marie n'est pas morte. Elle est très bien traitée, on s'occupe bien d'elle, rassurez-vous…

À ces mots, le cœur de Pavel se mit à battre à nouveau alors qu'Oksa s'écriait :

— C'est qui, « on » ?

Dragomira prit son courage à deux mains pour répondre d'une traite :

— Les Félons. Marie a été enlevée par les Félons.

La consternation des rescapés du tableau fut unanime. Mais de tous, c'est Oksa qui eut la réaction la plus violente. D'abord muette d'horreur, elle se mit à hurler et à pleurer en se laissant tomber sur le sol. Aussitôt, Zoé, Tugdual et Gus se précipitèrent et, les yeux rougis, l'entourèrent de leur chaleur tout en sachant que leur amie demeurerait inconsolable.

— Maman ! tonna Pavel d'une voix pleine de colère. Comment as-tu pu les laisser faire ?

Dragomira le regarda, incapable de se défendre. Le Foldingot s'approcha alors, le visage gonflé par les pleurs.

— Les Sauve-Qui-Peut ont fait la rencontre de grandes pertes, annonça-t-il à Pavel. Les cœurs subissent la profonde souffrance. Cependant, le vôtre a la nécessité et le devoir de demeurer vaillant : la femme du fils de la Vieille Gracieuse et mère de la Jeune Gracieuse dispose d'une santé vacillante, mais son traitement est assuré avec bienveillance. Le Culbu-gueulard a fait la confirmation dans son rapport. Annikki, petite-fille d'Agafon le Félon, connaît la maîtrise de l'art des soins et vous pouvez faire l'entretien de l'espérance : les Félons ont la compréhension que leur prisonnière a la possession d'une immense valeur. Jamais le risque de porter préjudice à sa vie ne pourra se développer. Votre domesticité fera donc le don d'un conseil : le séchage des larmes doit être entrepris car le courage et la force sont la nécessité pour le sauvetage de la prisonnière des Félons. Et surtout, ne créez pas l'augmentation de votre souffrance avec l'accablement des reproches : la Vieille Gracieuse a fait le développement d'une abondante résistance face aux Félons. Sa vie a pris le risque d'être dérobée ! Mais sa puissance a connu un manque de poids, les Félons ont fait le déploiement de la ruse et de la brutalité. Vous devez avoir la connaissance que la lutte a subi l'inégalité des forces. Les chances de la Vieille Gracieuse ont enduré la faiblesse malgré la solidité de sa volonté.

En entendant les explications du Foldingot, l'expression de Pavel passa de l'incompréhension enragée à la souffrance tranchante comme un poignard. Dragomira se leva péniblement, l'implorant des yeux, les mains tendues en avant. Pavel hésita puis se détourna pour prendre Oksa dans ses bras.

— Le Foldingot a raison, intervint Naftali. Marie est bien trop précieuse pour que les Félons prennent le moindre risque. Certes, je n'irai pas jusqu'à dire qu'elle est entre de bonnes mains, mais je pense en toute sincérité que les Félons font preuve de la plus grande sollicitude envers elle.

— Ça n'aurait jamais dû arriver ! accusa Pavel en fusillant sa mère du regard. J'ai eu tort de te faire confiance !

— Pavel… gémit Dragomira.

— Arrête, Pavel ! lança Abakoum avec sévérité. Tu imagines bien que Dragomira a tout fait pour empêcher ce drame.

— Eh bien, peut-être devrait-elle s'abstenir d'intervenir si c'est pour en arriver là ! lança Pavel avec hargne.

— Il faut qu'on aille chercher Maman ! s'écria soudain Oksa entre deux sanglots. C'est ça le plus important. Alors, arrêtez de vous disputer !

Les Sauve-Qui-Peut se regardèrent dans un silence glacial seulement ponctué par les pleurs de la Jeune Gracieuse.

— Nous disposons d'informations capitales sur le lieu où est détenue Marie, assura Naftali. Et n'oublions pas que le Culbu est un espion inestimable.

— À vos ordres, ami de la Vieille Gracieuse ! clama le petit informateur de Dragomira.

— Dès que vous aurez repris des forces, nous nous mettrons en route pour la mer des Hébrides, proposa Naftali. J'ai déjà plusieurs plans d'action en tête..

— Vous devrez faire le redoublement de la vigilance, le coupa le Foldingot, car les pertes ont déjà connu la lourdeur. Ne faites pas la chute dans l'oubli : la moitié de votre domesticité et la fratrie de la Vieille Gracieuse ont abandonné leur existence dans le tableau…

Un profond sanglot étouffa les derniers mots du Foldingot tandis que les Sauve-Qui-Peut pâlissaient en prenant soudain conscience d'une absence criante.

— Léomido ? Où est Léomido ? demanda Oksa, paniquée.

Jusqu'à cette seconde, Dragomira avait conservé le mince espoir de revoir son frère. Le Foldingot avait pu se tromper… Mais maintenant, tout s'effondrait. Le Foldingot ne s'était pas trompé. Il ne se trompait jamais.

— Où est Léomido ? répéta Oksa.

— Léomido ne reviendra pas, assena Dragomira d'une voix brisée.

— Mais… ce n'est pas possible ! murmura Réminiscens en serrant Zoé contre elle.

L'accablement et la douleur se mirent à marteler sans pitié les Sauve-Qui-Peut, pétrissant leur cœur à mesure qu'ils prenaient conscience de la terrible nouvelle. Bouleversé, Abakoum s'approchait de Dragomira qui semblait au bord de l'évanouissement quand un fracas assourdissant retentit. Un puissant flash illumina le salon, éclairant les visages abattus. L'air se nimba d'un halo étrange mêlé de poussières d'or alors qu'une voix hypnotique se levait.

— Les Sans-Âge… murmura Oksa.

Au milieu du halo, une forme noire se détacha. Déployant ses larges ailes, le corbeau tournoya autour du salon et vint se poser aux pieds de la jeune fille.

— Jeune Gracieuse, Sauve-Qui-Peut, créatures de Du-Dedans, recevez mes hommages et les remerciements éternels des occupants du tableau ! fit-il.

Les mots s'évaporaient de son bec avec les habituelles volutes noires qui s'élevaient avec majesté vers le plafond.

— Où est Léomido ? demanda à nouveau Oksa.

— Le Murmou de Sang Gracieux, fils de Malorane et de Waldo, frère de la Vieille Gracieuse Dragomira, du Félon Orthon et de Réminiscens n'est plus, annonça gravement le corbeau.

L'onde de choc se propagea pour atteindre rapidement le cœur de tous les Sauve-Qui-Peut. Pendant quelques secondes, l'incompréhension fut totale. Puis les regards se tournèrent vers Dragomira et vers Réminiscens dont les yeux s'écarquillèrent avec démesure.

51

L'insupportable vérité

— Qu'est-ce que tu racontes ? bredouilla Oksa. Tu as perdu la tête ? Tu es devenu aussi fou que le Fouille-Cœur ?

Penchée vers lui, elle voulut le prendre entre ses mains. Mais le corbeau était aussi immatériel qu'un fantôme. Au contact avec la Jeune Gracieuse, la silhouette se désagrégea en un nuage de vapeur sombre avant de se reconstituer quelques secondes plus tard.

— Vos cœurs ne sont peut-être pas prêts à l'accepter, mais tout ce que j'ai dit est la vérité, prononça-t-il.

Sur ces mots, il se mit en position d'envol et s'élança vers la fenêtre entrouverte.

— Mais tu ne peux pas nous laisser comme ça ! s'écria Oksa.

— Les Sans-Âge vous diront tout, résonna la voix du corbeau. Adieu !

Oksa poussa un cri dans lequel s'entrechoquaient des vagues de colère et de frustration. Elle chercha son père des yeux et l'aperçut, anéanti, assis par terre, la tête entre les mains. Puis elle s'arrêta sur Réminiscens qui semblait pétrifiée d'horreur. La main devant la bouche comme si elle voulait s'empêcher de hurler, Zoé était à côté d'elle avec le regard vide de ceux qui viennent de subir un choc. Au centre de la pièce, le halo d'or s'intensifia en crépitant. Une voix s'éleva, pure et grave :

— Nous adressons nos hommages à la Jeune Gracieuse et notre respect aux Sauve-Qui-Peut, y compris à celui qui a laissé sa vie à l'intérieur du tableau. N'espérez plus son retour, acceptez son choix.

— Son choix ? s'écria Oksa avec rage. A-t-on le choix quand on se sacrifie ?

— Léomido ne s'est pas sacrifié, corrigea la Sans-Âge en aggravant la confusion des Sauve-Qui-Peut. Il aurait pu être désentableauté en même temps que vous tous. S'il est resté, c'est par choix.

Réminiscens et Dragomira gémirent de douleur.

— Qu'est-ce que c'est que cette histoire de Murmou de Sang Gracieux et de frère d'Orthon et de Réminiscens ? intervint Zoé d'une voix blanche.

La Sans-Âge ne répondit pas tout de suite. Le halo se troubla et s'assombrit. Puis le crépitement revint, accompagné d'une intensité éclatante. Une voix s'éleva :

— Le père d'Orthon et de Réminiscens, Ocious, était un ami proche de la famille Gracieuse et les enfants des deux familles avaient presque été élevés ensemble. Mais quand l'amitié de Réminiscens et de Léomido s'est peu à peu transformée en un amour profond, tout s'est détérioré. La Gracieuse Malorane et Ocious ont fait leur possible pour séparer les deux cœurs. En vain. Parallèlement, les ambitions d'Ocious ne faisaient que croî-tre. Alors, il eut l'idée diabolique de dévoiler à Orthon un secret qui allait lui permettre de le manipuler en attisant la rancœur que cette révélation ne manquerait pas de susciter. Sans se douter que les conséquences de cet acte allaient mener Du-Dedans vers le Grand Chaos, Malorane ne put que confirmer à Orthon ce qu'Ocious lui avait confié : le secret de sa naissance et l'amour qu'elle leur portait, à lui et à sa sœur jumelle Réminiscens. Celui d'une mère pour ses enfants.

— Non ! hurla Réminiscens, le visage décomposé par l'horreur de cet aveu.

— Nul n'en avait la moindre idée, continua la Sans-Âge. Tous deux étaient nés dans le plus grand secret de sa liaison, très jeune, avec Ocious. Puis elle avait épousé Waldo, et deux ans plus tard Léomido était né. À leur naissance, les jumeaux Orthon et Rémi-niscens avaient été recueillis par Ocious lui-même et par sa femme, affligée de stérilité.

— Waouh… souffla Oksa. Alors, si je comprends bien, Baba, Léomido, Orthon et Réminiscens sont frères et sœurs !

Le halo frémit et crépita avec vivacité.

— Demi-frères et demi-sœurs si l'on veut être précis, compléta la Sans-Âge. Mais qu'importe… La filiation existe, c'est indénia-ble. Quand Orthon en a eu confirmation de la bouche même de celle qui était sa vraie mère, son comportement s'est totalement modifié. Il avait toujours vécu dans l'ombre de son père, le terrible Ocious, qui ne manquait jamais une occasion de le rabaisser, au profit de Léomido bien souvent. Orthon était un jeune homme trop fragile pour supporter les exigences et les ambitions d'un père comme Ocious. Ce mal-être envenima sa rancune vis-à-vis de Malorane : si sa mère biologique n'avait pas assumé sa maternité, c'est qu'elle estimait qu'il n'était pas digne d'être son fils. Le fils de la Gracieuse… Non. Léomido avait droit à cette reconnaissance, mais pas lui. Voilà ce qu'il pensait et cette conviction ne tarda pas à faire de lui un être froid comme le marbre. Certaines réalités peuvent briser les hommes. Ou les rendre incassables… Nourries par le terreau de sa rancune, les souffrances des premiers jours se transformèrent en une insatiable soif de vengeance. Pour commencer, il se rendit complice du Détachement Bien-Aimé de sa sœur Réminiscens, ce qui fut à la fois une manière de montrer à son père qu'il avait le cœur aussi dur que lui et un moyen d'atteindre Léomido.

— Léomido était au courant du secret ? interrompit Zoé, le souffle court.

— Orthon s'est chargé de le lui révéler, juste après que Réminiscens eut subi le Détachement, répondit la Sans-Âge. Le choc fut effroyable pour ton grand-père, il a failli perdre la raison.

Le halo magique s'intensifia et s'approcha de Réminiscens qui était accablée de douleur.

— Si Léomido vous fuyait, ce n'est pas parce que vous aviez subi le Détachement Bien-Aimé, lui dit la Sans-Âge. S'il vous fuyait, c'est parce qu'il savait désormais quel lien vous unissait. L'apprendre l'a anéanti. Car Malorane ignorait un détail qui a rendu son silence impardonnable aux yeux de son fils : vous attendiez un enfant.

Le halo reprit sa place au centre de la pièce.

— Pour Léomido, ce fut comme si la terre s'ouvrait en deux pour l'engloutir. Rendez-vous compte : Réminiscens était sa demi-sœur et elle était enceinte de lui. Même l'homme le plus solide et le plus équilibré s'en trouverait terrassé… Le même sang coulait dans leurs veines ! Le gâchis était immense aux yeux de ce jeune homme pur et droit, et son cœur commença à crier vengeance. Quand Orthon vint le trouver pour le convaincre d'aider la Société Secrète des Murmous à passer à Du-Dehors, il se rallia.

La cérémonie eut lieu quelques jours plus tard : les deux frères ennemis s'étaient à nouveau réunis pour devenir Murmous de Sang Gracieux pour l'éternité. Ce ralliement n'était qu'une première étape, à la fois pour Léomido et pour Orthon. Leurs griefs étaient différents, mais tous les deux voulaient se venger de Malorane. En assouvissant leur vengeance, Léomido espérait quitter Édéfia et Orthon comptait bien gagner l'estime de son père. Leurs vœux furent exaucés plus vite qu'ils ne l'auraient imaginé… Orthon suggéra à son frère de pénétrer dans la Mémothèque pour voler l'Elzévir des Gracieuses, qui contenait des indices sur le Secret-Qui-Ne-Se-Raconte-Pas, et le destin se précipita. Le Grand Chaos entraîna tout le peuple d'Édéfia dans la nuit alors que les deux frères étaient éjectés à Du-Dehors… Le seul qui ait toujours pressenti que la trahison de Léomido était à l'origine du Chaos est l'Homme-Fé.

Les regards se tournèrent vers Abakoum qui continua de fixer le mur droit devant lui, immobile.

— Léomido a vécu dans une paix relative pendant cinquante-sept ans. Il avait réussi à faire son deuil de Réminiscens qu'il pensait ne jamais revoir. La suite, vous la connaissez : Réminiscens a été entableautée par son frère, ce qui a permis à Léomido de retrouver celle qu'au fond de lui, il n'avait jamais cessé d'aimer. Mais ce que vous ignorez tous, c'est le tourment dans lequel il était plongé dès lors qu'il a compris qu'il allait la revoir. Depuis qu'il connaissait la nature de leurs liens, il ne l'avait jamais revue et son appréhension était intense. Le secret avait-il été révélé à Réminiscens ? Si c'était le cas, comment allait-elle réagir en le voyant ? Le repousserait-elle ? Ce serait insupportable… Ou bien serait-elle aussi indifférente que la dernière fois où il avait croisé son regard dans les couloirs de la Colonne de Verre ? Ce souvenir le frappa avec la violence d'un coup de poignard et il sentit qu'il serait aussi incapable de supporter l'indifférence que le dégoût. Un souvenir en entraînant un autre, la honte de sa trahison se raviva. Le temps des révélations était venu. Dragomira, sa sœur bien-aimée, ne tarderait pas à savoir qu'il avait sacrifié les siens pour se venger de Malorane et pour fuir. Avant même d'être entableauté, sa décision était prise : il allait entrer dans le tableau et revoir Réminiscens. Puis il se laisserait engloutir pour ne pas avoir à supporter le regard de son aimée et celui de sa sœur quand toutes les deux sauraient l'insupportable vérité.

Le halo de la Sans-Âge faiblit et la voix se tut, laissant les Sauve-Qui-Peut intégrer tant bien que mal la stupéfiante histoire.

— Et ma grand-mère ? demanda Zoé, décomposée. Elle savait ?

— Je ne savais rien, répondit Réminiscens d'une voix éteinte. Jusqu'à aujourd'hui.

— Et toi Baba ? Tu savais ? s'enquit Oksa en se tournant vers Dragomira, qui avait gardé les yeux fermés tout au long du récit de la Sans-Âge.

— Je le sais depuis peu, avoua la Baba Pollock. Orthon lui-même m'a tout appris le jour où je suis allée le rencontrer chez lui.

— Je comprends maintenant ! s'exclama Oksa. Tu n'as pas pu lui lancer le Crucimaphila parce que tu savais que c'était ton demi-frère !

— Oui… murmura Dragomira. C'était au-delà de mes forces…

— Mais n'oubliez pas qu'Orthon est un Murmou de Sang Gracieux, rappela la Sans-Âge.

— « Était »… corrigea Oksa.

— Vous vous trompez, insista la Sans-Âge. Le Crucimaphila est certes redoutable, mais il ne peut être fatal sur quelqu'un qui combine le pouvoir des Murmous et la puissance des Gracieux.

— Qu'est-ce que vous voulez dire ? continua Oksa.

Le discours de la Sans-Âge rendait prévisible la réponse à cette terrifiante question.

— Vous l'avez tous compris, résonna la voix dans le silence lugubre. Orthon n'est pas mort…

Pendant ce temps, aux quatre coins du monde…

Islande, 18 juin : une soudaine activité volcanique est observée dans la région englacée de Vatnajökull. Le plus haut volcan de l'île, le Hvannadalshnjukur (le Glacier du Désastre), entre en éruption après plus de trois siècles de sommeil. La moitié sud de l'Islande est recouverte de lave.

Japon, 2 juillet : un typhon meurtrier ravage l'île japonaise d'Hokkaido. Son origine est inexplicable et reste un mystère pour les météorologues du monde entier, ravivant le mythe du vent divin, ou Kami Kaze.

Quatre jours plus tard, le typhon reprend de la vigueur et touche de plein fouet Taiwan et le nord des Philippines.

État de Californie (États-Unis), 24 août : la faille de San Andreas s'élargit de près de cinquante centimètres, provoquant une secousse sismique d'une magnitude de 8,5 sur l'échelle de Richter, faisant craindre le redoutable Big One. La région de San José est rayée de la carte. San Francisco tremble sur ses fondations.

Province d'Anhui (Chine), État d'Utar Pradesh (Inde), région de Kharkov (Ukraine), Perth (Australie), 3 septembre : plusieurs séries de tornades géantes d'une violence inédite dévastent ces quatre régions, entraînant de lourdes pertes humaines et de considérables dégâts matériels. Les instruments de mesure relèvent jusqu'à quarante tornades consécutives frappant un même périmètre en l'espace de quelques minutes.

Île de la Réunion, 14 septembre : suivant l'exemple du Hvannadalshnjukur islandais, du Vésuve italien et du Mauna Loa hawaiien, le piton de la Fournaise entre en activité. D'autres volcans éteints depuis des siècles, voire des millénaires, ne tardent pas à susciter l'inquiétude des spécialistes : le mont Ararat en Turquie, le Furnas au Portugal, le mont Kenya…

Yemen et Oman, 17 septembre : un mouvement important suivi d'un chevauchement des plaques tectoniques des fonds sous-marins de l'océan Indien entraîne un tsunami qui dévaste les côtes yéménites et omanaises. Grâce au système d'alerte aux tsunamis mis en place dans cette région, des milliers de vies ont pu être sauvées. On estime que les vagues ont recouvert cinquante kilomètres de terres.

Grèce, Albanie et Bulgarie, 21 septembre : des pluies torrentielles s'abattent sur le sud-est de l'Europe. En deux jours, les fleuves Vardar et Struma débordent, provoquant d'importantes inondations qui paralysent l'activité de la région.

Côtes du golfe du Mexique, 24 septembre : des pluies similaires à celles du sud-est de l'Europe touchent le Mexique, le Texas, la Louisiane, le Mississippi, l'Alabama, la Floride. Des millions de personnes sont sans abri. Le fleuve Mississippi quitte son lit et inonde le nord des États. L'eau monte à plus de deux mètres dans les villes de Mexico, Houston, Bâton-Rouge. La Nouvelle-Orléans est noyée.

Londres, 1er octobre : les plus grands climatologues, météorologistes, sismologues et vulcanologues mondiaux sont convoqués par les principaux chefs d'État pour une réunion extraordinaire sur la croissance exponentielle des catastrophes naturelles.

52

Une rentrée à reculons

Le front appuyé contre la vitre froide, Dragomira regardait dehors par la fenêtre de son salon. Elle serrait avec tant de force la main d'Abakoum que les jointures de ses doigts paraissaient sur le point d'exploser. Deux étages plus bas, dans la cour minuscule qui constituait l'entrée de la maison, Oksa était en train de craquer. Dragomira tendit l'oreille et se concentra.

— Et si j'y allais demain ? l'entendit-elle gémir. Papa, s'il te plaît !

Dragomira vit Pavel s'approcher, l'air épuisé.

— Demain ne sera pas mieux qu'aujourd'hui… murmura-t-il avec accablement. Ce sera peut-être même encore pire… ajouta-t-il en dirigeant son regard vers la fenêtre où était postée Dragomira.

La Baba Pollock recula d'un pas, tremblante, choquée. Des yeux de son fils se dégageait une rage dévastatrice, comme si des flammes noires le consumaient. Dragomira porta la main à sa bouche et étouffa un sanglot.

— Il ne pouvait en être autrement, dit Abakoum avec douceur en posant la main sur son épaule. Tu as fait ce que tu pouvais, mais seule contre trois, tu n'avais aucune chance.

— Tu as vu son regard ? Il me hait, Abakoum ! Mon fils me hait !

— Non, il souffre…

Le bruit du petit portail de fer forgé qu'on refermait sans délicatesse résonna. Dragomira frémit et se laissa tomber dans son vieux fauteuil en velours cramoisi.

— C'est trop dur… lança la vieille dame, ses beaux yeux bleus délavés par les larmes. Nous ne sommes pas de taille. Parfois, j'ai envie d'abandonner.

— Même si nous le voulions, tu sais très bien que nous ne le pouvons pas, répliqua Abakoum. Personne ne peut aller contre sa destinée, personne, insista-t-il en suivant des yeux Oksa qui s'éloignait dans la rue. Les Sans-Âge ont parlé, tu sais ce que cela signifie. Ne compte pas échapper à ce qui est écrit. Personne ne le peut…

Oksa marchait d'un pas ferme et rapide sur le trottoir humide. À ses côtés, Gus tentait de tenir le rythme tout en lui jetant des coups d'œil inquiets. Son amie avait une mine effroyable : les yeux cernés de lourdes poches violacées et le teint livide, elle respirait comme si ses poumons étaient compressés par une charge trop lourde. Elle avisa une feuille de journal qui traînait par terre et voulut donner un coup de pied pour l'enlever de son passage. Mais la feuille se colla à sa chaussure, plongeant la jeune fille dans un état d'agacement disproportionné. Elle agita son pied et, devant l'obstination de la feuille à rester accrochée, elle ouvrit sa main en murmurant quelques mots rageurs. La feuille s'enflamma aussitôt devant des passants qui se détournèrent avec méfiance.

— Oksa ! s'écria Pavel en la rejoignant.

Sa réprimande s'arrêta là quand il croisa le regard plein de larmes de sa fille.

— Ça m'énerve trop, toutes ces saletés partout… pesta-t-elle entre ses dents avant de laisser échapper un sanglot déchirant.

— Hé, ma vieille ! s'exclama Gus en lui donnant un coup de coude. Tu ne vas pas pleurer pour un malheureux journal qui traîne par terre !?

Oksa lui adressa un regard désespéré avant de fondre en larmes. Son père la serra contre lui en passant son immense main dans ses cheveux ébouriffés.

— C'est pas ce fichu journal qui me met dans cet état… hoqueta-t-elle.

— Je sais, ma chérie, je sais…

— Et puis cette cravate me serre trop ! souffla-t-elle en tirant sans ménagement sur le nœud. J'étouffe !

Pavel la regarda d'un air triste et entreprit de desserrer la cravate marine et bordeaux aux couleurs du St Proximus College.

298

— Il va falloir être forte. Comme nous tous… murmura-t-il en glissant son regard vers Zoé qui se tenait à quelques pas, immobile et silencieuse.

— Allez ! intervint Gus. Une ninja ne se laisse jamais démonter, même par un uniforme très inconfortable ! Et puis, tu sais, t'es pas mal en jupe plissée, ça met bien en valeur tes mollets de coq !

— Tu sais ce qu'ils te disent, mes mollets de coq ? fit-elle en essuyant ses joues du revers de la manche.

Et sans quitter Gus des yeux, elle fit un moulinet de la main. Aussitôt, ce fut comme si un brusque coup de vent soulevait la mèche de jais du garçon pour couvrir son visage. Gus écarta la mèche en rugissant comme un fauve avant de promettre à Oksa une vengeance à la hauteur de son forfait. Ce bon tour arracha un sourire à la jeune fille, éclairant ses grands yeux gris ardoise. Elle jeta un regard reconnaissant à Gus et à son père, mais n'eut pas le courage d'affronter celui de Zoé, qu'elle sentait glacé. Un vague sentiment de gêne la frôla : Zoé, devait souffrir autant qu'elle et, pourtant, elle ne montrait rien. Depuis la révélation de la Sans-Âge, la jeune fille affichait une attitude impénétrable. Pas un pleur, pas un mot sur le secret dévoilé qui la concernait pourtant au premier plan. Cette attitude troublait Oksa et la dérangeait presque. Comment Zoé pouvait-elle rester de marbre alors qu'elle venait d'apprendre les causes de la disparition de Léomido, son grand-père ? En ramassant son sac sur le sol, Oksa ne put s'empêcher de l'observer. Zoé lui retourna un regard dans lequel Oksa crut déceler une douleur indicible mêlée de rage et de peur. Mais une seconde plus tard, la jeune fille retrouvait son apparence calme et douce. Oksa cligna des yeux pour effacer cette vision perturbante.

— Bon, il faudrait peut-être qu'on se bouge un peu, non ? s'exclama-t-elle en balançant son sac sur son épaule. On va finir par se mettre en retard avec vos histoires…

Gus jeta un coup d'œil faussement scandalisé à Zoé, qui haussa les épaules d'un air amusé, habituée aux excès d'Oksa.

— Allons-y… renchérit Pavel d'un ton morne.

53

Des contrastes perturbants

Face au portail qui s'ouvrait sur la magnifique cour de St Proximus College, Oksa et Gus marquèrent un temps d'arrêt. Cela faisait plus de trois mois qu'ils n'en avaient pas franchi le porche.

— Prête ? lança Gus avec un enthousiasme feint.

— Prête… soupira Oksa. À tout à l'heure, Papa.

— Tout se passera bien, la rassura Pavel.

Oksa jeta la tête en arrière et s'avança, suivie de Gus et de Zoé. Aussitôt, plusieurs dizaines de regards se tournèrent dans leur direction.

— J'adore… grinça Oksa avec irritation.

— OKSA ! GUS !

Un jeune garçon bouclé comme un mouton se précipitait à leur rencontre, l'air réjoui.

— Merlin ! s'écria Oksa.

Oksa n'eut pas le temps de réagir que, déjà, deux baisers sonores claquaient sur ses joues. Merlin, rouge comme une tomate, se tordit les mains en annonçant avec exaltation :

— Eh bien ! Je dois dire que je suis trop content de te revoir… de vous revoir… tous les deux ! ajouta-t-il en rougissant encore plus. Vous allez bien ? Vous êtes…

— … entiers ! l'interrompit Oksa en se mordant l'intérieur des joues.

— Vous me raconterez ? continua Merlin sur le ton de la confidence. Je meurs d'envie de tout savoir !

Oksa acquiesça gravement.

— Oohhh ! Je suis si content ! s'enflamma encore Merlin. Je crois que je n'ai jamais été aussi content de ma vie !

Oksa sourit alors que Gus lui lançait un coup de coude dans les côtes.

— Qu'est-ce qui est arrivé à ta voix ? lança-t-il avec malice. On dirait qu'elle hésite entre le grave et l'aigu…

— Ne m'en parle pas ! Je mue… répondit Merlin avec un naturel déconcertant. C'est les montagnes russes, je crois que je couvre tous les octaves !

Oksa et Gus éclatèrent de rire, oubliant un instant l'appréhension qu'ils ressentaient. Quelques minutes plus tard, Zelda et d'autres collégiens les avaient rejoints et les questions fusaient.

— Alors, c'était quoi cette maladie ? Le paludisme ? Une maladie tropicale ?

— C'était contagieux ? Vous avez déliré ? Vous avez eu des hallucinations ?

— Il paraît que vous étiez à Bornéo ? C'est beau ? Vous avez vu des bêtes sauvages ?

Pour le plus grand soulagement des deux amis, la sonnerie retentit.

— Sauvés par le gong ! leur glissa Merlin en les entraînant vers le cloître qui longeait la cour.

Oksa fit mine de s'éponger le front tout en lui adressant un franc sourire. Le garçon se racla la gorge avant de s'engager dans l'allée pavée.

— Merlin ?

— Oksa ? répliqua-t-il en se retournant.

— Merci. Pour tout.

Ces mots, à peine murmurés, provoquèrent un véritable embrasement, non seulement sur les joues mais aussi dans le cœur de Merlin. Bouche bée, il fixa Oksa et cligna des yeux en prenant appui contre le mur.

— Tu… vous me raconterez, hein ?

— Promis ! souffla-t-elle.

Cette première matinée s'écoula d'une façon bien plus agréable que Gus et Oksa ne l'avaient craint. Ils échappèrent à la pause de dix heures, Mlle Crèvecœur les ayant gardés près d'elle pour les aider à rattraper leur retard.

— Votre absence a été longue, mais elle n'est pas irrécupérable si vous vous y mettez d'arrache-pied, les rassura-t-elle.

— J'en connais une qui va se gaver de Capaciteurs d'Excelsior pendant que son prétendu « meilleur ami » crèvera sous le travail… marmonna Gus à l'intention d'Oksa.

— Des Capaciteurs d'Excelsior ? Qu'est-ce que c'est ? interrogea la professeur avec curiosité.

— Oofffff... souffla Oksa sans se laisser prendre au dépourvu. Un stimulant qui permet au cerveau de fonctionner à plein régime. C'est une recette secrète de ma grand-mère... ajouta-t-elle en fixant Gus qui faisait les yeux ronds.

— Oh, je vois... releva Mlle Crèvecœur en souriant. Rien d'interdit par la loi, j'espère ?

Oksa sourit à son tour.

— Rien que du naturel, je vous assure !

La professeur se plongea dans les livres de cours afin de leur montrer les leçons qu'il leur faudrait intégrer. Tout en l'écoutant d'une oreille, l'attention d'Oksa fut soudain attirée par Zelda. Debout devant la fenêtre qui donnait sur le couloir bordé de balustrades, elle regardait dans leur direction avec une gravité figée. Oksa fut saisie d'une étrange sensation d'écœurement et d'épuisement. Se sentant observée, Mlle Crèvecœur tourna la tête. Aussitôt, Oksa la vit parcourue d'un vif frisson. Oksa regarda de nouveau vers le couloir. Zelda avait disparu aussi fugitivement qu'elle était apparue. Mais le sentiment de malaise était toujours là... Gus lui adressa une mimique interrogative.

— Qu'est-ce qui se passe ? chuchota-t-il.

Oksa haussa les épaules en signe d'ignorance alors que Mlle Crèvecœur continuait la longue liste des leçons à rattraper comme si rien ne s'était passé. Seule Oksa, attentive, remarqua le léger tremblement de ses mains que la douce professeur tentait de maîtriser...

Cette scène n'avait pas manqué de déclencher des signaux d'alerte dans l'esprit de la Jeune Gracieuse. Tout le reste de la journée, elle observa Zelda du coin de l'œil, essayant d'analyser ce qui la troublait tant chez son amie. Quand elle en parla à Gus entre deux cours au milieu de l'après-midi, ce dernier s'exclama en regardant autour de lui avec méfiance :

— Zelda ? Non, je n'ai rien remarqué. Mais par contre, je ne sais pas si tu as vu Hilda la Primitive... Parce que là, c'est carrément la métamorphose !

— Je te le confirme ! intervint Merlin.

— Vous parlez de moi ? s'écria Hilda en s'approchant d'eux avec un sourire aussi enjôleur que maladroit.

— Bravo, les garçons… grogna Oksa avec énervement avant de se tourner vers la jeune fille. Oh ! Hilda, on parlait juste du prochain match de catch féminin, tu tombes bien !

Hilda eut un mouvement de recul et afficha une mine si dépitée qu'Oksa eut presque des remords de lui avoir parlé avec une telle rudesse.

— Pas la peine d'être désagréable… lança-t-elle avec un désarroi dont Oksa ne l'aurait jamais cru capable. Tout le monde n'a pas la chance d'être une poupée russe.

— Qu'est-ce que tu veux dire ? s'emporta Oksa en la foudroyant des yeux.

— Je veux dire que même celles qui ne sont pas des poupées russes ont le droit de parler aux garçons les plus mignons du collège… répliqua Hilda en la bousculant avec un air de défi.

Elle rajusta sa veste et passa lentement devant Merlin et Gus qui, à cet instant précis, auraient tout donné pour être transmutés aux antipodes. Interloquée, Oksa la regarda s'éloigner et siffla entre ses dents.

— Impressionnant, non ? fit remarquer Zelda en surgissant. Il y en a chez qui l'adolescence est un véritable désastre, vous ne trouvez pas ?

— Zelda ! gronda Merlin. Avoue que c'est mieux qu'avant, non ?

Zelda regarda tour à tour Hilda, assise sur un banc dans une pose qui se voulait très féminine, et Merlin, dont la gêne cuisait le visage.

— C'est encore plus ridicule, tu veux dire ! répliqua-t-elle avant d'éclater de rire. Je dirais même que ça devient pathétique…

Sur ces mots, elle se baissa pour ramasser un petit caillou qu'elle lança vers le centre de la cour, droit sur la fontaine. Suivant une trajectoire admirable de précision, le caillou heurta le rebord et rebondit pour atterrir sur le bout de la chaussure d'Hilda.

— Bingo ! exulta Zelda sans aucune retenue.

Saisies par une étrange intuition, Oksa et Zoé s'entreregardèrent, aussi stupéfaites l'une que l'autre. L'espace d'un dixième de seconde, toutes les deux venaient de partager la même impression.

— Est-ce que tu crois ce que je crois ? chuchota Oksa.

54

Une évidence qui fait froid dans le dos

Zoé n'avait pas répondu à la question d'Oksa. C'était inutile. Un regard avait suffi. Quelques minutes plus tard, tout le monde rejoignait la salle de sciences pour le premier cours de l'après-midi. Perchés sur leur tabouret au fond de la classe, Oksa et Gus avaient une vue imprenable sur le profil de Zelda au troisième rang et sur celui d'Hilda au deuxième. Merlin avait une nouvelle fois été livré à la convoitise farouche des deux filles. C'est Hilda qui avait gagné sa place auprès de lui, cette fois-ci, et elle ne se gênait pas pour le faire remarquer.

— Monsieur ! interpella soudain Zelda. Est-ce que vous pourriez demander à Hilda Richard d'être plus discrète quand elle a de mesquines petites victoires amoureuses ? Ça devient très gênant…

À l'instar de tous les élèves, Oksa eut le souffle coupé par tant d'audace. Voilà qui ressemblait si peu à la maladroite et craintive Zelda qu'elle connaissait ! Par contre, ce vocabulaire, ces tournures de phrases, cette arrogance glaciale sonnaient comme des souvenirs familiers extrêmement désagréables… Pendant qu'Oksa assimilait ces pensées pénibles, Hilda s'était retournée, furieuse, pour faire exploser une cartouche d'encre en direction de son ennemie.

— Argghhh ! hurla Zelda en se reculant, la chemise maculée de taches noires. Cette fille est cinglée !

Le professeur Lemon toisa les deux filles d'un air sévère.

— Je ne l'ai pas fait exprès, monsieur… minauda Hilda.

— Tu te fiches de moi ? s'énerva Zelda.

— Ça suffit, vous deux ! intervint le professeur. Mademoiselle Beck, allez voir à l'Intendance si on peut vous prêter une chemise propre. Quant à vous, mademoiselle Richard, vous viendrez me voir à la fin du cours.

Zelda se leva, la mine ombrageuse, et sortit de la salle. Aussitôt, Oksa attira l'attention du professeur.

— Monsieur ! J'ai oublié mon classeur dans mon casier, est-ce que je peux aller le chercher ?

Le professeur soupira et acquiesça, pendant que Gus s'étouffait à côté d'elle.

— Qu'est-ce qui te prend ? chuchota-t-il en regardant avec insistance le classeur qu'Oksa venait de dissimuler sous le bureau.

— Chut ! Je t'expliquerai.

— Bien sûr… marmonna-t-il.

Une fois de plus, il se sentait à l'écart de ce qui se passait. Ce qui n'était pas le cas de Zoé… Quand Oksa passa à côté d'elle, la jeune fille l'attrapa fermement par le bras pour la retenir.

— N'y va pas, Oksa ! souffla-t-elle.

Oksa croisa son regard brillant d'inquiétude, remua la tête en signe d'opposition et passa son chemin. Dépitée, Zoé se voûta sur son siège et la regarda quitter la salle.

Cachée derrière une statue dans un coin sombre du cloître, Oksa attendait que Zelda revienne de l'Intendance. Quelques minutes plus tard, la jeune fille sortait, vêtue d'une chemise impeccable. Elle s'arrêta soudain au milieu du couloir, aux aguets, puis se dirigea d'un pas décidé droit sur la colonne où se cachait Oksa. La Jeune Gracieuse fut parcourue par un frisson de panique qui l'électrisa. Elle se plaqua contre le mur en retenant son souffle.

— Qu'est-ce que tu fais là ? demanda Zelda d'un ton sarcastique en la découvrant. Tu m'épies ?

— Pas du tout ! répliqua Oksa, à la fois apeurée et piquée au vif. Je croyais avoir oublié mon classeur et je venais vérifier dans mon casier…

Zelda lui adressa un sourire aussi amical que celui d'un boa constrictor affamé et pointa son doigt sur le sternum d'Oksa qui recula, terrifiée.

— Je suis déçue… continua Zelda sur le même ton. Une fille clairvoyante comme toi aurait dû éviter une erreur si grossière !

Tout en assenant ces mots avec une froide ironie, elle continuait de presser son doigt sur Oksa. La Jeune Gracieuse sentait une terrible nausée s'emparer d'elle au fur et à mesure que l'affolement gagnait du terrain.

— Mais peut-être ta légendaire acuité a-t-elle été altérée lors de ton séjour à Bornéo… ajouta Zelda.

— Je vais très bien, rassure-toi ! réussit à dire Oksa.

En réalité, elle se sentait de plus en plus mal. Elle avait trouvé ce qu'elle était venue chercher en demandant à quitter la classe. Autour de son poignet, le Curbita-peto ondulait sans relâche pour lui insuffler à la fois apaisement et courage. Oksa cala sa respiration sur le rythme des pressions du petit bracelet vivant qui l'incitait autant au calme qu'à la prudence. Face à elle, Zelda la fixait sans ciller. Ses narines palpitaient à toute vitesse tandis que ses yeux se voilaient d'une ombre insistante dont la noirceur terrorisa Oksa. Au-dessus de leurs têtes, le ciel s'obscurcit, soudain chargé de nuages inquiétants. Malgré toute sa force et son courage, la Jeune Gracieuse n'était pas préparée à reconnaître dans le regard d'encre qui la fixait celui de son ennemi juré : Orthon McGraw, le Félon suprême. Elle vacilla pendant que de grosses gouttes d'eau tombaient du ciel marbré. Puis, en un éclair, le regard de Zelda redevint clair, familier, bon. Oksa crut pendant un instant qu'elle avait été la proie d'une hallucination. La fatigue pesante qui s'était abattue sur elle à l'issue de l'Entableautement, l'émotion des retrouvailles et la séparation avec Marie… Tout cela l'avait rendue vulnérable. Mais au fond d'elle, elle savait… Zelda l'attrapa par le bras pour l'entraîner vers l'escalier.

— Viens, Oksa ! On va se faire tuer par Lemon si on traîne trop ! Je te passerai les cours que tu as manqués, t'inquiète… s'exclama-t-elle avec la gentillesse qu'Oksa lui connaissait.

Haletante et désemparée, Oksa lui abandonna sa main et se laissa diriger jusqu'au premier étage comme une petite fille perdue. Au moment où les deux collégiennes entraient dans la salle, un impressionnant coup de tonnerre résonna, faisant sursauter tous les élèves et couler dans le cœur d'Oksa un tourment pesant comme du plomb fondu.

Le dernier cours de cette journée épouvantable arriva enfin. Il fallait, pour rejoindre la salle, traverser le long couloir du premier étage bordé de colonnades. Ce que firent les élèves de troisième Hydrogène dans un vacarme coutumier. Plusieurs collégiens entouraient Oksa et Gus. Zelda ne tarda pas à les rejoindre, le regard plus sombre qu'une nuit sans lune. Oksa blêmit.

— C'était pas trop dur, Bornéo ? lui demanda Zelda avec une jubilation provocante. Tu devais te sentir bien seule… Ta famille était près de toi ?

Oksa reprit bonne figure.

— Une partie de ma famille, oui, sauf ma mère.

— Elle ne te manquait pas trop ?

Devant tant d'indélicatesse, Gus et Merlin regardèrent Zelda avec une désapprobation indignée. Quant à Oksa, le bras de fer était engagé. McGraw voulait jouer au chat et à la souris, mais elle serait une souris plus résistante qu'il ne le croyait !

— Pourquoi tu veux savoir tout ça ?

Zelda la regarda avec candeur.

— Oh, par pure sympathie ! répondit-elle. Elle va mieux ? ajouta-t-elle en vrillant ses yeux mi-clos sur Oksa.

— Oui, tout le monde va bien… ânonna la jeune fille.

— Elle est toujours en fauteuil roulant ? continua Zelda avec une intensité venimeuse.

Oksa leva les yeux vers elle et lui répondit enfin d'un ton enthousiaste qui lui arracha de douloureux efforts :

— Ma mère ? Elle va bien ! De mieux en mieux, si tu veux tout savoir !

Les rouages de son cerveau tournaient à pleine vitesse sous l'effet des décharges d'adrénaline et elle n'aurait pas été surprise de voir de la fumée s'échapper de ses oreilles. L'épouvantable évidence était là. Oksa décida de porter un coup. Un coup décisif qui conforterait sa conviction qu'elle se trouvait face à… l'impossible.

— Tiens, puisqu'on en est à prendre des nouvelles de tout le monde, tu sais ce qu'est devenu cet Ostrogoth de Mortimer McGraw ? demanda-t-elle en plongeant ses yeux ardoise dans ceux de Zelda.

55

Le loup dans la bergerie

— Mortimer ? Je ne sais pas… répondit Zelda en se détournant. Bon, on y va ?

Et elle prit la direction de Bigtoe Square.

— Mais… ce n'est pas ton chemin ! fit remarquer Oksa.

— Non, mais j'irais bien dire bonjour à tes parents. Il y a longtemps que je ne les ai pas vus.

— Ça ne va pas être possible ! répliqua Oksa en s'éloignant à grands pas.

Gus la suivit, surpris. Non loin d'eux, plantés sur le trottoir devant St Proximus, Zelda, Merlin et Zoé attendaient.

— Mais enfin, qu'est-ce qui te prend ? bredouilla-t-il. Pourquoi tu es si malpolie avec elle ?

— Je ne peux pas t'expliquer maintenant, marmonna-t-elle en grinçant des dents. Mais elle ne doit pas venir avec nous !

— Pourquoi ? répliqua Gus dans un souffle.

Oksa lui jeta un regard implorant avant d'être interrompue par Zelda qui s'approchait, un sourire étrange aux lèvres.

— Je ne resterai pas longtemps, promis, assura la jeune fille avec entrain. Juste le temps de saluer tes parents et ta grand-mère !

— C'est que… commença Oksa en se grattant la gorge. C'est que je ne suis pas sûre qu'ils soient là…

— Je suis prête à tenter ma chance ! Et s'ils ne sont pas là, tant pis pour moi.

Oksa soupira avant de chercher Zoé du regard. Sa petite-cousine la fixait avec gravité en se mordant la lèvre supérieure. Elle partageait le même désarroi qu'elle en comprenant parfaitement ce que l'insistance de Zelda représentait. Zelda qui n'était plus qu'une marionnette livrée à l'esprit féroce de McGraw…

— Bon, on ne va pas passer la soirée ici ! s'exclama soudain Gus. Allons-y !

Il tourna les talons, entraînant ses amis avec lui. Oksa grimaça et regarda une dernière fois Zoé. La jeune fille opina de la tête, impuissante mais pourtant prête à se trouver confrontée à l'impensable. Zelda marchait devant en compagnie de Merlin et de Gus. Les yeux braqués sur elle, les deux filles ressentaient la même détresse.

— Le loup dans la bergerie... murmura Oksa.

— À ton avis, qu'est-ce qu'il cherche ? demanda Zoé.

— Déjà à nous montrer qu'il est toujours vivant et surtout qu'il est le plus fort. C'est de la provocation ! T'imagines ? Il est en Zelda, il peut s'approcher au plus près de nous sans qu'on puisse rien contre lui ! C'est un sacré avantage...

Au même moment, Zelda se tourna vers elles. Ses yeux avaient à nouveau perdu leur éclat clair et tendre pour se voiler d'une dureté ténébreuse. Le bras plaqué contre le corps, Oksa ouvrit la main et lui lança une minuscule boule de feu. Le test ultime... Sans manifester la moindre surprise, Zelda regarda la boule foncer vers elle et, d'un geste négligent, en dévia la trajectoire par un mince filet électrique né au bout de ses doigts. Un sourire malveillant se figea sur le visage de celle qui n'était plus tout à fait elle-même, c'était désormais une certitude. Et surtout une source de grande panique pour Oksa et Zoé. Instinctivement, elles sortirent leur téléphone portable pour avertir les Sauve-Qui-Peut. Les deux appareils étaient déchargés...

Les cinq « amis » arrivèrent à Bigtoe Square, la motivation de Zelda leur ayant imposé un rythme empressé. Gus discutait avec la jeune fille et Merlin, imperméable aux angoisses d'Oksa et de Zoé qui se tenaient à quelques pas derrière.

— Dragomira et Abakoum sauront quoi faire... fit Oksa à mi-voix pour essayer de se rassurer.

— Oksa, j'ai peur pour ma grand-mère... chuchota Zoé. Je ne sais pas si elle va supporter ça...

Pour toute réponse, Oksa ne put que lui prendre la main et la serrer avec force. Que faire d'autre ? Elle aussi était morte de peur. Pourquoi tout cela arrivait-il aujourd'hui, alors qu'elle était si fatiguée, si fragile ? Il n'y aurait donc aucun répit ? Jamais ? Le Curbita-peto redoublait d'efforts autour de son poignet et elle gardait sa Crache-Granoks à portée de main. Et si elle lançait une Granok sur Zelda ? Est-ce que cela changerait quelque chose ? Si le terrible Crucimaphila n'avait pas tué McGraw, il pourrait tout à fait tuer Zelda qui n'était qu'une victime dans toute cette histoire. Et que pourraient une Arborescens ou une Tornaphyllon, si ce n'était décupler des forces hostiles contre lesquelles aucun des Sauve-Qui-Peut n'était prêt à lutter ?

Comme si son instinct l'avait alerté, Abakoum se tenait debout sur le perron, à l'entrée de la maison, prêt à recevoir le petit groupe qui s'avançait. Cet accueil inhabituel réchauffa le cœur d'Oksa et de Zoé : l'Homme-Fé savait. D'ailleurs, en voyant le vieil homme campé devant la porte, Zelda – ou l'être qui occupait son corps – ne s'y trompa pas et eut un temps d'arrêt avant de poursuivre dans sa direction.

— Bonjour ! lança la jeune fille d'une voix enjouée. Merlin et moi nous voulions prendre des nouvelles des parents d'Oksa et de Drag…

— Tout le monde va très bien ! la coupa Abakoum à la grande surprise de Gus et de Merlin. C'est très gentil à toi de te soucier de nous à ce point. Mais entre, je t'en prie…

Ce fut au tour d'Oksa et de Zoé d'être stupéfaites. D'un regard, Abakoum les rassura.

— Nous allons voir ce qu'il a dans le ventre… murmura-t-il.

« Mais comment a-t-il su ? » se demanda Oksa. Zelda entra la première et, sitôt dans le hall d'entrée, elle s'arrêta, saisie par ce qu'elle voyait : devant elle, debout sur la quatrième marche de l'escalier qui menait à l'étage, se dressait Réminiscens, livide et immobile comme un fantôme. À ses côtés, Dragomira, fière et droite comme un I. Malgré leur émotion, il émanait des deux femmes une incroyable puissance. Même Oksa se sentait impressionnée… Derrière elles, Pavel les surplombait avec la gravité de pierre d'une invincible statue. Sur la gauche, Tugdual était adossé contre le mur, les bras croisés, une longue mèche brune recouvrant la moitié de son visage. Face à lui, bouchant l'entrée du salon, Naftali et Brune fixaient la jeune fille avec une curiosité sévère. Derrière eux, on devinait la présence de Pierre et Jeanne Bellanger. Le noyau des Sauve-Qui-Peut était rassemblé dans cet espace réduit et faisait face à Zelda qui, après quelques secondes de trouble, soutint avec morgue les regards braqués sur elle.

— Tu vois ? Tout le monde va bien ! lança Oksa.

La Jeune Gracieuse avait repris du courage en comprenant la stratégie d'Abakoum : profiter de l'effet de surprise que créerait cet accueil pour prendre McGraw à son propre jeu et, pourquoi pas, essayer de lui soutirer des informations ; tout en souhaitant que le Félon soit inoffensif tant qu'il était prisonnier du corps de Zelda. Le pari était risqué car il risquait de blesser – voire de tuer ! – la collégienne. Mais il valait la peine d'être tenté.

— Entre ! ajouta Oksa en poussant Zelda vers le salon. Baba va nous préparer un bon thé… Tu veux bien, Baba ?

La vieille dame acquiesça et descendit pesamment les quelques marches. Son visage était tendu et ses yeux brillaient de rage. Quant à Réminiscens, elle n'était plus que l'ombre d'elle-même. Toutes deux se dirigèrent vers la cuisine où Oksa les entendit parlementer à voix basse, sans toutefois parvenir à se concentrer assez pour pouvoir les entendre. De toute façon, elle était bien trop rivée sur Zelda… La jeune fille, le regard toujours sombre, s'était installée comme l'y avait invitée Abakoum : au milieu du salon, face aux Sauve-Qui-Peut. L'ambiance était glaciale. Tous savaient pourquoi, sauf Merlin et Gus qui essayaient en vain d'attirer l'attention d'Oksa.

— Alors, Zelda ? Tu te faisais du souci pour nous ? commença Pavel d'un ton dur.

— Bien sûr ! répondit Zelda de sa voix de jeune fille enjouée. J'ai beaucoup d'affection pour votre famille.

— Nous n'en doutons pas, répliqua Pavel en esquissant une grimace amère.

— Quand j'ai appris qu'Oksa était malade à l'autre bout du monde, j'ai eu un choc. Je peux vous dire que j'ai eu peur de ne jamais la revoir. Mais maintenant qu'elle est là, en chair et en os, je suis rassurée !

— Comme je te comprends… soupira Naftali. Perdre notre petite Oksa serait une tragédie pour nous. Pour nous tous, insista le géant suédois.

Oksa vit Gus maugréer dans son coin. « Le pauvre, il ne doit rien comprendre… » soupira-t-elle avec compassion.

— La mère d'Oksa n'est pas ici ? lança soudain Zelda.

La question surprit tout le monde. Dragomira, qui servait le thé, inonda le plateau et Pavel ferma les yeux en pinçant les lèvres.

— Elle est en convalescence, répondit Abakoum avec un calme admirable. Sur une petite île au large de la mer des Hébrides. Nous savons que ceux qui s'occupent d'elle sont d'une extrême bienveillance. Annikki, une jeune infirmière dévouée, est en permanence à ses côtés. Mais nous avons hâte de la revoir enfin. Elle va revenir très bientôt, nous nous y préparons.

L'effet de surprise s'était retourné contre Zelda, *alias* Orthon McGraw. Pendant une seconde, un flottement noya ses prunelles sombres. Quant à Abakoum, seuls ses yeux brillaient d'un feu ardent.

— Il ne faut pas précipiter les choses, reprit Zelda en recouvrant son sang-froid. Un retour précoce peut être dangereux pour sa santé... Et Léomido ? Je ne l'ai pas vu, il va bien ?

À ces mots d'un cynisme absolu, Oksa paniqua. Elle sentit Dragomira serrer les poings et Réminiscens retenir un cri. Les deux femmes semblaient au bord du malaise. Derrière elles, Pavel fusillait Zelda des yeux, la main sur la poche de sa veste. Il mourait d'envie de sortir sa Crache-Granoks... Sous prétexte de chercher du sucre, Oksa se dirigea vers la cuisine en entraînant son père avec elle.

— Je vais le massacrer... gronda-t-il avec une rage froide. Comment ose-t-il venir chez moi et ironiser sur ma femme et Léomido ?

— Non, Papa ! chuchota Oksa. Tu risques de tuer Zelda, et McGraw le sait ! Tant qu'il est en elle, tu ne peux rien faire. Et lui non plus d'ailleurs ! Viens, montrons-lui qu'on est plus forts qu'il ne le pense.

De retour dans le salon, ils retrouvèrent Abakoum qui expliquait à leur hôte que Léomido avait rejoint la solitude de sa propriété du pays de Galles et qu'il allait bien, merci pour lui. Oksa était admirative devant le calme de l'Homme-Fé et regrettait de ne pouvoir ressentir le même. Pour sa part, elle aurait volontiers foncé sur Zelda pour la secouer jusqu'à ce que McGraw la libère de son emprise. Au lieu de cela, c'est son impulsivité qui prit le dessus.

— Puisque tu es là, je vais t'annoncer une grande nouvelle, commença-t-elle sur un ton de défi.

Zelda tourna la tête vers elle, intriguée.

— On va tous partir pour un très long voyage, annonça Oksa.

Les Sauve-Qui-Peut réagirent très diversement à cette déclaration. Dragomira s'étouffa avec son thé, Réminiscens lâcha sa tasse sur le tapis, Pavel et Abakoum s'entreregardèrent avec saisissement tandis que les Knut et les Bellanger étaient paralysés par la surprise. Quant à Gus et Merlin, ils avaient l'impression d'être hors jeu. Seuls Tugdual et Zoé semblaient comprendre l'intervention d'Oksa. Tous deux la regardaient avec attention, Tugdual et son inséparable petit sourire en coin et Zoé avec encouragement.

— Tout est prêt ! continua Oksa. Ce n'est plus qu'une question d'heures !

— Mais… bredouilla Zelda. Vous n'attendez pas le retour de ta mère ? Vous ne pouvez pas partir sans elle !

— Elle nous rejoindra après. Tu l'as dit toi-même, il ne faut pas précipiter les choses. Autant qu'on ouvre d'abord la voie et qu'on prépare tout ce qu'il faut pour que sa venue se fasse dans les meilleures conditions possibles !

Les prunelles d'encre de Zelda se voilèrent encore un peu plus. Le regard d'Oksa glissa vers son père, qui affichait une mine abattue, puis vers Abakoum, qui lui sourit discrètement. L'Homme-Fé voyait clair dans son jeu, elle n'en doutait pas.

— Mais vous ne pouvez pas… faire ça ! résonna la voix de Zelda avec un léger tremblement.

Abakoum s'approcha avec lenteur et répliqua d'une voix froide :

— Pourquoi ne le pourrions-nous pas ? Pourquoi… Orthon ?

56

Le néant de glace

Tous les Sauve-Qui-Peut virent clairement le corps de Zelda tressaillir. Les prunelles sombres s'élargirent, puis les yeux se rétrécirent comme ceux d'un félin prêt à bondir. Debout, à quelques pas, Abakoum attendait avec une détermination qui semblait pouvoir résister à toute épreuve, même à celle qui ne tarda pas à se déchaîner au milieu de la pièce. Une véritable tempête se leva en faisant tout voltiger sur son passage. Les stores claquèrent contre les fenêtres, menaçant de les briser, alors que les objets et les tableaux se fracassaient sur le sol. Dans la cheminée, le feu décupla de vigueur au risque d'enflammer le tapis. Mais malgré cette démonstration de force, les Sauve-Qui-Peut ne semblaient pas impressionnés. Ou alors ils le cachaient bien… Tous se tenaient droits et immobiles, sur le qui-vive. Seuls Pierre et Pavel avaient réagi : le Viking pour pousser Gus et Merlin derrière un canapé, à l'abri des nombreux éclats qui volaient dans tous les sens, et Pavel pour protéger Oksa en faisant de son corps un bouclier. Au milieu de cette agitation, Zelda – qui n'avait plus rien de la collégienne innocente – s'était dressée et grondait d'une voix grave des paroles incompréhensibles. Au cœur du tumulte, des éclairs jaillirent soudain de la main de la jeune fille. La paume grande ouverte, l'Homme-Fé lui renvoya la foudre bleutée qui crépitait. Oksa poussa un cri :

— Attention à Zelda !

L'avertissement arriva une seconde trop tard : l'éclair frappa de plein fouet le torse de Zelda. Aussitôt, la tempête cessa alors que le corps de la jeune fille s'effondrait par terre, inanimé. Oksa se dégagea de la protection de son père et se précipita.

— Non, Oksa ! hurla Abakoum. Ce n'est pas fini !

Oksa eut juste le temps de bondir en arrière pour éviter l'étrange nuage qui s'échappait de la bouche de son amie. D'abord informe, la masse rassembla toutes les particules qui la composaient pour prendre la forme d'une silhouette humaine aux contours et aux traits aussi indistincts que ceux des personnages floutés à la télévision. La silhouette pixellisée s'approcha d'Oksa, muette d'horreur. Pavel et Abakoum s'étaient élancés, Crache-Granoks à la main, soufflant sans interruption toutes les Granoks offensives qu'ils avaient en leur possession. Mais toutes ricochaient contre ce qui ressemblait à une barrière immatérielle protégeant le cœur de la silhouette. C'est alors que Tugdual se jeta entre Oksa et la forme. Brune poussa un cri strident. La silhouette interrompit sa progression, puis se rapprocha dangereusement du jeune homme. Tugdual resta de glace, prêt à l'affronter.

— Tu veux te joindre à moi, peut-être ? retentit la voix caverneuse d'Orthon McGraw.

— Non merci… lui répondit Tugdual avec dédain.

— Tu ferais pourtant une excellente recrue, reprit le Félon. Il est encore temps, tu sais ? Mon offre ne sera pas éternelle…

— J'ai dit « non merci » !

— Quel gâchis… Mais ne viens pas me supplier quand tu t'apercevras que tu as fait le mauvais choix. Je t'écraserai comme le valet arrogant que tu es !

Ces mots à peine lancés, une onde noire comme de la suie s'échappa de la silhouette et frappa Tugdual, le projetant vers le plafond où il se fracassa. Il resta suspendu quelques secondes, maintenu par la fumée noire qui semblait le faire atrocement souffrir, puis il retomba avec un cri de douleur. La forme se dirigea vers Oksa qui tendit la main en avant pour l'empêcher d'approcher. En vain… Le contact fut vite établi et une affreuse sensation l'envahit, comme si son corps était soumis à une glaciation fulgurante. Elle sentit une grande agitation autour d'elle. Les cris d'affolement de son père et de Dragomira lui parvinrent, distincts puis plus confus dans la glace mordante qui l'enveloppait. Puis tout s'effaça.

Elle essaya d'ouvrir les yeux. Aussitôt, une sévère douleur la dissuada de continuer. Elle insista en tentant, cette fois-ci, de parler.

— Papa…

Le mot avait-il franchi la barrière de ses lèvres ? Impossible de le savoir. Elle n'entendait rien, ne voyait rien, ne sentait rien. Était-elle morte ? Non ! Pas maintenant ! Pas déjà !

Les Sauve-Qui-Peut entouraient les deux jeunes filles inertes. Pavel semblait ravagé par le désespoir. Accroupi, la tête de sa fille posée sur ses cuisses, il fixait Dragomira, prêt à exploser.

— Si elle est morte, je te tue… lança-t-il avec rage.

— Tu n'auras pas besoin de le faire… le prévint la vieille dame dévastée par le chagrin.

Abakoum saisit le pouls d'Oksa. Le regard perdu dans le vide, il attendit quelques secondes. Une ombre obscurcit son visage et ses épaules s'affaissèrent, provoquant un gémissement atroce chez Pavel. Il se pencha pour plaquer son oreille contre le thorax de la jeune fille.

— Elle est vivante !

Pavel poussa un nouveau gémissement, presque animal.

— Mais il faut agir vite ! Dragomira, as-tu encore de l'Élixir d'Abyssimus ?

Hébétée, Dragomira regarda son Veilleur et son visage s'éclaira. Elle fit volte-face et fonça vers l'escalier qui menait à son appartement.

— Je refuse que cette femme s'approche de ma fille ! éclata Pavel, paniqué. Elle nous a fait assez de mal comme ça !

Les Sauve-Qui-Peut frémirent sous la violence du ton alors que Dragomira s'arrêtait net au pied de l'escalier. Tous entendirent le lourd sanglot qui explosa dans sa poitrine, déchirant l'air pesant.

— Cette femme est ta mère, Pavel, répliqua Abakoum avec douceur mais fermeté. Et dis-toi bien que si elle n'avait pas été là, les choses seraient bien pires qu'elles ne le sont.

— Ah oui ? répondit Pavel avec hargne. Marie kidnappée, Léomido et la Foldingote tués, ma fille et son amie dans un état critique, sans oublier nous tous à la merci de forces qui nous dépassent, tu trouves que ce n'est pas assez ?

— Arrête maintenant ! cria l'Homme-Fé en surprenant tout le monde. Arrête et bats-toi ! Si tu sais ce que cela veut dire…

Pavel était sous le choc. Les mots venaient de lui cingler le cœur avec la force d'un coup de fouet. Les lèvres pincées, il dévisagea Abakoum douleureusement.

— Ta mère n'est pour rien dans le cataclysme qui s'abat sur nous et tu le sais ! continua le vieil homme. La grande différence entre elle et toi, c'est qu'elle ne capitulera jamais, même si la tentation peut parfois être grande. Ta mère n'est pas parfaite, mais elle est une combattante, doublée d'une redoutable résistante. Alors, je te prie de la respecter, Pavel. En l'offensant, tu nous offenses tous. À commencer par ta fille.

Pavel soutint son regard quelques instants puis, n'y tenant plus, baissa la tête alors que les larmes glissaient sur ses joues. Abakoum posa la main sur son épaule en signe de réconfort : la peine de Pavel était immense, tous souffraient avec lui. Et la solidarité restait leur plus grand atout.

Dragomira ne tarda pas à redescendre de son atelier strictement-personnel, un flacon de cristal à la main. Elle s'agenouilla à côté de Pavel pour être au plus près d'Oksa et fit sauter le scellé de cire du flacon, d'où s'échappa une forte odeur de marécage.

— Tu es sûre que ça ne va pas l'empoisonner ? grogna Pavel avec scepticisme.

Pour toute réponse, Dragomira lui décocha un regard qui se voulait noir mais dans lequel brillaient tout l'amour et le chagrin qu'elle ressentait.

— L'Élixir d'Abyssimus sait ramener les esprits purs des abîmes d'où ils n'ont pas la force de se détacher, précisa Abakoum.

— Mon fils, veux-tu bien entrouvrir la bouche d'Oksa ?

Pavel s'exécuta, secoué que Dragomira l'ait appelé « mon fils ». L'apothicaire-magicienne versa une goutte du liquide mordoré, attendit quelques secondes avant de recommencer et redressa la tête de la jeune fille. L'élixir sembla se propager dans les moindres extrémités de son corps figé, le réchauffant, le ranimant, le faisant palpiter d'un souffle nouveau. La Jeune Gracieuse se mit à cracher. Comme si elle venait d'être sauvée de la noyade, des quantités incroyables d'eau jaillirent hors d'elle, libérant ses poumons et relançant son cœur. Quand la quinte cessa, elle regarda autour d'elle, haletante et muette, la gorge meurtrie.

— Ma fille ! s'exclama Pavel en la serrant contre lui.

Il ferma les yeux aussi fort qu'il le put pour stopper les larmes qui montaient à nouveau. Et quand il les rouvrit, ce fut pour adresser un remerciement silencieux à Dragomira qui lui sourit d'un air ému mais entendu.

— Où est-il ? fit Oksa en jetant un regard affolé autour d'elle.

— Orthon n'est plus là, ne t'inquiète pas... lui murmura son père.

— Je suis gelée... ânonna la jeune fille en claquant des dents.

Pavel la recouvrit d'un grand plaid en mohair et la serra encore davantage contre lui.

— Tu cherches à m'étouffer ? hoqueta-t-elle en grimaçant. Tu imagines les gros titres ? « Elle échappe miraculeusement à la mort pour finir asphyxiée par son père ! »

Pavel ne put empêcher un petit rire. Sa fille allait mieux, aucun doute ! Il la regarda avec tendresse et elle lui rendit son regard. La tête lui tournait un peu, surtout si elle songeait qu'elle venait en effet d'éviter la mort de près. Quand la silhouette étrange l'avait frôlée – seulement frôlée ! –, elle s'était sentie engloutie par un néant de glace. Une horreur... Elle frissonna. Maintenant, tout allait bien, ou presque. Ses yeux se portèrent sur Zelda qui gisait de tout son long sur un canapé.

57

Des explications saisissantes

— Bien ! Nous allons nous occuper de cette jeune fille, maintenant, fit Dragomira en s'approchant du corps de Zelda toujours inanimé.

Sous l'effet de la puissante préparation, la jeune fille ne tarda pas à revenir à elle, au grand soulagement de tous. Elle se redressa, hagarde, et observa les visages qui l'entouraient.

— Qu'est-ce… qu'est-ce qui s'est passé ? Qu'est-ce que je fais là ?

— Tu as eu un léger malaise, ne t'inquiète pas, ma chère petite ! s'empressa de lui répondre Dragomira avec un sourire qu'elle espérait le plus rassurant possible. Tu vas boire ceci, c'est un mélange spécial qui te requinquera.

En même temps qu'elle lui tendait un bol fumant, elle sortit sa Crache-Granoks des plis de sa robe. Le visage de Zelda disparut derrière le récipient et Dragomira en profita pour lancer une Granok dans sa direction, la figeant comme une statue.

— BABA ! s'insurgea Oksa.

— Gom-Souvenance… murmura son père à son oreille en lui faisant signe de ne pas s'agiter.

Dragomira avait déjà utilisé ce stratagème, Oksa s'en souvenait. L'année passée, les policiers avaient « bénéficié » des effets combinés de la Gom-Souvenance et du Fourre-Pensée. Ce pouvoir de persuasion, réservé aux Gracieuses, était fabuleux, Oksa allait l'adorer quand elle le maîtriserait ! En attendant, elle ne pouvait qu'admirer le talent de sa grand-mère. La vieille dame ferma les yeux pour se concentrer et, quelques secondes plus tard, une légère bande de fumée bleue pénétrait dans l'oreille droite de Zelda pour ressortir peu après par la gauche. Crache-Granoks à la main, Dragomira articula :

Par le pouvoir des Granoks
Déchire ta coque
Poussières de mémoire gommées
Souviens-toi des mots que je t'ai donnés

Puis elle murmura quelques paroles tout près de son oreille. Zelda émergea enfin, l'air serein.

— Waouh ! Je ne sais pas ce que vous avez mis dans cette boisson, s'exclama-t-elle en désignant le grand bol qu'elle venait de terminer, mais je me sens… en pleine forme !

— Voilà une excellente nouvelle ! se réjouit Dragomira. Ma chère petite, il se fait tard. Je propose que Tugdual te ramène chez toi, tes parents vont s'inquiéter…

Tugdual s'approcha, un sourire aux lèvres, amusé par les acrobaties verbales de Dragomira. En le voyant, Zelda frémit et jeta un regard interrogateur à Oksa.

— Un ami de la famille… précisa cette dernière.

— On peut dire ça comme ça… dit-il avec ironie en faisant crisser son piercing à la langue contre ses dents.

Tout le monde salua Zelda et la regarda partir avec soulagement.

— N'est-ce pas un peu imprudent de le lâcher ainsi, sans surveillance, après ce qui vient de se passer ? demanda Pierre, les sourcils froncés.

Les Sauve-Qui-Peut se tenaient sur le pas de la porte et regardaient Tugdual s'éloigner, Zelda à ses côtés.

— Tu as peur qu'il ne cède à la tentation d'accepter la proposition d'Orthon ? fit Naftali, l'air aussi soucieux que son ami.

— Je ne veux pas insinuer ce genre de choses…

— … mais tu penses que mon petit-fils est un être instable que de telles sirènes peuvent séduire sans problème… continua Naftali avec tristesse. Il est certes différent de la plupart d'entre nous, mais tu oublies les preuves de loyauté qu'il a apportées dans le tableau !

Pierre baissa la tête, gêné.

— Excuse-moi, Naftali.

— Ne vous déchirez pas, intervint Abakoum. Il est normal de douter quand on ne connaît pas Tugdual comme Naftali et moi pouvons le connaître. La proposition d'Orthon n'aura pas manqué de le troubler, c'est certain. Mais j'ai confiance en ce garçon. Néanmoins, je veux bien prouver à ceux qui en doutent encore que cette confiance n'est pas imméritée...

Et l'Homme-Fé prit aussitôt la forme d'une ombre d'un noir velouté et s'élança en direction du square, à la suite du sombre jeune homme.

— Est-ce que vous allez aussi m'effacer la mémoire ? résonna la voix tremblante de Merlin dès que tout le monde eut rejoint le salon.

Dragomira se retourna, soucieuse.

— Que préfères-tu, mon garçon ? lui demanda-t-elle.

— Euh... je ne sais pas... bredouilla-t-il. Comme... comme vous voulez... ajouta-t-il en fermant les yeux et en écartant les bras d'un air résigné.

La Baba Pollock éclata de rire, suivie bientôt par tous les Sauve-Qui-Peut.

— Je ne crois pas que ce soit nécessaire ! Tu nous as amplement prouvé que nous pouvions te faire confiance ! Je dirais même plus : tu es un allié précieux pour nous tous. Nous n'avons donc aucune raison de recourir à cette... précaution.

Merlin soupira de soulagement et lui adressa un large sourire.

— Bon... maintenant qu'on est entre nous, est-ce que quelqu'un pourrait nous expliquer ce qui s'est passé ? risqua Gus d'une toute petite voix.

En vérité, personne ne s'était soucié des deux garçons, sauf pour les protéger du déchaînement de violence. En entendant la voix de leur fils, Pierre et Jeanne sursautèrent et les Sauve-Qui-Peut s'entreregardèrent : avertis par la Devinaille, ils savaient tous ce qui se passait avant même que Zelda ne mette les pieds à Bigtoe Square. Tous sauf Gus et Merlin, les deux « Du-Dehors ». Quand les Sauve-Qui-Peut s'étaient placés en cercle autour de Zelda et que la joute verbale avait commencé, ils étaient restés sidérés par le ton de la discussion. Jusque-là, tout allait encore bien. C'est quand l'ouragan de rage s'était déclenché dans le salon que la situation était devenue incompréhensible. Sans parler de l'étrange nuage qui était sorti du corps de Zelda... L'apothéose de l'incrédulité...

— Si quelqu'un daignait m'expliquer comment le professeur McGraw peut habiter le corps de Zelda... bafouilla Merlin.

Tout le monde les fixait, mais personne ne parlait, ce qui ne risquait pas de soulager la nervosité des deux garçons. Contre toute attente, c'est Zoé qui leur répondit.

— Tu vas pourtant devoir le croire, dit-elle sans bouger du coin où elle se tenait assise, collée contre Réminiscens, les bras enroulés autour des genoux. Orthon, ou McGraw si tu préfères, habitait le corps de Zelda depuis plusieurs semaines, à mon avis depuis cet été.

Dragomira la dévisagea avec surprise.

— J'ai eu des doutes dès le jour de la rentrée, continua la jeune fille d'une voix hachée par l'émotion. Zelda avait beaucoup changé, elle était sûre d'elle, sarcastique et très adroite, tout le contraire de ce qu'elle était la dernière fois que nous l'avions vue. Elle me mettait mal à l'aise et, plusieurs fois, j'ai reconnu des expressions qui m'étaient familières dans son regard et sur son visage.

— Pourquoi n'as-tu rien dit ? demanda Dragomira en prenant garde à n'insinuer aucun reproche.

Zoé se tassa contre le mur.

— C'était trop énorme pour être… possible. J'ai cru que j'avais des hallucinations. Vous auriez pensé que j'étais dérangée. Et je ne voulais pas que vous vous fassiez du souci pour moi.

Dragomira vint s'agenouiller près d'elle pour la prendre dans ses bras.

— Ma pauvre petite… murmura-t-elle à son oreille. Excuse-moi d'avoir été si négligente avec toi…

— Il… il est toujours là ? bredouilla Oksa d'une voix rauque.

— Non, la rassura Pavel. Dès qu'il est entré en contact avec toi, les particules ont volé dans tous les sens. Une nouvelle masse s'est reformée, puis une silhouette indistincte mais tout de même reconnaissable. C'était bien Orthon. Nous avons essayé de l'arrêter, mais il a foncé droit sur le mur et l'a traversé pour disparaître.

— C'est dingue… fit Oksa. Mais… pourquoi Zelda ?

— Tu as vu le résultat du contact que vous avez eu, Orthon et toi, fit Pavel. Orthon ne le soupçonnait sans doute pas, mais il a failli vous tuer tous les deux en s'approchant de toi. Zelda représentait une hôte facile, inoffensive et docile. C'est triste, mais c'est ainsi. Et, détail important : elle fait partie du cercle de tes amis. Je pense que Zoé a raison : il a dû prendre le contrôle de son corps cet été pour se rapprocher de Merlin et surtout du tableau. Car je ne doute pas qu'il connaissait l'implication de notre jeune ami… Il n'a pas mis la main sur le tableau, mais, en restant proche de Merlin, il garantissait sa place aux premières loges lorsque le Désentableautement aurait lieu.

— Mais oui, bien sûr ! s'exclama Merlin. Voilà pourquoi Zelda était si entreprenante avec moi depuis la rentrée ! Mais j'étais concentré sur Hilda Richard qui était bizarre, elle aussi… J'aurais dû me douter que c'était louche… Et moi qui pensais que c'était grâce à mon charme irrésistible ! ajouta le garçon en faisant la moue.

— Sauf que pour Hilda, c'est du cent pour cent authentique ! s'esclaffa Gus. Veinard !

Merlin grimaça et brandit son poing en riant.

— Pauvre Zelda… reprit-il. Est-ce que ça veut dire qu'elle va redevenir mauvaise en maths ?

— Le Fourre-Pensée sait être sélectif en n'effaçant que ce qui est nécessaire… lui répondit Dragomira avec un sourire mystérieux.

— Hum… je vois… répliqua Merlin en lui rendant son sourire. Mais j'y pense, j'ai été réveillé par une très étrange sensation cet été, comme si quelqu'un se trouvait dans ma chambre… J'ai eu subitement froid et j'ai allumé la lampe : il n'y avait personne, mais la sensation a subsisté un moment.

— Je suis sûre que c'était Orthon ! s'écria Oksa.

— Moi aussi, j'ai ressenti la même chose que toi… vibra la voix tremblante de Zoé.

Les regards se tournèrent vers elle, la mettant encore plus mal à l'aise. Elle exposa en frissonnant ce qui s'était passé.

— Tu veux dire qu'Orthon a essayé d'habiter ton corps et celui de Merlin avant de « trouver abri » dans celui de Zelda ? reformula Oksa.

— C'est ce que je pense… murmura Zoé en pâlissant.

— C'est tout à fait concevable, ajouta Abakoum, de retour de sa « promenade ».

— Mais pourquoi a-t-il renoncé ? continua Oksa.

— Peut-être n'a-t-il pas pu aller jusqu'au bout… Pour des raisons affectives, ce qui m'étonnerait fort car Orthon n'est pas un homme de sentiments. Ou pour des raisons physiologiques, ce qui paraît plus vraisemblable. N'oublions pas que Zoé est une Murmou : il est possible que son ADN manque de stabilité pour accueillir un être départicularisé comme l'était Orthon à ce moment. En revanche, concernant Merlin, je me demande bien ce qui aurait pu l'empêcher... Tu étais la cible idéale, mon garçon.

Merlin fronça les sourcils, concentré sur les paroles de l'Homme-Fé.

— Vous parliez d'ADN non stable... Je ne sais pas si ça peut compter, mais mon sang a des problèmes de coagulation. Je suis hémophile.

Abakoum opina de la tête.

— Eh bien, voilà qui explique tout ! La boucle est bouclée. On peut dire qu'Orthon aura tout tenté ! En tout cas, bravo Oksa pour ton coup de bluff sur notre retour sous-entendu à Édéfia. Orthon a été désarçonné. Tu l'as fait douter et c'est une très bonne chose.

— Oui... Mais on n'a pas eu beaucoup d'informations sur Maman...

— Et qu'est-ce qui nous prouve que cette ordure ne va pas recommencer et prendre à nouveau possession de l'un de nous ? grogna Pavel entre ses dents.

— Il sait que nous sommes sur le qui-vive... répondit Dragomira.

— On voit le résultat ! Magnifique !

— Merci de tes encouragements et de ton optimisme, murmura la vieille dame blessée.

— Excuse-moi de ne pas sauter de joie, ma très chère mère, continua Pavel en appuyant sur les quatre derniers mots. Je suis juste un peu affecté par les pertes que nous avons subies...

Sur ces mots, Pavel quitta la pièce, le regard orageux, et monta à l'étage. Une porte claqua, plongeant tous les Sauve-Qui-Peut dans un silence meurtri.

58

Comme mille petites bulles de chaleur

Allongée sur son lit, les bras derrière la tête, Oksa passait en revue les incroyables événements des dernières heures quand trois petits coups frappés à sa porte résonnèrent.

— Oui ? marmonna-t-elle sans bouger d'un millimètre, perdue dans ses pensées.

— Je peux entrer ?

En entendant la voix de Tugdual, elle se redressa.

— Euh… oui…

Le garçon ne prit pas la peine d'ouvrir la porte : il la traversa purement et simplement et débarqua dans la chambre.

— Spectaculaire entrée… lui fit-elle remarquer en s'asseyant sur le rebord de sa fenêtre. Tugdual se laissa tomber contre le mur et la fixa de ce regard d'acier qui continuait de la dérouter. Elle se détourna, sentant le trouble entamer son travail à travers son corps et son esprit.

— Content que ça te plaise ! renchérit Tugdual. Je n'y arrive pas chaque fois, mais avec un minimum de conviction, on parvient souvent à ses fins.

Oksa soupira, exaspérée par les sous-entendus du garçon. Et surtout par l'effet qu'ils produisaient sur elle…

— Comment tu vas, P'tite Gracieuse ?

— Je survis… lâcha-t-elle.

— C'était une drôle de rentrée !

— Ooooffff, tu sais, je suis spécialiste des rentrées un peu violentes… lâcha-t-elle en se souvenant de l'année précédente où la première rencontre avec McGraw en avait fait un jour maudit.

— En tout cas, t'as assuré, bravo !

— Oui… sauf que j'ai bien cru mourir quand McGraw m'a touchée ! grimaça-t-elle.

Le regard de Tugdual se fit plus insistant.

— Qu'est-ce que tu as ressenti ? lança-t-il en quittant le mur contre lequel il était assis pour se poster debout devant elle, à quelques centimètres.

Oksa déglutit en manquant de s'étouffer. Elle ferma les yeux pour tenter de recouvrer ses esprits. Mais pourquoi fallait-il qu'elle se sente si bête quand Tugdual lui parlait ? Quelle absurde fatalité s'acharnait sur elle ?

— J'avais l'impression d'être morte, fit-elle en se maudissant.

— Tu ne veux pas développer ?

Elle inspira avec autant de calme qu'elle le put et se força à le regarder sans tressaillir.

— Tout ce qui touche à la mort te fascine, hein ? se surprit-elle à demander.

Tugdual la regarda avec gravité pendant un long moment, la tête inclinée. Puis ses yeux s'illuminèrent à nouveau d'un éclat froid et vibrant.

— Oui ! reconnut-il avec vigueur. Toutes les formes de pouvoir me fascinent et la mort en est une.

— Comment ça ?

— Le pouvoir de vie ou de mort est le plus fort de tous, non ?

Oksa réfléchit un instant, désormais concentrée sur cette discussion.

— Oui, tu as raison… admit-elle.

— C'est à ça que vous avez joué, Orthon et toi, ni plus ni moins.

— Joué ? C'est vite dit !

— Tout ça est un jeu, P'tite Gracieuse. La vie est une roulette russe, une loterie, un jeu de pile ou face. Et le grand manitou, celui qui sait, c'est le Destin. Il glisse des armes entre les mains des hommes et tire les ficelles, mais c'est lui qui décide comment tout ça va finir. Sauf que nous autres, nous ne sommes pas des pantins ordinaires.

— Pourquoi ? rebondit Oksa.

— Tout simplement parce que nous détenons un pouvoir de vie et de mort supérieur à n'importe qui sur cette planète. Et toi, P'tite Gracieuse, c'est encore plus fort !

— Super, merci… Je suis ravie… grimaça-t-elle.

— C'est encore plus fort parce que l'avenir du Monde dépend de toi.

— C'est là que les choses commencent à m'échapper…

— Tu ne tarderas pas à comprendre les enjeux et la distribution des rôles, lui dit Tugdual, toujours plus mystérieux. Mais tu n'as pas répondu à ma question ! Qu'est-ce que tu as ressenti quand Orthon est entré en contact avec toi ?

— Tu ne lâches pas l'affaire !

— Je ne lâche jamais…

Oksa se mordit la lèvre. Elle venait encore une fois de tendre une perche à Tugdual qui, bien sûr, s'était empressé de la saisir. Non sans lui adresser un des sourires irrésistibles dont il avait le secret…

— Alors ?

— Alors, c'était une expérience très très flippante, si tu veux tout savoir. Dès que mes doigts ont touché Orthon, j'ai eu l'impression de tomber dans un lac gelé. Enfin… je ne suis jamais tombée dans un lac gelé, mais je suppose que c'est tout à fait le genre de sensation qu'on doit éprouver : la glace t'enveloppe, tu te paralyses et tu ne sens plus rien, plus de douleur, de tristesse ni de peur.

— Aucune peur ?

— Non, c'était bizarre. Je savais que je devais avoir peur, mais rien ! Comme si j'étais transformée en statue ou en robot. C'est maintenant que tout ça me fait angoisser…

Elle s'interrompit, la gorge serrée.

— Ça et tout le reste… réussit-elle à dire en s'étranglant.

Puis, détournant la tête, elle ferma les yeux pour endiguer un nouvel assaut de larmes amères. Quand Tugdual promena un index délicat le long de sa joue, elle ne le repoussa pas. L'effleurement, doux et simple, lui apportait un réconfort sans nom.

— N'oublie jamais que tu es la plus forte d'entre nous… murmura le jeune homme à son oreille.

Dans le cœur d'Oksa se mélangeaient la peine et l'émotion, l'effroi et l'exaltation. Elle pensait à Léomido, à sa mère, au destin des Sauve-Qui-Peut, et son esprit plongeait dans des ténèbres glacées. Et puis elle sentait la caresse de Tugdual qui faisait exploser en elle mille petites bulles de chaleur. Étrangement, les deux pensées, les deux sensations ne s'opposaient pas, loin de là : elles se nourrissaient l'une de l'autre. Ce qui donnait un résultat tout à fait singulier, perturbant et envoûtant. Les yeux toujours clos, Oksa prit la main de Tugdual dans la sienne et enlaça ses doigts aux siens.

— P'tite Gracieuse… souffla Tugdual en posant sa joue contre la sienne.

De son autre main, il l'invita à poser sa tête sur son épaule et caressa ses cheveux. Un sanglot explosa dans la gorge d'Oksa, assourdi par le creux de l'épaule de Tugdual dans lequel elle avait enfoui son visage. Elle se blottit contre lui, tremblante mais fascinée. Tugdual resserra son étreinte en enveloppant la jeune fille de ses bras et plongea son visage dans ses cheveux emmêlés.

— Oksa ! Il faut que tu viennes voir ça tout de suite, ma vieille ! Aaahhhh ! Pardon…

Gus resta bouche bée en voyant Oksa dans les bras de Tugdual. La main sur la poignée de la porte, il resta là, paralysé de surprise.

— Ça ne t'arrive jamais de frapper avant d'entrer ? hurla Oksa, écarlate.

— Excusez… excusez-moi… bredouilla-t-il, les lèvres tremblantes. Je suis désolé.

— Va-t'en !

Le cri d'Oksa transperça le cœur de Gus aussi douloureusement que l'aurait fait la lame d'un couteau. Une souffrance brûlante l'envahit et se répandit comme un poison, troublant sa vue. Stupéfaite par la violence de sa propre réaction, la jeune fille écarquilla les yeux et fixa son ami à qui elle venait d'infliger une blessure si injuste. Frissonnant de colère et de honte, elle voulut se dégager de l'étreinte de Tugdual. Mais, au lieu de céder, le jeune homme l'enlaça plus fermement, anéantissant ses dernières forces. Alors, dans un gémissement rageur, elle enfonça son visage dans le cou de Tugdual comme si elle voulait disparaître. Elle entendit la porte de sa chambre claquer et les pas de Gus s'évanouir dans le couloir.

— Mais qu'est-ce que j'ai fait ? murmura-t-elle.

Pour toute réponse, Tugdual lui releva la tête en la saisissant entre ses deux mains. Un étrange sourire éclairait son visage, comme si tout cela l'amusait, et Oksa se sentit perdue. Elle ferma les yeux. Son attente fut brève : quelques secondes plus tard, les lèvres de Tugdual se posaient sur les siennes, la plongeant dans un désarroi sans nom.

59

Menace sur le Cœur du Monde

Immobile sur le palier du premier étage, Oksa écoutait les voix qui lui parvenaient depuis le salon. Une seule l'aurait empêchée de descendre : celle de Gus. Oksa se mordit la lèvre, consternée d'avoir été aussi brutale. Mais elle avait eu tellement envie d'être seule avec Tugdual... D'accord, ce n'était pas une raison pour parler à Gus comme ça. Elle allait s'excuser. Gus comprendrait. Avant cela, il fallait qu'elle arrête de se sentir si honteuse. Elle n'avait rien fait de mal.

S'armant de courage, elle descendit les escaliers et entra dans le salon où personne ne remarqua son arrivée : tous les yeux étaient braqués sur la télé où défilaient des images apocalyptiques. Le commentateur expliquait d'une voix sourde que l'orage avait frappé avec une force inouïe le sud de la France. Les impacts de foudre avaient été si nombreux que les appareils de mesure avaient explosé. La Côte d'Azur était méconnaissable, dévastée, et les morts se comptaient par centaines. Quant aux dommages, il faudrait des années pour en effacer les traces. Sans faire de bruit, Oksa s'approcha, éberluée par ce qu'elle voyait sur l'écran. Aussitôt, Pavel tourna la tête et la regarda, imité par tous ceux qui se trouvaient là : Dragomira, Abakoum, Réminiscens, Zoé, les Knut, les Bellanger... Tous sauf Gus, qui gardait les yeux farouchement fixés sur l'écran. Le regard d'Oksa alterna entre l'écran et les yeux des Sauve-Qui-Peut dans lesquels elle n'arrivait pas à déceler quoi que ce soit. Mais pourquoi la regardaient-ils tous comme ça ?

— Hé ! s'exclama-t-elle dans un geste d'impuissance. Je n'y suis pour rien !

— Encore heureux... grommela Gus.

— Qu'est-ce qui s'est passé ? continua Oksa, hésitante.

Abakoum se leva et coupa la télé. Un silence de plomb s'abattit sur la pièce.

— Tout s'accélère… fit-il gravement.

— Qu'est-ce que tu veux dire ? demanda Oksa.

Abakoum se laissa tomber dans un fauteuil et caressa sa courte barbe d'un air tourmenté.

— Voilà plusieurs décennies que les Du-Dehors ne prennent pas soin de cette terre qui est pourtant leur bien le plus précieux, reprit-il. Les dégradations sont graves, mais pas irrémédiables. Cependant, les dérèglements qui surviennent depuis quelques mois ont des causes plus profondes que l'irresponsabilité des hommes. Tous ces volcans, ces tempêtes, ces tremblements de terre…

Le vieil homme fronça les sourcils avec inquiétude.

— Abakoum ? s'impatienta Oksa.

— Le désordre vient de l'intérieur, ma chère petite.

— Je ne comprends pas… avoua Oksa après quelques secondes de perplexité.

— Le désordre vient du Cœur du Monde, laissa tomber Abakoum avec tristesse.

— Le Cœur du Monde ?

— Le Cœur du Monde… c'est notre Monde, Oksa. Édéfia.

Les Sauve-Qui-Peut baissèrent les yeux tandis qu'Oksa sentait une onde glacée se répandre en elle. Les quelques mots énoncés par Abakoum apportaient la réponse à toutes les questions, à tous les doutes. Édéfia. Le Cœur du Monde. La dépendance suprême.

— Tout cela signifie qu'Édéfia va mal, expliqua Abakoum d'une voix abattue. Qui sait si elle n'est pas en train de mourir… Et tous ces cataclysmes sont les conséquences des convulsions de notre Terre Perdue. Foldingot, as-tu quelque chose à nous dire ?

Le Foldingot s'approcha avec un air de profond accablement. Il se planta devant Oksa et la regarda, ses gros yeux globuleux pleins d'émotion.

— Deux personnes ont la capacité de faire l'interruption du processus.

— Deux ?

— La Jeune et la Vieille Gracieuse devront pratiquer le mélange de leurs pouvoirs. Le désordre rencontrera l'arrêt si toutes deux pratiquent le respect des consignes.

— Quelles consignes ? fit Oksa sans cacher sa nervosité.

Le Foldingot la regarda.

— L'obéissance doit être absolue.

— Quelle obéissance ?

— Les Sans-Âge vont faire le don d'indications et nul n'aura le pouvoir de prendre la déviation. Édéfia et les Du-Dedans connaissent l'ultime attente : le Retour n'a jamais fait la rencontre d'une telle proximité.

— Le Retour...

— Le Retour, oui ma Jeune Gracieuse.

Oksa sentit sa respiration se bloquer. Quant au Foldingot, il se tourna avec lenteur et regagna la cuisine d'un pas triste.

Les adultes n'avaient pas tardé à rejoindre l'atelier-strictement-personnel de Dragomira pour une réunion au sommet, laissant les quatre adolescents sous le choc des révélations du Foldingot. Gus n'avait pas bougé d'un millimètre depuis l'arrivée d'Oksa dans le salon, ce qui n'avait fait qu'accentuer la gêne de la jeune fille. Le silence était complet, lourd, désagréable. Tugdual fut le premier à le briser, provoquant un frémissement général.

— Il va falloir préparer nos bagages, dit-il avec une ironie froide.

— Hilarant... marmonna Gus en se levant pour quitter le salon.

— Pas spécialement, rétorqua Tugdual avec un sourire qui contrastait avec son regard d'acier. Mais on peut le voir comme ça, pourquoi pas ? Après tout, l'enjeu ne peut pas être le même pour toi.

Gus s'arrêta net. Son visage se figea dans une expression de dégoût absolu. Mais avant même qu'il ait le temps de dire quoi que ce soit, Oksa réagit :

— Tu vas trop loin... fit-elle à Tugdual, scandalisée.

— Pourquoi ? riposta le jeune homme avec défi. Je ne dis rien d'absurde : notre ami Gus ne peut pas saisir toute la mesure de ce qui se prépare.

— Arrête... implora Oksa, les larmes aux yeux.

— Je n'ai pas besoin que tu prennes ma défense ! lui lança Gus avec violence. Va donc sauver le monde accrochée au cou de ton superhéros et oublie-moi, s'il te plaît !

Ces derniers mots frappèrent Oksa comme un coup de poing. Gus passa devant elle, raide et livide. Elle voulut le retenir, mais son courage s'évanouit quand elle croisa son regard : aucune expression de colère ou d'humiliation ne s'y reflétait. Non. Tout ce qu'elle y vit, ce fut l'intensité bouleversante d'une immense tristesse. De son côté, Gus fut sur le point de s'arrêter, mais le regard dévasté qu'Oksa lui envoya en retour ne fit que l'accabler davantage. Voilà tout ce qu'il suscitait chez elle : une pitié écœurante. Il s'engagea dans le hall d'entrée et donna un coup de pied rageur dans le mur, frustré de ne pouvoir sortir de la maison comme n'importe quel garçon ordinaire de quatorze ans. L'interdiction faite par les Sauve-Qui-Peut aux adolescents de se promener seuls dans les rues de Londres était contraignante mais justifiée, il le savait. Et pourtant, c'était plus qu'il ne pouvait supporter : il fallait qu'il quitte cette maison. Il ouvrit alors la porte d'entrée et, non sans l'avoir claquée, il disparut de Bigtoe Square.

60

Des vérités difficiles à entendre

— Ce garçon a vraiment un caractère de cochon... soupira Tugdual en s'affalant dans un fauteuil, une jambe sur l'accoudoir.

— Tu es content de toi ? lança Oksa, les poings serrés et le cœur gros.

Tugdual laissa échapper un rire. Oksa évita de le regarder, peu sûre d'elle : Tugdual lui plaisait autant qu'il l'horripilait. Que devait-elle faire ? Lui donner une claque bien méritée ? Alors que le souvenir de son baiser était si doux ? Comme c'était compliqué... Il était infernal, à la fois sensible et cruel, rassurant et redoutable. Et le pire de tout, c'est qu'elle se sentait enchaînée à lui, liée par un sentiment plus fort que tout. Plus fort que la profonde amitié qu'elle avait pour Gus − elle venait d'en avoir la preuve quelques minutes plus tôt.

— Tu sais ce qu'on dit... reprit Tugdual. Il n'y a que la vérité qui blesse.

— Facile... réussit à ânonner Oksa en haussant les épaules.

— T'es fâchée, P'tite Gracieuse ?

— Il y a de quoi, non ?

Avec la rapidité d'un serpent, Tugdual réussit à attraper son bras juste au moment où elle faisait volte-face pour quitter la pièce. Il se leva d'un bond pour lui faire face et, sans la lâcher, approcha son visage du sien.

— Non, il n'y a pas de quoi... souffla-t-il en frôlant ses lèvres.

Par pur réflexe, elle tenta de se dégager. Mais l'étreinte de Tugdual était ferme. Alors, l'incertitude fit place à une colère franche et massive : un Knock-Bong surgi des profondeurs de son cœur projeta Tugdual à l'autre bout de la pièce, faisant exploser au passage un vase et une lampe. Zoé, qui avait assisté à la scène, prostrée devant la cheminée, poussa un cri de surprise. Ses yeux fixèrent Oksa avec une acuité dérangeante. C'en fut trop pour la Jeune Gracieuse. L'esprit sens dessus dessous, elle tourna les talons et courut s'enfermer dans sa chambre.

Une dizaine de minutes plus tard, on frappait à sa porte, trois coups légers, presque inaudibles.

— Laisse-moi ! tonna-t-elle, persuadée de s'adresser à Tugdual.

— C'est moi, Oksa, résonna la voix de Zoé.

La poignée s'abaissa et la porte s'entrouvrit. La jeune fille entra aussi silencieusement qu'un chat. Ses cheveux couleur de miel ramenés sur la nuque, elle avait l'air si frêle… Elle s'approcha d'un pas incertain.

— Je suis paumée, Zoé… se lamenta Oksa en s'asseyant au pied de son lit, la tête entre les mains.

— Je sais… Nous le sommes tous un peu. C'est une période difficile.

Zoé parlait avec douceur, la voix triste et tremblante.

— C'est horrible… continua Oksa. Tout se mélange et j'ai l'impression de faire n'importe quoi ! On vient d'apprendre des choses fondamentales par rapport à Édéfia, le Monde est en train de s'écrouler, ma mère est aux mains des Félons et moi, je fais tout pour compliquer la situation ! Je suis indigne…

L'énervement la faisait frissonner.

— Indigne de Gus ? demanda Zoé en enfonçant le clou.

— Tu crois que je l'ai perdu ?

— Non. Tu ne peux pas le perdre. Il t'aime.

Oksa leva la tête et la regarda avec effarement.

— Pourquoi faut-il que tout ça arrive maintenant ? murmura-t-elle. Je suis désolée, Zoé… ajouta-t-elle en voyant la mine abattue de son amie.

Elle avait toujours soupçonné Zoé d'être amoureuse de Gus. Si c'était le cas, cette situation devait être insupportable pour la jeune fille et sa confidence d'autant plus douloureuse. Oksa admirait son courage et son sang-froid.

— Et toi ? Comment… comment tu vas ? demanda-t-elle, embarrassée.

— Pas très bien… répondit avec sobriété Zoé en baissant la tête.

Cet aveu ne fit qu'augmenter le sentiment de culpabilité d'Oksa.

— Si je pouvais te donner un conseil, je te dirais de faire très attention à Tugdual, reprit Zoé en ramenant la conversation sur Oksa.

— Il n'est pas ce qu'on croit ! s'insurgea Oksa en rougissant.

— Et s'il n'était pas ce que tu crois ?

— Il n'est pas un Félon...

— Personne n'a dit qu'il l'était. Mais il est plus vieux que toi... Il s'amuse ! Regarde ce qu'il te fait faire. Regarde juste comment tu agis depuis que vous vous êtes... rapprochés.

— Mais je n'ai pas changé ! Je suis toujours la même ! Tu dis ça parce que j'ai l'air moins attentionnée ? Je voudrais bien t'aider, mais je ne sais pas comment faire.

Oksa s'énervait.

— Le problème n'est pas là, Oksa, ne fais pas exprès de tout mélanger, lui répondit Zoé en baissant ses grands yeux bruns. En ce qui me concerne, personne n'y peut rien. Le temps, peut-être, me permettra de digérer tout ça. Pour le moment, laissez-moi tous tranquille, c'est tout ce que je demande.

— C'est atroce de dire ça... souffla Oksa, bouleversée.

Zoé se leva, le visage désormais fermé.

— Est-ce que tu te rends compte que Gus est parti seul de la maison, en dépit de toute interdiction, et que tu n'as rien fait pour le retenir ? Tu n'aurais jamais permis ça... avant...

Oksa blêmit : son amie avait raison.

— Ne te laisse pas aveugler, murmura Zoé en quittant la chambre.

Et elle referma la porte derrière elle, sans bruit, laissant la Jeune Gracieuse en plein tumulte.

61

Le choix du sang ou le choix du cœur ?

Ccs fameuses interdictions, Zoé les connaissait bien. Sa grand-mère Réminiscens les lui rappelait plusieurs fois par jour… Et pourtant, ce n'était pas la première fois qu'elle les enfreignait. À deux reprises déjà, elle avait fait le mur – en ce qui la concernait, cela équivalait à le traverser. Carrément… Après cette discussion pénible avec Oksa, elle se dirigea vers le débarras attenant à la cuisine qui donnait sur une discrète cour à l'arrière de la maison et elle s'enfonça à travers les briques rouges sans avoir à fournir le moindre effort. Dehors, la nuit était presque tombée et la lumière du ciel oscillait entre un gris bleuté et un noir de cendre. Zoé prit une longue et profonde inspiration pour ralentir les battements de son cœur qui cognait dans sa poitrine. Elle pensa à Gus et son cœur, loin de se calmer, se plomba. À quoi bon s'acharner maintenant… Gus ne lui était pas et ne lui serait jamais destiné, elle le savait. Au mieux resterait-elle sa confidente comme elle venait de l'être ces derniers jours. Le garçon s'était d'abord livré avec retenue, lâchant des bribes maladroites de ses tourments. Puis les choses étaient devenues plus faciles, plus naturelles. La simple camarade qu'elle représentait aux yeux du garçon était désormais une complice privilégiée. C'est à partir de là que tout avait changé : plus ils avaient appris à se connaître, plus l'espoir s'était évanoui. Et la déception avait passé le relais à une souffrance pesante. Une de plus. Elle regarda à nouveau le ciel. Le visage de Gus lui revint en mémoire. Elle l'imaginait chez lui, dans sa chambre, triste, sombre. Et pourtant, c'est dans la direction inverse qu'elle se tourna. Vers Hyde Park, où l'attendait celui sur lequel reposait désormais son destin.

Le parc n'était pas bien éclairé et les ombres des arbres démesurées. Pourtant Zoé n'avait pas peur. Depuis plusieurs mois, plus rien ne pouvait l'effrayer, car tout ce qu'elle avait eu à craindre dans la vie était déjà arrivé : perdre ceux qu'elle aimait avait été ce qu'elle redoutait le plus. Tout en marchant dans la nuit, elle gémit au souvenir de ses parents. Son cœur s'était comme déchiré en mille morceaux quand elle avait compris qu'elle ne les reverrait plus jamais. Le jour de l'enterrement, elle s'était avancée, droite comme un I dans l'église, anesthésiée par sa douleur, et tout s'était passé comme si elle n'était pas concernée. Comme si tout ça ne pouvait pas être vrai. Elle allait se réveiller, ouvrir les yeux, entendre sa mère commenter les informations qui passaient à la radio et son père tenter en vain de la faire taire. Les voir sourire quand elle arriverait dans la cuisine. Elle allait se réveiller et rien n'aurait changé. Elle y avait cru si fort… Mais rien n'était jamais redevenu comme avant. Réminiscens avait disparu à son tour et la douleur s'était installée, mordante et incurable, la plongeant dans une forme de catalepsie permanente. Seule la rencontre avec Gus et Oksa avait créé quelques brèches dans sa carapace de souffrance. Comme elle les aimait… Tous les deux. À sa façon et surtout malgré les McGraw et leur haine obstinée. Puis les Pollock et les Sauve-Qui-Peut l'avaient accueillie, sans réserve. Elle avait découvert que le bonheur n'était pas inaccessible. Elle pouvait parfois l'effleurer du bout des doigts et de minuscules parenthèses de tendresse s'ouvraient, lui apportant un répit bienfaisant qui lui permettait tout simplement de survivre. Les Sauve-Qui-Peut… Grâce à eux, elle avait retrouvé sa grand-mère, extirpée des griffes du Fouille-Cœur. La revoir avait été l'expérience la plus étrange de sa vie. Et aussi la plus riche en enseignements : le pouvoir des origines est immense, mais au final c'est le cœur qui décide de quel côté se tourner et à qui accorder sa fidélité. Réminiscens, malgré sa filiation, vouait un attachement sans faille à ceux qui l'avaient sauvée, et pas seulement à cause du Désentableautement. C'était un attachement très profond qui prenait sa source dans l'âme : Réminiscens était une Sauve-Qui-Peut par conviction et rien ne pourrait la faire basculer du côté des Félons, là où son frère, si identique et si différent, se dressait comme un maître. Zoé l'avait compris dès les premières heures qui avaient suivi la terrible révélation des Sans-Âge. Alors qu'elle avait appréhendé de voir sa grand-mère faire le choix du sang, Réminiscens avait été claire, ce qui n'avait surpris personne. À aucun moment elle n'avait fléchi.

Les doutes que Zoé ressentait à propos d'elle-même n'avaient cependant pas été levés. Dans le secret de son cœur, la jeune fille se sentait ambiguë, comme partagée en deux. « Écartelée » était le terme exact. Et la divulgation de ses origines n'avait rien arrangé, bien au contraire. Des origines monstrueuses et fantastiques à la fois. Abakoum et Réminiscens avaient bien tenté de lui faire admettre qu'elle ne devait pas avoir honte de quelque chose dont elle n'était pas responsable, mais c'était plus fort qu'elle : elle devait son existence à l'union de Léomido et de Réminiscens. Tous les deux partageaient le même sang et le fait qu'ils l'igno-raient à l'époque n'enlevait rien à l'ignominie aux yeux de Zoé. D'ailleurs, Léomido ne s'y était pas trompé… Zoé savait pourtant combien son grand-père avait eu tort : rien n'aurait changé pour les Sauve-Qui-Peut. La révélation n'avait fait qu'attiser davan-tage leur volonté de lutter contre les Félons et contre Ocious. À aucun moment leur estime pour Léomido n'avait été affectée. Manquait-il à ce point de confiance en eux ? C'était ce que Zoé avait pensé. Mais aujourd'hui qu'elle-même connaissait les tour-ments de l'amour, elle comprenait. Le sentiment de honte, cette impuissance, l'impression dévastatrice d'avoir été un pantin au service de la félonie… Certains ne sont pas assez solides pour y faire face et c'était le cas de Léomido. Malgré les années, malgré la force, la mort valait mieux que les yeux de celle qu'il aimait quand elle apprendrait… Jusqu'au bout, il avait tenu, profitant avec pudeur de l'émotion des retrouvailles. Léomido et Réminis-cens avaient été les acteurs involontaires de leur propre tragédie, mais ce qu'éprouvait aujourd'hui Zoé allait au-delà : l'image qu'elle avait d'elle était celle d'un fruit arrivé à pleine maturité, plein de promesses, qui, quand on le croquait, se révélait pourri jusqu'au noyau, corrompu par des vers immondes. Une Mainferme-Murmou-Gracieuse qui n'avait pas de camp. Ou plutôt qui en avait deux.

Elle s'avança vers le bosquet sombre où flottaient de hautes herbes. C'était l'endroit le plus singulier et le moins domestiqué du parc, la nature y semblait plus libre que partout ailleurs. Le vent soufflait avec une force inhabituelle, comme si une tempête se préparait. Zoé pensa un instant au désordre du Monde. Au-dessus d'elle, le ciel était marbré, menaçant. Elle frissonna, puis continua de se frayer un chemin à travers la végétation agitée. Elle ajusta sa vue et plissa les yeux, scrutant le sous-bois. Enfin, elle l'aperçut, adossé contre un arbre. Ils s'approchèrent l'un vers l'autre et s'étreignirent avec émotion.

— J'avais peur que tu ne puisses pas venir… murmura le garçon.

— Rien n'aurait pu m'en empêcher, lança Zoé. Comme tu as changé… ajouta-t-elle en reculant d'un pas pour observer son petit-cousin.

En effet, Mortimer McGraw n'avait plus grand-chose en commun avec celui qu'Oksa appelait l'Ostrogoth : le garçon massif aux traits épais qu'elle avait connu affichait désormais une allure beaucoup plus athlétique qui évoquait davantage la puissance du jaguar que celle du rhinocéros. En l'espace de sept mois, il avait pris une bonne dizaine de centimètres, son corps avait perdu ses rondeurs et gagné en muscles. Quant à son visage, il s'était creusé et durci. La ressemblance avec son père était devenue évidente. C'est ce qui avait frappé Zoé quand elle l'avait revu, quatre jours plus tôt. Mortimer n'avait pas manqué d'audace ce jour-là… Zoé et sa classe faisaient une sortie au British Museum. Alors que la jeune fille s'attardait devant la momie de Cléopâtre, Mortimer s'était approché d'elle. Elle était restée bouche bée de se retrouver là, face à celui qui s'était toujours comporté comme un grand frère avec elle. Jusqu'à ce qu'il choisisse de l'abandonner… La surprise avait balayé l'incompréhension et la rancune des sept derniers mois. « Retrouve-moi à Hyde Park mardi soir, dans le bosquet à l'ouest de l'Albert Hall », avait-il murmuré avant de disparaître dans les couloirs du musée.

Les quatre jours d'attente avaient été interminables et chargés de doutes. Pourquoi Mortimer était-il revenu ? Voulait-il la ramener auprès des Félons ? Après tout, elle représentait une force non négligeable… Ou bien comptait-il lui faire jouer le rôle de l'espionne perdu par Mercedica ? Ce retour était-il motivé par l'intérêt ou l'affection ? Elle n'avait eu aucune nouvelle pendant ces sept longs mois. Aucune. Alors, pourquoi maintenant ? Et pourtant, malgré toutes ces questions, toutes ces incertitudes, c'est un sentiment très fort, mêlé d'intense espoir et de tristesse profonde, qui faisait vibrer son cœur à cet instant précis où Mortimer la regardait, dans la clarté glacée de la lune.

— Tu vas bien ? lui demanda le garçon en l'entraînant sous un gros chêne.

Zoé ne sut que répondre, pour la simple raison qu'elle n'allait ni bien ni mal.

— Et toi ? esquiva-t-elle.

— Bien ! Mon père… il n'est pas mort, tu sais…

— Oui, je sais. Et moi, j'ai retrouvé ma grand-mère.

Mortimer effleura sa joue du bout des doigts.

— Ils s'occupent bien de toi ?

— Les Pollock ? Oui, ils sont très gentils. Je fais partie de la famille maintenant.

— Tu t'entends bien avec Oksa ?

— C'est ma meilleure amie.

Zoé baissa les yeux, étonnée par sa spontanéité. Elle répondait sans réfléchir, ce qui apportait à ses propos une sincérité absolue. Oui, les Pollock s'occupaient bien d'elle. Oui, Oksa était sa meilleure amie. Malgré tout…

— Comment ça se passe sur l'île ? demanda à son tour Zoé.

Une ombre voila le regard de Mortimer.

— Tu es au courant ?

— Je crois qu'on sait autant de choses que vous en savez.

— On dirait…

Un nouveau silence s'installa. Entourés par le vent qui soufflait avec violence, les deux cousins se dévisageaient, un certain défi au fond des yeux.

— Pourquoi tu es venu ? lança Zoé. C'est ton père qui t'envoie ?

— Tu ne le sais peut-être pas, mais mon père t'aime comme sa fille.

Zoé eut un haut-le-cœur.

— Ton père n'aime personne, Mortimer, rétorqua-t-elle en tremblant. Il m'a utilisée comme il utilise tout le monde, c'est tout.

— Parce que tu crois que tes amis les Pollock ne t'utilisent pas, eux ?

— En tout cas, ils ne m'ont jamais obligée à empoisonner une innocente…

Le souvenir du savon venimeux qui avait causé la maladie de Marie Pollock était toujours vif dans l'esprit de Zoé. Son sentiment de culpabilité ne s'effaçait pas et ne s'effacerait jamais.

— Viens avec moi, Zoé.

Les yeux de la jeune fille s'emplirent de larmes.

— Je te le demande. S'il te plaît.

Zoé était incapable de parler. Mortimer la regardait avec gravité, il avait l'air si sincère…

— Tu n'es pas comme eux, tu le sais bien, reprit-il. Tu es comme moi, Mainferme et Murmou. Dans notre sang coule le sang d'Ocious…

— … et de Malorane, l'interrompit Zoé.

— Malorane était une femme faible. Elle a choisi le mauvais camp. Sans les pressions de sa famille et du Pompignac, nous n'en serions pas là aujourd'hui. C'est sa stupide obstination à s'opposer à notre clan qui a engendré le Chaos.

Zoé le fixa d'un air interloqué.

— Tu… tu ne peux pas croire à ce que tu dis ! bredouilla-t-elle. Les Félons et leurs ambitions de mégalomanes sont à l'origine de tout ça, personne d'autre !

— Mais enfin, Zoé, regarde les choses en face ! Pourquoi lutter contre l'évidence ? Depuis la nuit des temps, ce sont les plus forts qui ont toujours régné.

— Et tu penses que vous êtes les plus forts ?

— Bien sûr ! Et tu le sais très bien ! C'est pour cette raison que je suis là et que tu vas venir avec moi.

Zoé se tassa sur elle-même, décomposée.

— Je ne veux pas qu'il t'arrive quelque chose et, avec nous, tu ne risqueras rien.

— C'est trop tard, Mortimer… dit-elle dans un souffle.

— Pourquoi ? s'insurgea le jeune homme.

— Il ne fallait pas me laisser. J'avais peur, je ne comprenais rien et tu m'as abandonnée, seule dans cette maison glacée. Tu avais promis que tu reviendrais, je t'ai attendu. Pendant des jours ! Et tu n'es pas revenu. Tu m'as menti ! Tu te moquais bien que je risque quelque chose à cette époque, j'étais le dernier de tes soucis… J'aurais pu mourir de tristesse, là, toute seule comme une sombre idiote, tu t'en fichais !

Ces dernières phrases étaient sorties avec la force d'une explosion. Zoé hurlait. Toute la colère issue des moments les plus insupportables de sa vie se déversait sur Mortimer qui la regardait avec stupéfaction.

— Ton père m'a pris mes parents, Mortimer, continua-t-elle rageusement. Puis il n'a pas hésité à prendre ma grand-mère, sa propre sœur. Est-ce lui qui me l'a rendue ? Est-ce toi ? Est-ce un de tes puissants amis ? Non ! Ce sont ceux qui m'ont acceptée comme un membre de leur famille, sans aucune différence ! Mais tu as raison, je ne suis pas comme eux, j'ai en moi le côté sombre des tiens. Je n'ai pas la pureté des Sauve-Qui-Peut, mon cœur est comme mon sang : noir. Je le sais, je le sens en moi, il me ronge comme de l'acide. Et pourtant je ne viendrai pas avec toi. Il y a sept mois, je t'aurais suivi jusqu'en enfer si tu me l'avais demandé. Je t'aimais comme un frère, Mortimer. Mais aujourd'hui, c'est trop tard.

Mortimer la fixait avec une satisfaction féroce.

— Tu es comme nous, Zoé... Ta place est auprès des tiens.

Malgré la fermeté de son discours, Zoé avait l'impression d'être une funambule : à la lisière de deux mondes et, surtout, cernée par le vide. Une dernière question lui brûlait les lèvres. Une question dont la réponse serait décisive.

— Pourquoi ne m'as-tu pas emmenée avec toi il y a sept mois ?

Son ton était froid bien qu'elle se sente embrasée. Mortimer la dévisagea avec attention, les yeux rivés aux siens, les mains sur ses épaules. Zoé tint bon et soutint son regard. Le verdict allait tomber. Elle savait que la déception serait à la hauteur des espoirs qu'elle avait eus en venant à ce rendez-vous. Elle s'y préparait tout en sachant que le choc n'en serait pas moindre.

— Nous n'avions pas le choix... répondit Mortimer.

Zoé eut un temps d'arrêt avant de lancer :

— Si, comme tu le dis, tu as un peu d'estime pour moi, je te demande de ne pas me mentir. Pas aujourd'hui, s'il te plaît... Pourquoi ne m'as-tu pas emmenée avec toi ?

Comme pour illustrer ce qui allait immanquablement suivre, une forte bourrasque agita les arbres et des branches tombèrent autour des deux cousins.

— Pourquoi ?

Mortimer hésita, puis lâcha enfin ce que Zoé redoutait d'entendre :

— Nous avions besoin que tu restes ! Il fallait que tu sois près des Pollock !

Zoé se dégagea, recula de quelques pas, anéantie par la vérité. Elle chancela jusqu'à un gros arbre contre lequel elle s'adossa pour reprendre son souffle. À quelques mètres d'elle, Mortimer la regardait, l'air désolé. Et c'est le chagrin qu'elle vit dans ce regard qui l'empêcha de laisser exploser sa colère contre lui.

— Va-t'en maintenant ! cria-t-elle. Et n'oublie pas : ton père n'a d'amour pour personne ! Pour personne !

Elle se retourna pour faire face à l'arbre, posa ses mains sur le tronc et poussa un hurlement atroce. L'arbre trembla et, dans un craquement sinistre, tomba sur le sol, déraciné par la souffrance de la jeune fille.

62

Des informateurs à plumes et à poils

— Ma Jeune Gracieuse fait la démonstration d'une grande élégance costumière, l'appréciation est enrobée par la franchise.

— Merci, Foldingot, tu es gentil ! répondit Oksa en pleine observation de son reflet dans le miroir.

— La gentillesse n'est pas la motivation de votre domesticité, fit le Foldingot en reniflant avec bruit.

Oksa jeta un coup d'œil à la petite créature rondelette qui se tenait à ses côtés. Voûté sous le poids du chagrin causé par la perte de sa compagne, le Foldingot affichait la même mine que tous les Sauve-Qui-Peut : blafarde et tourmentée.

— Comment… te sens-tu, Foldingot ?

— La survie du corps égale un réflexe involontaire, ma Jeune Gracieuse, car le cœur de votre domesticité a la consistance d'un muscle qui commande la production de battements automatiques. Et pourtant, ce même cœur perpétue la survivance tout en connaissant l'intolérable privation de celle qui a fait son accompagnement pendant des décennies.

Oksa baissa la tête, gagnée par l'émotion. Elle se pencha vers le Foldingot et le serra contre elle. Bizarrement, le contact direct avec le petit corps moelleux diffusa en elle une onde bienfaisante aussi réconfortante qu'une gorgée d'eau fraîche dans une gorge assoiffée.

— La Jeune Gracieuse connaît la fébrilité ?

— J'ai hâte de revoir Maman, soupira-t-elle. Toi qui sais beaucoup de choses, est-ce que tu as des infos ? reprit-elle en se souvenant que le Foldingot ne lâchait ses renseignements que si on l'interrogeait.

— La mère de la Jeune Gracieuse connaît la souffrance de l'éloignement de ses proches, mais ne subit pas d'aggravation de son état de santé. L'infirmière dénommée Annikki fait la distribution de soins comblés d'efficacité grâce aux capacités médicales de certains maudits Félons.

— Tu veux dire qu'ils ont de la Tochaline ?

Le Foldingot secoua la tête.

— Les maudits Félons n'ont pas la possession du remède suprême car, comme l'Homme-Fé a livré l'indication, le remède suprême n'est rencontré qu'à Édéfia, sur le territoire de l'Inapprochable où sa croissance connaît la profusion. Mais les maudits Félons ont rencontré la maîtrise de certaines médications qui provoquent la stabilisation des états fébriles comme celui enduré par la mère de la Jeune Gracieuse. Et votre domesticité peut communiquer la déclaration que la mère de la Jeune Gracieuse rencontrera bientôt les retrouvailles avec les Sauve-Qui-Peut, l'affirmation est intégrale.

— Tu ne dis pas ça pour me rassurer, au moins ? fit Oksa.

Le Foldingot la regarda avec tristesse.

— La domesticité Gracieuse est exempte de toute capacité mensongère, la Jeune Gracieuse doit déborder de cette certitude en possédant la confiance inamovible en son Foldingot.

— C'est vrai, excuse-moi, Foldingot, reprit Oksa en lui tapotant sur la tête. Je me fais tant de souci…

— La Jeune Gracieuse a la disposition des explications du Culbu-gueulard qui a fait le don de rapports farcis de détails consolants en provenance de la mer des Hébrides. Mais a-t-elle rencontré l'idée de faire la soumission de ses questions à la Devinaille ?

— Non ! s'exclama Oksa en se frappant le front. Merci, Foldingot, tu as raison, elle sait sûrement des choses !

Elle grimpa comme une flèche à l'étage et entra en trombe dans l'appartement de sa grand-mère.

— Je peux voir la Devinaille une minute, Baba ? S'il te plaît !

Dragomira acquiesça et indiqua des yeux l'étui de contrebasse grand ouvert. Oksa pénétra à l'intérieur et fonça vers l'atelier-strictement-personnel. Le Gétorix, plumeau à la main, l'accueillit en ébrouant son abondante chevelure.

— Bonjour à vous, élégante Jeune Gracieuse !

— Bonjour, Gétorix ! Est-ce que tu sais où je peux trouver la Devinaille ?

— Qui est cette personne ?

Planté au milieu de la pièce, l'Insuffisant fixait Oksa d'un air perdu. Le Gétorix soupira en levant les yeux au ciel.

— Et cette boule de poil qui parle ?

— Hé, l'Insuffisant ! brailla la boule de poil en question. Regarde-moi bien en face : je suis le Gé-to-rix.

— Gétorix ? C'est charmant comme nom. On se connaît ?

— Oui ! Depuis quatre-vingts ans seulement !

— Ah ! tout s'explique alors ! lâcha l'Insuffisant, soulagé.

Oksa éclata de rire, comme chaque fois que l'Insuffisant ouvrait sa large bouche édentée.

— Il ne s'arrange pas… constata-t-elle en riant de plus belle devant l'air réjoui de la créature molle du cerveau.

— Il ne s'arrangera jamais, vous voulez dire ! pesta le Gétorix exaspéré. Mais vous vouliez voir la Devinaille, non ? Regardez devant les tisons !

Oksa s'approcha de la cheminée et aperçut la Devinaille, enfouie sous une minuscule couverture, à quelques centimètres des braises de la nuit qui rougeoyaient encore.

— Devinaille ! chuchota-t-elle en secouant avec délicatesse la petite poule du bout des doigts.

La Devinaille fit un bond en l'air comme si elle était montée sur ressorts. Les yeux exorbités, elle tourna la tête pour scruter la pièce comme un radar.

— Je sens un courant d'air nord-nord-ouest, assena-t-elle avec sévérité. Je soupçonne cette fenêtre de ne pas être isolée et de dilapider la chaleur de cet atelier !

D'un regard furieux, elle indiqua une des lucarnes en se replongeant sous sa couverture. Oksa s'accroupit pour se mettre à son niveau.

— Devinaille, j'ai besoin de toi…

— Si vous venez pour m'annoncer que nous quittons enfin ce pays au climat inhospitalier pour nous installer dans une zone équatoriale, laissez-moi vous dire que je suis prête ! glapit-elle en agitant les plumes qui couvraient sa tête.

— Euh… tu sais, l'Angleterre est encore relativement tempérée… lui fit remarquer Oksa.

— Vous voulez rire ? répliqua la Devinaille. Un pays battu par les vents et affligé d'une pluviométrie désastreuse ?

Le débat n'était pas nouveau, mais chaque fois il suscitait une grande jubilation chez Oksa. La jeune fille retint son rire pour ne pas vexer la petite poule pendant que les Ptitchkines volaient en piqué au-dessus d'elle.

— On annonce des bourrasques de neige pour le milieu de la journée… pépia l'un d'eux.

— … et une chute spectaculaire des températures ! continua l'autre.

Oksa leur jeta un regard hilare tout en se mordant les lèvres pour ne pas éclater de rire. Devant elle, la Devinaille se calfeutrait dans sa couverture en se lamentant à grand renfort de couinements stridents.

— Je te protégerai, Devinaille ! lança Oksa.

— Vous pouvez me le promettre ? fit la poule en sortant son bec.

— Bien sûr ! Tu peux compter sur moi : je ne te laisserai jamais congeler ! Mais avant d'en arriver à cette extrémité, je voulais te poser une question…

— Je vous écoute.

— Sais-tu… ce qui va se passer pour nous ? Ma mère ?

— Je ne prédis pas l'avenir, mais, comme le Culbu vous l'a dit, votre mère se trouve sur une île inhabitable – climatiquement parlant, cela s'entend… Cependant, elle est traitée avec le plus grand soin. C'est dans l'intérêt des Félons de préserver sa santé : si un malheur devait arriver, toute possibilité de négociation s'éteindrait aussitôt.

Oksa fronça les sourcils.

— Votre mère est la seule garantie pour les Félons de rejoindre Édéfia quand nous autres, Sauve-Qui-Peut, serons enfin décidés à quitter cette terre glacée. Elle est la clé qui leur donnera l'accès, si vous me permettez de parler ainsi.

— Tu veux dire que je ne la reverrai pas avant qu'on aille à Édéfia ?

Oksa se rembrunit et se sentit envahie par une vague de panique.

— Explique-moi, s'il te plaît.

— Je veux dire que je crains de faire partie de ce périple qui s'annonce redoutable du point de vue climatique, mais la confrontation Sauve-Qui-Peut/Félons est inévitable. C'est pourquoi vous reverrez votre mère bientôt. Elle conditionne le retour à Édéfia, autant pour les Sauve-Qui-Peut que pour les Félons. Vous vous en rendez compte, n'est-ce pas ?

— Elle… elle va bien ?

— Elle va mieux, assura la Devinaille. Grâce à la Félonne Mercedica, les Félons connaissent certaines des recettes secrètes que la Vieille Gracieuse et l'Homme-Fé utilisaient pour soulager votre mère. Ils les ont adaptées et appliquées avec succès.

Oksa poussa un long soupir et resta un moment les yeux perdus dans le vague, sans savoir si elle était soulagée ou encore plus inquiète.

— Et Orthon ? résonna une voix grave derrière elle.

Oksa se retourna et constata avec étonnement qu'un véritable auditoire s'était invité à la conversation : tous les Sauve-Qui-Peut, figés dans une immobilité parfaite, écoutaient avec attention.

— Le Félon Orthon est en pleine phase de reconstitution, informa la Devinaille. Son séjour à l'intérieur du corps de la jeune Zelda lui a redonné de la force grâce à la vigueur et à la chaleur de son sang – j'insiste sur la chaleur qui fait terriblement défaut dans cette contrée frigorifique… Le pied de Goranov qui a été dérobé à la Vieille Gracieuse était l'ingrédient indispensable pour sa reconstruction. De grandes quantités de sève ont été extraites pour reconstituer les cellules du Félon honni.

— Je n'ose pas imaginer l'état de la Goranov… lança Oksa. J'espère que les Félons auront au moins pris la peine de la traire !

— C'est dans leur intérêt s'ils veulent qu'elle survive ! répliqua la Devinaille en frissonnant. Les incisions brutales telles qu'elles ont été pratiquées à une certaine époque sont la première cause de mortalité des Goranovs. Tout comme l'exposition à des températures anormalement basses fait courir un risque insensé aux créatures ultrasensibles de mon espèce… N'est-ce pas le blizzard que j'entends siffler dehors ?

Oksa enveloppa la petite poule dans sa couverture et la déposa au plus près des braises avant de se retourner vers les Sauve-Qui-Peut qui s'étaient installés en arc de cercle.

— C'est dur à encaisser, quand même… lança-t-elle, la gorge serrée.

— Rappelle-toi, ma Douchka, fit Dragomira, la Devinaille n'exprime que la vérité de l'instant. Les choses sont en perpétuelle évolution, ce qui est valable au moment présent peut être remis en cause l'instant d'après. Tout dépend ensuite des circonstances et des personnes impliquées : certaines vont engendrer une réaction, d'autres vont au contraire inciter au *statu quo*. Mais une chose est sûre : quoi que nous fassions, nous devons observer la plus grande prudence.

— On va aller chercher Maman ? risqua Oksa en tremblant.

— Nous ne pouvons pas rester comme ça à attendre ! renchérit Pavel d'une voix pleine de colère.

— Tu as raison, Pavel… confirma Abakoum. Nous sommes en position de faiblesse et pourtant, la balle est dans notre camp. Pour le moment, les Félons n'ont aucune raison d'agir et de se découvrir : ils savent que le Désentableautement a eu lieu, ils possèdent un plant de Goranov et le médaillon de Malorane, ils sont en nombre et peuvent se préparer sur cette île qui garantit leur discrétion. Et surtout, ils ont en Marie un avantage inestimable. Je rejoins la Devinaille sur ce point : c'est Marie qui conditionne le retour à Édéfia. Le nôtre et le leur.

— Sauf si Orthon m'a crue quand j'ai dit que nous pourrions nous mettre en route sans elle… dit Oksa en pâlissant.

Son souffle s'accéléra au fur et à mesure qu'elle se sentait étranglée par une atroce pensée.

— S'il pense que nous estimons ne pas avoir besoin d'elle pour retourner à Édéfia, il va la tuer ! Mais pourquoi j'ai dit ça ? Pourquoi ? cria-t-elle.

Les Sauve-Qui-Peut écarquillèrent les yeux, médusés par cette constatation pleine de logique et si lourde de conséquences. Dragomira et Abakoum, après une seconde de franche panique, échangèrent un regard approbateur.

— Ton raisonnement respecte une certaine logique, ma Douchka, déclara la Vieille Gracieuse. Mais cette logique ne correspond pas à celle d'Orthon.

Oksa, les yeux noyés de larmes, leva la tête.

— Orthon sait que nous sommes incapables d'abandonner l'un des nôtres au profit du but que nous voulons atteindre, continua Abakoum. En toute franchise, nous pouvions poursuivre notre route sans Gus. Et pourtant, n'avons-nous pas choisi d'être entableautés pour aller le sauver ? Orthon connaît les périls que nous avons dû affronter et les risques que nous avons pris. Aurait-il été capable d'agir comme nous l'avons fait ? Rien n'est moins sûr et, au fond de lui, il le sait.

Oksa réfléchit quelques instants aux paroles d'Abakoum. L'Homme-Fé savait être convaincant…

— Je connais bien Orthon, intervint Réminiscens d'une voix triste et grave. C'est mon frère jumeau et ceux qui l'entourent sont les mêmes que ceux qui gravitaient autour de mon père Ocious. Ces hommes et ces femmes sont puissants, mais c'est l'ambition personnelle qui les motive, rien d'autre. Ils unissent leurs forces pour parvenir à leurs fins, se servant les uns des autres. Le plus fort d'entre eux arrivera en haut de la pyramide et ceux qui y auront contribué garantiront ainsi leur place dans le sérail.

— Sommes-nous si différents ? demanda Dragomira dans un souffle.

— L'esprit des Sauve-Qui-Peut est un pouvoir dont vous ne mesurez pas toute la puissance, lui répondit Réminiscens. Cela n'a rien à voir avec les pouvoirs Gracieux, le Dragon d'Encre de Pavel ou les talents de l'Homme-Fé. Non. Je parle de l'esprit même des Sauve-Qui-Peut, celui qui anime les cœurs et les fait palpiter, cette bonté naturelle qui fait de nous tous des êtres exceptionnels. Mais ce qui nous unit n'a rien à voir avec ce qui rassemble les Félons : pour nous, le pouvoir est un outil visant à l'harmonie. Pour les Félons, il est un but destiné à leur permettre de dominer. Je tiens à te rassurer, ma chère petite Oksa… Tu as certes ébranlé les convictions d'Orthon en bluffant sur notre retour à Édéfia sans Marie. Mais il ne touchera pas un seul de ses cheveux, au contraire. Elle est un atout dans ce jeu qui lui permettra enfin de retrouver celui qui est à la fois sa plus grande faiblesse et sa plus grande force : notre père Ocious.

63

L'arme ultime

— Orthon a compris très tôt que notre père n'avait pas de considération pour lui, continua Réminiscens. Il l'admirait, il le respectait et il le craignait. Et ce qu'il redoutait par-dessus tout, c'était de le décevoir. Tout ce qu'il faisait était évalué, critiqué, jugé, mais rarement apprécié. Je n'ai jamais entendu notre père dire quelque chose de positif sur Orthon. Par contre, il ne tarissait pas d'éloges sur les autres et notamment sur Léomido.

— Le fils qu'il aurait aimé avoir… murmura Dragomira.

— J'étais dans la même situation qu'Orthon vis-à-vis de toi, Dragomira : Ocious aurait préféré t'avoir comme fille plutôt que moi à partir du moment où il s'est avéré que je ne serais pas la Gracieuse qui succéderait à Malorane. Il y avait une chance, et c'est pour cela qu'il l'avait séduite. Quand tu as été désignée comme Gracieuse, j'ai subi les conséquences de sa déception et de son mépris. Je ne servais plus à rien et, en quelques jours, je suis passée de celle sur qui tous les espoirs étaient fondés à une pauvre fille sans utilité. Je supportais son comportement grâce à la présence et à l'amour de Léomido qui m'a empêchée de sombrer. Mais ce n'était pas le cas d'Orthon. Mon frère souffrait du dédain d'Ocious à son égard. Pourtant, il faisait des efforts considérables pour attirer son estime. Chaque jour, je le voyais lutter, tenter de dépasser ses limites. Et chaque jour notre père détournait la tête avec indifférence ou pis : il ironisait et le rabaissait plus bas que terre. Les autres valaient toujours plus. Toujours. Je ne sais pas pourquoi Orthon s'obstinait. Cela ressemblait à du masochisme. Il aurait dû fuir. Couper les liens. Quoi qu'il fasse, il n'était jamais à la hauteur de ce qu'Ocious attendait de lui. Sauf le jour où il s'est rendu complice du Détachement Bien-Aimé ordonné contre moi. Là, quelque chose de décisif s'est passé : Ocious a ouvert les yeux et vu son fils comme un allié qui méritait peut-être une place à ses côtés. Après des années d'efforts, Orthon connaissait enfin la récompense suprême. Mais le mal était ancré dans son cœur : la rancune et le désir de revanche avaient déjà fait des ravages irrémédiables. Des années de privations affectives ont fait d'Orthon un homme assoiffé de reconnaissance…

— Je me souviens de lui quand nous étions à Édéfia, intervint Brune. Il était toujours dans le sillage d'Ocious, les yeux béats d'admiration et de crainte. C'était troublant…

— Une admiration et une crainte qui ont fini par le briser… reprit Réminiscens. Et qui se sont transformées au fil des années en un puissant sentiment d'amour destructeur et de haine. Le pire de tous. Celui qui fait des hommes des êtres impitoyables.

— Des psychopathes… renchérit Oksa.

— Le fort complexe d'infériorité d'Orthon s'est transformé en un orgueil dévastateur. Il n'agit que pour montrer à Ocious qu'il est devenu le plus fort de tous. Que l'élève a dépassé le maître. C'est sa seule ambition. Tout le reste est dérisoire.

Cette déclaration plongea tous les Sauve-Qui-Peut dans un silence préoccupé.

— Et si, en arrivant à Édéfia, Orthon s'aperçoit qu'Ocious est mort ? demanda Tugdual, s'attirant le regard fiévreux d'Oksa et celui excédé de Gus.

Réminiscens semblait avoir réfléchi à la question. D'une voix triste, elle répondit :

— Je pense que ce serait pour lui comme si le rêve de sa vie s'effondrait. Il en mourrait, certainement, car il ne tient que par la preuve qu'il va apporter à Ocious.

— C'est atroce ! s'exclama Oksa en se surprenant à éprouver de la pitié pour l'ennemi juré des Sauve-Qui-Peut.

— Oui, approuva Abakoum. Mais nous ne devons pas nous laisser aveugler par la compassion…

— … sinon nous sommes perdus ! compléta Réminiscens.

— Et pourquoi on ne le laisse pas revoir son père ? Il lui montre qui il est devenu, combien il est puissant et supérieur, et ensuite il nous laisse tous tranquilles ! proposa Oksa.

— C'est beaucoup plus complexe, répondit Abakoum. Orthon est arrivé à un point de non-retour.

— Je ne comprends pas… se lamenta la jeune fille.

— Il y a trois formes de pouvoir, ma chère petite : l'équilibre, la domination et la destruction. En admettant qu'ils se retrouvent, si Ocious ne reconnaît pas la puissance de son fils, Orthon n'hésitera pas : c'est la troisième option qu'il choisira.

— C'est ça, le pouvoir ultime ! commenta Tugdual en faisant un clin d'œil à Oksa. Le pouvoir de destruction et de mort.

— Mais c'est suicidaire ! Comment les Félons peuvent-ils adhérer à ça ?

Abakoum la regarda avec accablement.

— Parce qu'ils ne savent rien des tourments d'Orthon, répondit-il. Tugdual a raison : la destruction totale est son arme suprême. S'il doit la sortir, il n'hésitera pas une seconde.

— Connaissant Ocious, je pense que nous devons craindre le pire… ajouta Réminiscens. En admettant qu'il soit vivant, je doute qu'il ait changé et le fait d'être resté bloqué à Édéfia – alors que d'autres ont pu en sortir – n'a dû qu'attiser son esprit haineux. Si Orthon le retrouve, il risque de se heurter à une douloureuse désillusion : Ocious ne manquera pas de le rabaisser, une fois de plus…

— Si c'est Ocious qui était sorti d'Édéfia, il aurait conquis le Monde… précisa Dragomira en pâlissant.

— Oui, il l'aurait conquis… Orthon aurait pu, lui aussi, mais la force noire qui l'anime le pousse plutôt à le détruire. C'est l'atout qu'il garde dans sa manche. Car qui est le plus puissant ? Celui qui domine ou celui qui détruit ? Que craignent les hommes ? La soumission ou la mort ? Seuls les fanatiques choisissent la mort, et ils sont une infime minorité…

— Et nous ? Quel est notre rôle dans toute cette histoire ? poursuivit la Jeune Gracieuse en frissonnant.

— Le désordre a envahi le Cœur du Monde. Nous devons retourner à Édéfia au plus vite et rétablir l'équilibre, annonça Abakoum d'une voix brisée. Foldingot… aide-moi, s'il te plaît…

La petite créature s'approcha en tanguant.

— Si la mort réussit la conquête du Cœur du Monde, Du-Dehors fera la connaissance de l'anéantissement. La fin recouvrira les deux Mondes après avoir fait l'aspersion de multiples désastres. Le péril connaît le commencement depuis la saison estivale où vous, Jeune Gracieuse et Sauve-Qui-Peut, avez rencontré les affres de l'Entableautement.

Assommés, les Sauve-Qui-Peut s'entreregardèrent sans pouvoir dire un mot. Quant à Oksa, elle s'agenouilla pour être au niveau du Foldingot.

— Que pouvons-nous faire ? souffla-t-elle.

Il renifla un grand coup, mettant tout le monde sur des charbons ardents. Oksa pressa sa main sur l'épaule grassouillette de la petite créature qui crachota dans un torchon à carreaux avant de poursuivre :

— Les Sans-Âge attribueront le don de leurs consignes quand le moment connaîtra l'opportunité : faites la préparation de leur transmission, car le désordre connaît l'expansion et le sauvetage des deux Mondes l'imminence. Pratiquez le regroupement des forces. La Chambre de la Pèlerine entoure le Cœur du Monde de protection et cette protection connaît l'affaiblissement qui fait le désordre sur les terres et mers de Du-Dehors. La conservation de l'Équilibre de Du-Dedans et de Du-Dehors est localisée entre les murs de la Chambre, et les pouvoirs des deux Gracieuses doivent rencontrer l'union pour gagner la victoire sur l'engloutissement des deux Mondes. Les deux Mondes rencontreront alors la survivance.

— Sauf si Orthon en décide autrement… lança Réminiscens avec effroi.

— Le raisonnement de la sœur du Félon honni connaît l'exactitude, approuva le Foldingot.

— Super, on a le choix ! s'exclama Oksa en se triturant les doigts. Soit l'Équilibre des Mondes continue à se détériorer et on meurt tous dans d'atroces souffrances, soit Orthon nous empêche de restaurer l'Équilibre pour montrer à son père qu'il est le plus fort et… on meurt tous dans d'atroces souffrances !

— La seule différence, c'est qu'avec Orthon, ce sera plus rapide… précisa Tugdual.

— Très drôle… marmonna Gus.

— Et pourquoi on ne tuerait pas Orthon ? lança Oksa. Histoire de garantir la survie de l'humanité !

— Tu oublies qu'il tient Marie…

La voix d'outre-tombe de Pavel fit l'effet d'un courant d'air glacé dans l'atelier de Dragomira. Oksa plongea son visage entre ses mains, catastrophée par l'ampleur de la menace et par son enjeu. Elle sentit son père l'entourer de ses bras robustes.

— On va y arriver… lui murmura-t-il. Je te le promets.

Surprise, elle leva la tête et le regarda. Dans ses yeux brillait un éclat qu'elle connaissait bien. Celui d'un Sauve-Qui-Peut déterminé. Celui de l'homme qui abritait un Dragon d'Encre. Et surtout celui du père qui la rassurait, indomptable et pourtant si fidèle. Dragomira s'approcha, émue.

— Mon fils… souffla-t-elle en effleurant son épaule.

Pavel se retourna. Toute colère avait quitté son regard.

— Que les choses soient claires, ma chère mère… annonça-t-il. Nous sauvons Marie et les deux Mondes, et ensuite tu me laisses vivre ma vie comme je l'entends, d'accord ?

Pour toute réponse, Dragomira lui adressa un sourire soulagé. Pavel faisait incontestablement partie des Sauve-Qui-Peut et, malgré les heurts, cette appartenance n'était pas près de faiblir.

64

Fuite en plein déluge

La nuit qui suivit cette discussion capitale fut agitée. Devant l'urgence de la situation, tous les Sauve-Qui-Peut avaient désormais élu domicile à Bigtoe Square, où l'ambiance était à la fois pesante et frénétique. Seuls Naftali et Abakoum manquaient à l'appel : sitôt la décision prise de se rendre sans tarder sur l'île des Hébrides, les deux hommes s'étaient mis en route pour rejoindre la ferme d'Abakoum et la propriété de Léomido afin de rassembler toutes les créatures vivantes dans la Boximinus de l'Homme-Fé. Le retour à Édéfia était proche, tous le savaient. Il fallait se tenir prêts.

La perspective d'un avenir aussi incertain que périlleux n'était pas la seule raison de l'agitation qui régnait à Bigtoe Square. En plein milieu de la nuit, les sirènes de toute la ville retentirent, réveillant les Sauve-Qui-Peut ainsi que l'ensemble des habitants de Londres et de ses environs. Des hélicoptères vrombirent dans les airs pendant que des militaires sillonnaient les rues, haut-parleurs à la main, intimant l'ordre aux habitants de s'abriter sur-le-champ dans les étages supérieurs des maisons et d'écouter les messages d'information qui passaient sur toutes les chaînes de radio et de télévision. Affolée, Oksa sortit de sa chambre et se retrouva nez à nez avec Zoé et Réminiscens, qui occupaient la pièce voisine.

— Qu'est-ce qui se passe ?

— Le niveau de la mer du Nord est monté de trois mètres en quelques heures, les informa Tugdual en les rejoignant. La région de Greenwich est noyée et la Tamise s'apprête à déborder.

— Mes enfants, venez me rejoindre ! cria Dragomira depuis le dernier étage.

Gus émergea de la chambre d'ami, hagard. Il jeta un regard effrayé à Oksa, puis se reprit en affichant un air glacé qui ne lui allait pas du tout. Oksa soupira, très mal à l'aise.

— Montez ! leur ordonna Pavel en les entraînant.

Quand les Sauve-Qui-Peut eurent rejoint l'atelier-strictement-personnel de Dragomira, Pavel alluma la télé et les images qui apparurent à l'écran figèrent tout le monde.

— Seigneur… murmura la Baba Pollock, une main sur le cœur.

— Ce n'est pas possible… souffla Réminiscens, choquée.

Des images aériennes montraient l'étendue du désastre : les côtes est de l'Angleterre et nord de la France avaient disparu sous l'effet d'un mouvement aussi géant qu'imprévisible des courants sous-marins qui dépassait tout ce que l'homme était en mesure d'imaginer. Les eaux de la Tamise qui se jetaient dans la mer refluaient vers l'intérieur des terres, provoquant l'inondation de toute l'embouchure. L'eau reculait désormais vers Londres, le niveau du fleuve montait de plusieurs dizaines de centimètres par heure et le rythme ne semblait pas vouloir ralentir. Les quartiers bordant les quais étaient déjà atteints, Big Ben et West-minster avaient les pieds dans l'eau. Mais le pire était l'ignorance : personne ne pouvait expliquer les causes de ces courants sous-marins ni leurs limites. L'évacuation des habitants des zones les plus exposées était en cours, mais il s'avérait très difficile de l'élargir à toute la population londonienne. D'autant plus qu'il faisait encore nuit et que la pluie s'était mise à tomber, drue et violente. Alors, la consigne était simple : rallier les parties hautes de la ville ou les étages supérieurs des immeubles et… attendre.

— On va crever… haleta Gus, décomposé.

— Parle pour toi ! répliqua Tugdual en se dirigeant vers la fenêtre.

— Je vous avais prévenus ! se mit à hurler la Devinaille. Il fallait quitter ce pays hostile pendant qu'il était encore temps ! Et main-tenant, il est trop tard, nous sommes piégés par les eaux glacées !

— Venez voir ! s'exclama Oksa en se penchant à la lucarne de l'atelier.

Les Sauve-Qui-Peut l'imitèrent et restèrent figés d'horreur. La pluie formait un épais rideau d'eau tant elle tombait avec force. Un véritable déluge qui ne les empêchait pas de voir que Bigtoe Square et les rues alentour étaient recouverts d'une bonne vingtaine de centimètres d'eau… Des cris leur parvenaient de tous les côtés, la panique était générale.

— J'espère qu'Abakoum et Naftali sont épargnés, dit Réminiscens avec inquiétude.

— À l'heure qu'il est, ils doivent être chez Léomido, la rassura Pierre. Sa maison est à plusieurs mètres au-dessus du niveau de la mer et il n'y a aucune rivière à proximité. De plus, la côte ouest de l'Angleterre ne semble pas être concernée par ce désastre.

— Qu'est-ce qu'on va faire ? gémit Oksa.

— Le temps presse, fit Dragomira en voyant l'eau qui montait presque à vue d'œil dans le square. Je propose que nous rejoignions nos deux amis au plus vite car ils auront les plus grandes difficultés à revenir à Londres.

— Mais… mais on ne peut pas partir comme ça ! bredouilla Oksa.

— Que disent les journalistes ? demanda Pavel à Tugdual qui pianotait sur le clavier de son téléphone portable.

— Rien de bon, répondit le jeune homme en fronçant les sourcils. Des courants inexplicables du même type ont été observés en Europe et ailleurs. L'eau est subitement montée de plusieurs mètres sous la poussée des courants, les villes de Lisbonne, Canton et Seattle sont touchées.

Les Sauve-Qui-Peut blêmirent tous, sans exception. Seule la Devinaille manifestait son anxiété en poussant de petits cris suraigus.

— Nous devons partir… murmura Dragomira en regardant Pavel, les yeux embués de larmes. Maintenant.

De tous les départs précipités qu'avaient connus la Baba Pollock et son fils durant ces années d'exil, celui-ci était le plus douloureux. Mais malgré la souffrance, il fallait agir. Pavel inspira profondément, le front plissé par l'effort de la concentration, et annonça :

— C'est moi qui vais tous vous emmener chez Léomido.

Oksa le regarda avec gravité.

— Tu veux dire… à dos de Dragon d'Encre ?

— Nous n'avons pas le choix, lui opposa son père. À moins que l'un d'entre vous ne cache un hélicoptère dans son jardin, je ne vois pas d'autre moyen pour quitter une ville recouverte d'eau. Combien sommes-nous ?

— Dix avec toi, répondit Dragomira, inquiète. Sans compter les créatures… Tu penses que c'est possible ?

Pavel acquiesça avec lenteur en regardant sa mère.

— Sinon, nous en serons quittes pour rejoindre le pays de Galles à la nage… dit-il dans un mince sourire. Sauf toi, ma chère mère, qui auras l'avantage de rester au sec ! ajouta-t-il en faisant allusion au don d'Aquaflottis de Dragomira.

La vieille dame lui rendit son sourire.

— Je propose que ceux qui peuvent volticaler se relaient pour épargner la charge de notre ami Pavel, fit Pierre.

— Vous n'avez pas pratiqué sur de telles distances depuis des années, lui objecta Pavel. De plus, il pleut des cordes !

— Laisse-nous essayer… Laisse-nous t'aider comme nous le pouvons.

Pavel opina de la tête, soucieux mais reconnaissant.

— D'accord, mais il est hors de question qu'Oksa vous suive.

— Mais Papa…

— J'ai dit qu'il était hors de question que tu volticales en pleine nuit et par ce temps ! insista Pavel d'une voix sourde qui impressionna la jeune fille.

— Tu n'as pas confiance, c'est ça ?

— Ma petite fille, par pitié, écoute ton père… implora Dragomira.

Devant le regard sévère de son père et la supplication de sa grand-mère, Oksa dut se résoudre à capituler.

— Je vous préviens qu'il est exclu qu'une seule de mes plumes soit trempée ! brailla soudain la Devinaille, les yeux braqués avec terreur sur la lucarne. J'en mourrais !

— Les plumes sont imperméables, je te signale… lui rétorqua le Gétorix en levant les yeux au ciel.

Il n'en fallut pas plus pour que l'Insuffisant, pris d'un doute, se tâte le corps avec scepticisme. Oksa s'approcha de lui et le rassura sur l'imperméabilité dont il semblait douter pour lui-même. Et aussitôt, il retrouva son air béat.

— Je pars prévenir les maîtres Abakoum et Naftali de votre prochaine arrivée ! lança le Veloso en bondissant sur le rebord de la lucarne.

— Très bonne idée ! le félicita Dragomira. Mais je trouverais plus prudent que le Culbu-gueulard t'accompagne. Il y a bien longtemps que tu n'es pas parti en mission…

La petite créature accepta et s'étira de tout son long pendant que le Culbu-gueulard lui donnait tous les détails de leur itinéraire : longitude, latitude, température, altitude, taux d'humidité… Quand le Veloso eut fini ses exercices d'assouplissement, les deux créatures s'élancèrent sur les tuiles glissantes du toit. Les Sauve-Qui-Peut les virent passer de toit en toit pour disparaître sous la pluie battante. Puis leur regard fut attiré par l'eau qui était encore montée de quelques centimètres dans le square. Un camion militaire passa en trombe, suivi d'une ambulance.

— Allons, ne perdons pas de temps ! lança Dragomira en frissonnant.

— Vous n'avez qu'à me laisser ici, grommela Gus en fixant Oksa. Vu que je ne peux servir à rien, je préfère être pris en charge par les secouristes comme n'importe quelle personne monstrueusement normale…

Oksa le dévisagea d'un air à la fois consterné et agacé.

— Tu sais que, dans ton genre, tu es pire que la Devinaille ?

— C'est clair que celui qui n'est pas à sa place, c'est moi ! répliqua-t-il avec rage. Ne me dis pas que tu n'y as pas pensé !

— N'importe quoi ! s'étouffa Oksa, les larmes aux yeux.

— Personne ici ne considère quiconque comme n'ayant pas sa place, intervint Réminiscens. Tu fais partie des nôtres et je crois que tous ceux qui sont autour de toi aujourd'hui ont déjà prouvé que tu comptais pour eux, non ?

— Chacun a un rôle à jouer, ajouta Brune.

— Et pour moi, c'est celui du bouffon de sa Jeune Gracieuse, c'est ça ? s'énerva Gus.

Oksa eut un petit hoquet de découragement. Elle avait fait ce qu'elle pouvait… Zoé lui jeta un regard désolé en se mettant à l'écart.

— Gus, ça suffit ! cria son père d'une voix tonitruante. Je ne sais pas ce qui se passe entre Oksa et toi en ce moment, mais je te prie d'arrêter ce règlement de comptes tout de suite. Nous n'avons pas de temps à perdre, il faut nous préparer.

Le ton sévère du Viking imposa un court silence, vite brisé par les va-et-vient des trois vieilles dames qui s'étaient mises à regrouper de façon méthodique tout ce qu'il était indispensable d'emmener. Qui savait si les Sauve-Qui-Peut reviendraient à Londres ? Tous essayaient de ne pas y penser, mais ce départ représentait peut-être l'ultime fuite. Et suivant l'exemple des trois amies, chacun s'activa, le cœur plombé, à rassembler l'essentiel.

— Un sac par personne ! rappela Dragomira en remplissant à ras bord une petite valise de plusieurs dizaines de flacons de Granoks et de Capaciteurs.

Oksa se précipita dans sa chambre. Quelques minutes plus tard, elle gémit de désespoir : son lit était recouvert d'un monceau d'affaires qui représentaient ce dont elle ne pouvait absolument pas se passer. Le strict minimum…

— Pense « survie », Oksa-san… tenta-t-elle de se raisonner en fouillant dans l'énorme amoncellement de livres, bibelots, vêtements, chaussures, gadgets qui jonchait son lit.

Elle brandit une ceinture – sa préférée ! celle avec la boucle en forme de tête de mort –, la contempla et la jeta par-dessus son épaule.

— Aïe ! résonna la voix de Tugdual.

Oksa se retourna, irritée. Le jeune homme se tenait contre la porte, un sac minuscule à l'épaule, la ceinture tête de mort d'Oksa à la main.

— Excuse-moi… bredouilla la jeune fille en reprenant sa difficile besogne.

— Si j'étais toi, voilà ce que je prendrais ! dit-il en exhumant de la pile un pull et des chaussettes chaudes, ainsi qu'une cape imperméable. Avec ça, tu devrais pouvoir survivre.

— Toujours aussi sentimental… marmonna-t-elle en examinant une petite statue en pierre volcanique qu'elle aimait beaucoup et qu'elle comptait bien emporter dans son bagage.

Cette remarque fit sourire Tugdual. Il lui prit la statuette des mains et la reposa sur le lit.

— Pourquoi pas quelques photos ? suggéra-t-il. C'est bon pour entretenir la nostalgie et en plus, c'est léger, ça se transporte facilement !

— Ce que tu peux être cynique…

— P'tite Gracieuse, tu n'arriveras jamais à être désagréable avec moi. Tu ferais mieux de te dépêcher… Mmhh, tu étais à croquer sur celle-là ! s'exclama-t-il en observant une des nombreuses photos qu'Oksa était en train de fourrer dans une pochette en plastique.

Oksa grogna entre ses dents avant de lui arracher la photo des mains. Au même moment, elle reconnut la silhouette de Gus qui passait dans le couloir et son cœur se serra.

— Il s'en remettra... fit Tugdual comme s'il lisait dans ses pensées.

Son visage avait repris une expression sérieuse... qui n'enlevait rien à son irrésistible attrait... Décontenancée, Oksa abandonna le tri qu'elle avait tant de mal à faire. Elle boucla son sac et adressa à Tugdual un regard farouche avant de rejoindre l'atelier-strictement-personnel où les attendaient les Sauve-Qui-Peut.

Un grondement sourd venu des profondeurs de l'âme de Pavel s'éleva : le Dragon d'Encre se tordit avant de déployer ses amples ailes. Les gouttes de pluie, énormes, tombaient du ciel balayé par les projecteurs des hélicoptères, alors que les Sauve-Qui-Peut s'installaient tant bien que mal sur l'échine d'écailles du Dragon.

— Mets ça contre mon flanc ! hurla Pavel à Dragomira, qui portait la valise dans laquelle étaient entassés sa Boximinus contenant les créatures et le stock de Granoks, de potions et d'herbes de la Vieille Gracieuse.

Dragomira obtempéra, puis installa le précieux bagage en bandoulière autour de l'encolure du Dragon.

— Je crois que c'est le moment ou jamais ! s'exclama Brune en scrutant les rues désertes qui débouchaient sur le square.

— Ce sera encore mieux ainsi ! fit Pavel en claquant du bout des doigts.

Aussitôt, les pâles lumières des lampadaires s'éteignirent, plongeant le square et les alentours dans une obscurité oppressante. Oksa poussa un petit cri d'admiration.

— J'adore quand tu fais ça, Papa... murmura-t-elle à l'oreille de son père.

Il tourna la tête pour la regarder avant de crier d'une voix rauque :

— Accrochez-vous !

Escorté par Pierre et Jeanne qui volticalaient à ses côtés, le Dragon se mit à battre des ailes, lentement, puissamment, avec une force implacable qui le fit bientôt s'élever du sol. Les Sauve-Qui-Peut, serrés sur le dos crénelé de l'énorme créature, regardèrent les arbres et les toits s'éloigner. La maison des Pollock rapetissa puis disparut, créant comme un trou d'air dans l'estomac d'Oksa.

Sous une pluie toujours aussi dense, le Dragon ne tarda pas à survoler St Proximus avec sa cour noyée sous trente centimètres d'eau, et le malaise d'Oksa se fit encore plus mordant. Ce départ était-il définitif ? Reverrait-elle sa maison ? son collège ? ses amis ? Comme ils allaient lui manquer... Comme c'était terrible de partir comme ça, avec la cruelle incertitude du retour. Pour la première fois, elle comprenait ce que les Sauve-Qui-Peut avaient pu ressentir en quittant leur Terre Perdue : une atroce impression d'arrachement. L'amputation brutale d'une partie de soi. Une blessure qui ne cicatriserait jamais tout à fait.

Le Dragon prit de l'altitude, gagnant la masse ténébreuse des nuages. Tugdual et Réminiscens quittèrent à leur tour son échine pour volticaler près de lui. Le spectacle était saisissant, onirique. Soudain, des entrailles du Dragon jaillit un cri puissant, plein de douleur. La douleur de Pavel, qui souffrait plus que quiconque de ce nouveau départ. Peu à peu, les lumières et le désordre de la ville s'effacèrent. Une page se tournait et le prochain chapitre s'annonçait aussi chaotique que cette nuit marbrée dans laquelle s'enfonçaient les Sauve-Qui-Peut.

Que les remerciements garnis de gratitude fassent l'envahisse-
ment des cœurs de tous ceux qui aiment Oksa et qui ont la
croyance en sa destinée.

Qu'Estelle accepte la réception d'une mention spéciale pour
avoir fait le don de l'hymne des Sauve-Qui-Peut.

Cet ouvrage a été imprimé en France par

BUSSIÈRE

à Saint-Amand-Montrond (Cher)
en mai 2010

Composé par Nord Compo Multimédia
7, rue de Fives, 59650 Villeneuve-d'Ascq

N° d'édition : 1731/01 – N° d'impression : 101386/4
Dépôt légal : mai 2010